*

Coup de foudre aux urgences

CAROLINE ANDERSON

Un trop bel amour

COLLECTION BLANCHE

*Cet ouvrage a été publié en langue anglaise
sous le titre :*
AN UNEXPECTED BONUS

Traduction française de
M. SAVOYE

HARLEQUIN ®
est une marque déposée du Groupe Harlequin
et Blanche ® est une marque déposée d'Harlequin S.A.

Illustration de couverture
© RONNIE KAUFMAN / THE STOCK MARKET

1.

— Il est superbe !

Le sourire aux lèvres, Jo baissa les yeux sur le bébé blotti dans ses bras.

— C'est une fille, dit-elle.

Avec un petit rire, Sue s'appuya sur le bord du berceau.

— Pas le bébé, idiote... Le Dr Latimer.

— Ça y est, il est arrivé ? Quelle conscience professionnelle : venir travailler le jour de l'an !

La jeune femme se pencha pour coucher la nouveau-née sur le côté et se redressa.

— Le premier bébé de l'année ! J'ai failli manquer son arrivée. Tu étais pressée, n'est-ce pas, ma chérie ?

Le bébé ne lui prêta aucune attention, tout comme Sue qui semblait rêveuse.

— Il faut que tu le voies ! reprit-elle. Plus d'un mètre quatre-vingts, cheveux bruns, yeux gris-bleu pleins d'humour...

— C'est une photo de mode !

— Ecoute, Jo, je te répète qu'il est vraiment séduisant, dit Sue, agacée. C'est exactement l'homme qu'il te faut.

— Non ! Ce qu'il me faut, c'est le calme, la stabilité, la sécurité...

— Tu as besoin de rire et de faire la fête !

— ... une bonne retraite...

— Quoi ? Tu n'as que vingt-neuf ans !

— Trente. Tu vois, je vieillis.

Sue se pencha sur le bébé.

— Bonjour, ma jolie. Bienvenue dans un monde de retraitées et de vieillards prématurés... On fêtera ton anniversaire la semaine prochaine !

Jo se détourna vers la porte et, au passage, elle donna un petit coup sur la tête de sa collègue avec le dossier qu'elle tenait à la main.

— Tu es impossible ! Le Dr Latimer ne m'intéresse pas. Il est peut-être marié.

— Non, célibataire. Même pas divorcé.

— Pourquoi a-t-il pris un poste dans une petite ville du Suffolk aussi tranquille que la nôtre ? C'est louche. Je parie qu'il a d'insupportables manies ou une mauvaise haleine.

Sue la suivit dans le couloir qui menait au bureau des infirmières.

— Pas du tout !

— Naturellement, tu t'es suffisamment approchée de lui pour le savoir !

— Oui. C'est l'infirmière en chef qui nous a présentés. Si je n'étais pas mariée... Je t'assure, Jo, il a un charme fou. Attends de le voir. Il pourrait bien être le prince charmant.

— Oui, pour quelqu'un d'autre. Je ne crois plus aux contes de fées.

Sue s'adossa contre le mur et regarda Jo s'affairer dans le bureau.

— Alors, prends un amant.

— A Yoxburgh ? dit Jo en riant. Des idées aussi brillantes que celle-là, tu en as beaucoup ?

— Sérieusement... Il est temps que tu t'amuses un peu. Quand je vois la vie que tu mènes, enfermée comme une bonne sœur... Et Laura ? Elle va grandir en pensant que les hommes sont tous à fuir et que vivre seule, c'est normal.

— N'insiste pas. Laura et moi n'avons besoin de personne. Je sais que tu as les meilleures intentions du monde, mais nous sommes heureuses comme cela.

— A ta guise, dit Sue, vexée.

Jo poussa un profond soupir. C'était vrai, elles étaient heureuses toutes les deux. Et s'il y avait des nuits où le lit lui semblait vide et froid, cela n'arrivait pas souvent. En outre, elle avait beaucoup d'amis.

— Cesse de jouer les entremetteuses, Sue. N'as-tu pas mieux à faire ?

— Si, bien sûr. Bon, tu me diras ce que tu penses de lui plus tard !

Elle s'éclipsa avant que Jo ait le temps de répondre. Haussant les épaules, elle décida d'aller faire la visite postnatale qu'elle avait prévue. Puisque le Dr Latimer était dans les murs, il allait se rendre utile.

A pas rapides, elle longea le couloir en direction du hall d'accueil où elle trouva un petit groupe qui échangeait des propos animés. Il y avait l'infirmière en chef, la réceptionniste, une aide-soignante... et un bel homme qui était sans doute le nouveau médecin.

Sue n'avait pas menti. Grand, brun, séduisant, un vrai héros de roman ! Mais Jo décida sur-le-champ qu'il n'était qu'un homme comme les autres.

Puis le regard du médecin se posa sur elle, s'y attarda, et elle eut alors l'incroyable impression de se retrouver pieds et poings liés, comme livrée à lui, sans force et privée de souffle...

— Ah, Jo... Vous tombez bien.

Un instant, elle ferma les yeux pour rompre l'enchantement et secoua la tête. Quand elle les rouvrit, à sa grande surprise, elle était encore debout — désorientée, et le cœur battant comme un fou, mais debout.

Ce n'était quand même pas à cause de lui ? Les hommes n'avaient pas sur elle ce pouvoir-là !

L'infirmière en chef l'invita d'un sourire à se joindre au groupe.

— Je vous présente Jo Halliday, notre première sage-femme. Vous serez amené à la voir souvent car elle a la charge des consultations prénatales de votre service et des cours d'accouchement. Jo, le Dr Ed Latimer.

Comme un automate, elle lui serra la main.

— Bienvenue chez nous, dit-elle, soulagée de constater que sa voix était normale. En fait, j'ai du travail pour vous, si je peux interrompre votre visite.

— Nous avons terminé, répondit l'infirmière en chef. Il est à vous.

— A votre service, renchérit-il en s'inclinant galamment.

Son visage s'éclaira d'un large sourire et le cœur de Jo fit une embardée.

— Vous aviez besoin de moi, disiez-vous?

Oui. Pour quoi déjà? Elle n'était plus très sûre de le savoir.

— Oh, simple examen de contrôle d'un nouveau-né...

— Je vous suis.

Consciente à chaque pas de sa présence à son côté, elle le guida jusqu'à leur service.

— Nous y sommes. Il s'agit d'une petite fille, née ce matin à 8 h 30. La mère s'appelle Angela Grigson.

— C'est donc le premier bébé de l'année?

— Oui. C'est rare dans un service aussi petit. L'an dernier, nous avons dû attendre jusqu'au 9 janvier notre première naissance...

— Accouchement par les voies naturelles, je présume? La mère avait-elle prévu d'accoucher ici?

— Non, à l'hôpital. C'est son premier enfant, mais il est arrivé si vite qu'elle n'a pas eu le temps de s'y rendre. Moi-même, j'ai failli être en retard. J'ai tout vérifié sauf le rythme cardiaque. Vous voudrez peut-être refaire un examen complet.

S'apercevant qu'elle parlait à toute allure, elle s'interrompit brutalement. Ed Latimer lui jeta un coup d'œil interrogateur, puis reporta son attention sur le bébé endormi.

— Désolé, mon ange, mais je suis obligé de t'embêter un peu. Où est la mère?

— Dans la salle de bains.

— Résultat du test d'Apgar?

— Dix.

— Parfait.

Jo le regarda déshabiller le nourrisson avec des gestes incroyablement doux. Il lui examina les yeux, les oreilles, la bouche et le nez, la fontanelle, les mains et les pieds. Puis il le coucha sur le ventre dans la paume de sa main et suivit du doigt sa colonne vertébrale.

Après avoir vérifié les organes génitaux, il lâcha la nouveau-née un centimètre au-dessus du berceau, pour s'assurer qu'elle avait de bons réflexes. En effet, en poussant un petit cri, elle ouvrit les bras et s'agrippa fermement au doigt du médecin. Il la redressa et la tint sous les bras de manière que ses pieds touchent le matelas. Instinctivement, elle esquissa quelques pas.

— Bien. A présent, ce qu'ils détestent tous..., dit-il en la recouchant.

Il lui plia les jambes et les ouvrit afin de dépister une éventuelle luxation des hanches. Comme il le prévoyait, le bébé se mit à pleurer. Il le reprit contre sa poitrine.

— Désolé, bout de chou, murmura-t-il.

Comme pour se venger, le nourrisson inonda sa chemise.

— Voilà qui répond à la question suivante, dit le médecin avec une grimace. Les voies urinaires fonctionnent bien.

Jo se mit à rire et prit le bébé pour lui remettre sa couche. Puis elle le reposa dans son berceau afin que le Dr Latimer puisse écouter son cœur.

— Ça m'apprendra à les prendre dans mes bras quand ils sont tout nus, dit-il.

Il releva la tête et, de nouveau, son sourire éblouissant fit frissonner la jeune femme. Cela devenait de la pure folie.

Quand il eut fini d'écouter le cœur, il rangea son stéthoscope dans sa poche avant de rhabiller sa petite patiente.

— Vous y arrivez ? demanda Jo.

Il lui jeta un regard ironique.

— Pourquoi les femmes croient-elles toujours qu'elles seules ont le droit de jouer avec les nouveau-nés ? Tu as entendu ? reprit-il en s'adressant au bébé. Si j'y arrive ? Quel toupet !

Il fallait reconnaître qu'il se débrouillait fort bien. Y avait-il un enfant dans sa vie ? Ou une compagne ?

C'était probable. Le contraire aurait été incompréhensible, et même bizarre.

Puis il se redressa et son regard croisa celui de Jo. Dans les yeux gris-bleu du médecin, elle vit alors le reflet d'une tristesse profonde, inconsolable. Le cœur de la jeune femme se serra. Elle avait envie de le prendre dans ses bras et de lui demander les raisons d'un tel accès de mélancolie, mais n'en fit rien, bien entendu. Un bruit de pas derrière eux leur fit tourner la tête.

— Bonjour, dit la jeune mère d'une voix gaie. Tout va bien ?

Elle s'enveloppa dans son peignoir à fleurs et s'assit précautionneusement sur le lit.

— Bien, Angela. Comment vous sentez-vous ?

— J'ai un peu mal, mais ça va.

Angela regarda Ed et sourit.

— Vous êtes le nouveau médecin, je présume ?

— Oui. Dr Latimer. Toutes mes félicitations, madame. J'ai effectué l'examen de contrôle de votre petite fille. Elle est en parfaite santé et, de plus, adorable. Bravo...

Il tendit la main à la jeune mère rougissante, visiblement très impressionnée par le nouveau médecin. Exaspérée, Jo détourna les yeux. Si les femmes réagissaient

12

toutes comme ça, on pouvait s'attendre qu'il y ait la queue dans son cabinet au cours des jours à venir. Le bouche à oreille allait fonctionner encore plus rapidement qu'à l'ordinaire et le personnel féminin n'aurait pas d'autre sujet de conversation que lui !

— Je t'avais dit que tu serais estomaquée !

— N'exagérons rien.

— Il est tellement beau !

— Tu l'as déjà dit. On ne pourrait pas changer de sujet de conversation ? J'en ai assez d'entendre ce nom.

— Quel nom ?

Les deux jeunes femmes sursautèrent. Sur le seuil de la salle de repos, se tenait Ed Latimer.

— Le vôtre, répondit Jo sans se donner la peine de mentir. Tout le monde, à Yoxburgh, ne parle que de vous !

— J'espère qu'on ne raconte pas d'horreurs, dit-il en riant.

— Pour l'instant, votre crédit est intact, répondit Jo. Vous n'avez ni irrité les douairières, ni tué leurs petits-enfants. Mais soyez prudent.

Il appuya sa hanche contre le comptoir et baissa les yeux sur la bouilloire.

— Croyez-vous que je pourrais avoir une tasse de thé ? Sue se leva.

— Je vous laisse. J'ai des visites à faire.

Elle adressa un clin d'œil à Jo avant de passer la porte. Ed prit deux tasses dans le placard.

— Il n'y a que nous deux ?

— Pour l'instant. Est-ce moi que vous cherchiez ou la théière ?

— Vous... Je voulais parler avec vous du fonctionnement de l'établissement. Vous savez que je reprends le service d'obstétrique, n'est-ce pas ?

— Oui. Eh bien, je suis de garde, mais c'est calme pour l'instant. Profitons-en. Et vous, avez-vous un moment ?

— Pas de problème. Je suis à mi-temps pour toute la semaine, histoire de m'accoutumer, m'a-t-on dit. Mais après six mois de remplacement et ma formation en médecine générale et obstétrique, j'avoue que je m'ennuie un peu. J'aimerais me lancer, maintenant...

— Cela ne durera pas. Avec l'épidémie de grippe et l'hiver rude qui s'annonce, vous aurez de quoi vous occuper. Comment aimez-vous votre thé ?

— Sans sucre avec un peu de lait, merci.

Quand il prit la tasse, leurs mains s'effleurèrent et une onde fulgurante irradia la jeune femme, la laissant incapable de penser.

Qu'avait-il donc pour lui mettre la tête à l'envers ? C'était un homme ordinaire, non ? Bon, il était beau, d'accord. Mais il y en avait d'autres aussi beaux que lui. Avec précaution, elle posa sa tasse de thé sur la table et s'assit en essayant de recouvrer ses esprits. A vrai dire, il ne l'y aida pas. Prenant une chaise, il s'y installa à califourchon, les avant-bras sur le dossier et la tasse entre ses belles mains.

Même ses mains la troublaient !

— Alors, parlez-moi de votre organisation, reprit-il soudain en la ramenant à la réalité. Combien y a-t-il de naissances ici et combien à Audley, le grand hôpital ?

Soulagée de pouvoir se concentrer sur autre chose, Jo se lança dans une présentation de l'établissement.

— D'une manière générale, de plus en plus de femmes accouchent ici ou à domicile. Dernièrement, j'en ai accueilli deux qui avaient accouché à Audley, mais souhaitaient se reposer pendant deux ou trois jours après la naissance. Je trouve qu'on a tendance à renvoyer les mères trop tôt chez elles.

Elle reposa sa tasse et croisa les bras pour empêcher ses mains de trembler.

14

— La plupart ont déjà d'autres enfants et ont vraiment besoin de marquer une pause. Nous les encourageons donc à rester chez nous, d'autant plus que, sans elles, nous ne pourrions justifier l'existence de notre établissement et il serait fermé.

— Vraiment?

— C'est toujours une crainte. Ces quinze dernières années, plusieurs petits établissements ont fermé dans le Suffolk et d'autres sont menacés. Nous utilisons aussi le nôtre pour les séjours postopératoires en gynécologie et en obstétrique, autant que pour les simples accouchements, de manière à optimiser l'occupation des lits.

Il hocha la tête.

— Donc, combien de bébés naissent chaque année dans la commune? demanda-t-il en plongeant son regard dans le sien.

Ses yeux étaient-ils gris ou bleus? Difficile de le savoir dans cette lumière...

— Environ quatre-vingts, dans les environs immédiats. Nous transmettons un dossier à Audley chaque fois que nous le jugeons nécessaire, quand une naissance s'annonce particulièrement difficile. Pour les autres, si les mères tiennent à accoucher chez elles, je suis partante. Mais nous exerçons une étroite surveillance. Pas question de prendre des risques... Nous sommes trop éloignés d'un service spécialisé pour cela.

— Cela entame-t-il votre confiance en vous?

— Il fut un temps, oui. Plus maintenant, grâce à l'expérience. Je laisse plus volontiers les mères agir à leur guise.

— Est-ce que vous préférez vous fier à votre jugement ou souhaiteriez-vous des règles plus strictes en matière d'accouchement à domicile?

— Non. J'aime bien agir au cas par cas. Je me fie aussi à mon instinct.

Après cette dernière remarque, elle s'attendit à une critique de sa part.

— Moi aussi, dit-il. Je trouve que chaque cas est particulier. En revanche, je ne sais pas si je fais toujours confiance à mon instinct. Ça viendra avec l'expérience de la médecine générale. En attendant, pour les cas délicats, je préfère prendre l'avis d'un confrère. Après tout, je ne connais pas toutes les réponses, je l'admets volontiers.

— Donc, vous ne vous formaliserez pas si je vous fais une remarque ?

— Je compte bien que vous me ferez toujours part de votre opinion.

Soulagée de voir qu'ils étaient d'accord sur un point aussi important, elle lui sourit.

Comme son beeper sonnait, elle s'excusa avant de se rendre à la réception puis elle vint le retrouver.

— Il faut que je parte. J'ai un accouchement imminent. Mais si vous n'êtes pas occupé, j'ai besoin d'un partenaire... C'est une naissance à domicile. Vous pourriez justement enrichir votre expérience.

— Bien sûr, dit-il en se levant.

Il vida sa tasse de thé, glissa la chaise sous la table et se tourna vers elle.

— Votre voiture ou la mienne ?

— Prenons la mienne. J'ai toutes mes affaires dedans. Mais un instant, je vais téléphoner à ma patiente avant de partir.

Elle entra dans le bureau qui se trouvait à côté et appela Julie Brown, sa parturiente.

— C'est Jo. Comment ça se passe ?

— J'ai eu une première contraction en donnant à manger aux moutons. Et maintenant que je me tiens tranquille, je me rends compte que ça avance. Le bébé sera bientôt là.

— Pas trop vite. Y a-t-il quelqu'un avec vous ?

— Non, Tim est à la ferme voisine et les enfants sont chez ma mère.

— Laissez la porte de derrière ouverte, enfermez le

chien et montez vous allonger dans votre chambre, ordonna Jo.

— Oui, chef! répondit Julie d'un ton malicieux.

Une fois au volant, Jo expliqua le cas au médecin.

— C'est la femme d'un fermier. Elle a dit que le bébé n'allait pas tarder et elle sait de quoi elle parle. C'est son troisième.

Elle avait craint que la présence du beau médecin ne la trouble dans sa conduite, mais il n'en fut rien. Il demeura silencieux jusqu'à leur arrivée et, quand ils mirent pied à terre, elle s'aperçut qu'il était un peu pâle.

— Eh bien... Vous laissez tout le monde derrière vous!

— Je vous ai dit que nous n'avions pas de temps à perdre, répondit-elle en souriant.

Elle prit son matériel et se dirigea vers la ferme en passant par-derrière. A peine avait-elle poussé la porte que des aboiements vigoureux se firent entendre. Un gros chien noir se jeta sur elle.

— Brogue, couché! dit-elle avec autorité.

Docile, l'animal alla se recoucher dans un coin. Jo pénétra dans la cuisine et découvrit Julie, affalée sur la grande table. Elle leva la tête.

— Je n'ai pas pu monter, murmura-t-elle, haletante. Je crois qu'il arrive.

— Heureusement que vous avez une grande table, dit Jo, très calme. Je vous présente Ed Latimer, notre nouveau médecin.

Julie plissa les paupières.

— Bonjour... Oh, ça recommence...

— Débarrassons complètement la table.

Ils rassemblèrent les tasses de café et journaux qui traînaient et empilèrent des coussins pour que Julie puisse s'y appuyer.

Jo lança un coup d'œil à Ed.

— Pourriez-vous aller me chercher la grande mallette noire qui se trouve dans le coffre de ma voiture?

Il obtempéra aussitôt et, pendant ce temps, elle enferma Brogue dans la lingerie.

Lorsque le médein revint, elle sortit le matériel de sa mallette et étendit serviettes et compresses sur la table. Puis, ensemble, ils soulevèrent Julie et la déposèrent sur ce lit improvisé. L'examen révéla que l'arrivée du bébé était imminente.

— Je vais juste me laver les mains, annonça Jo.

A son retour, elle n'eut même pas le temps d'enfiler ses gants stériles. Quelques instants plus tard, elle recueillait le bébé dans ses mains.

— Bonjour, petit bonhomme, dit-elle en souriant. Tu n'as pas eu vraiment besoin de nous, en fait !

Elle déposa le nouveau-né sur le ventre de sa mère et regarda sa montre — 15 h 37 — pour se remémorer l'heure de la naissance qu'elle noterait plus tard.

Le bébé poussa alors un premier cri vigoureux.

Jo se lava de nouveau les mains et enfila des gants pour vérifier qu'il n'y avait pas de problème. Tout semblait normal et, dès que le cordon cessa de battre, elle le pinça puis le coupa. Ayant enveloppé le bébé dans une serviette propre, elle le tendit à Ed.

— Tenez ça.

— Ça..., répéta-t-il à voix basse. En voilà une façon de te parler, mon grand !

Avec un coin de la serviette, il essuya avec délicatesse le visage du bébé.

Jo s'arracha à sa contemplation et reporta son attention sur sa patiente. A cet instant, la porte s'ouvrit et Tim fit irruption dans la cuisine, tout excité.

— Julie ! Tu aurais pu m'attendre, ma chérie ! s'exclama-t-il en souriant.

— C'est un garçon.

Il serra sa femme dans ses bras.

— Tout va bien ? demanda-t-il.

— Je crois, répondit Jo. Je n'ai pas encore eu le temps de vérifier. Il est né à l'instant.

18

— Occupez-vous de la mère, et moi du bébé, dit Ed.

Le ton professionnel de sa voix rappela à Jo qu'elle avait avec elle un confrère qualifié. Ne l'avait-elle pas un peu trop malmené en lui donnant des ordres comme à un quelconque assistant ?

Tant pis. Le bébé passait avant tout et c'était sa patiente.

La délivrance ne tarda pas et Jo examina le placenta pour s'assurer qu'il avait été évacué en totalité. Puis elle vérifia que la jeune mère n'avait aucune déchirure et se déclara satisfaite.

— Moi aussi, dit Ed. Ce petit bonhomme a de bons poumons, ajouta-t-il avec une grimace. J'écouterai son cœur quand il sera calmé. Mais, à en juger par sa coloration, il ne doit pas avoir de problème.

— Non, il est costaud, dit Jo.

— Vous voulez le peser ? demanda Ed.

— Pas tout de suite, répondit-elle en rassemblant son matériel. Je voudrais d'abord qu'on transporte Julie dans sa chambre. Vous sentez-vous la force de monter l'escalier en la portant dans vos bras, Tim ?

Avec un sourire heureux, celui-ci souleva sa femme sans effort et l'emporta vers la chambre, Jo et Ed sur les talons.

— Maintenant, je vais vous aider à vous déshabiller et vous essayerez une première tétée. Ensuite, vous prendrez un bon bain et vous vous reposerez. Vous devez être exténuée après un accouchement aussi dur ! ajouta-t-elle pour plaisanter.

— Oui, j'ai dû avoir ma première contraction il y a une heure.

— Tu aurais dû m'appeler sur le portable, dit Ed sur un ton de reproche.

— Je l'ai fait, mais il était éteint !

— Allons, les enfants, ce n'est pas le moment de vous disputer, intervint Jo. Tim, pouvez-vous remettre de

19

l'ordre dans la cuisine et préparer du thé pour tout le monde ? Julie, je vais vous aider à vous déshabiller.

Une fois en peignoir, la jeune mère put allaiter son fils et, comme chaque fois, Jo ressentit une profonde satisfaction en voyant le bébé téter vigoureusement.

Machinalement, elle regarda Ed. A sa grande surprise, il arborait cet air de tristesse infinie qu'elle lui avait déjà vu. Curieux. Il était si doué avec les tout-petits. Avait-il perdu un enfant ?

A cet instant, il releva la tête et croisa le regard de la jeune femme. Comme pris en flagrant délit, il se ressaisit aussitôt. En une seconde, l'expression de son visage redevint parfaitement neutre.

— Voilà le thé, annonça gaiement Tim, un plateau dans les mains.

— Pas pour moi, merci, dit Ed, je vais aller faire un tour dehors. Je me sens encore sous le coup de la course folle qui nous a amenés ici. On peut dire que Jo n'a pas perdu une seconde. A tout à l'heure.

Il les quitta après un sourire qui sembla forcé à Jo. Tout en buvant son thé, elle se demanda ce qui pouvait le faire fuir. Car elle ne croyait pas à son explication.

Le nourrisson finit par somnoler et Julie poussa un soupir de lassitude. Comme elle émettait le souhait de prendre son bain, Jo remplit la baignoire avec de l'eau pas trop chaude pour que le bébé puisse s'y baigner avec sa mère. Après l'avoir aidée à s'installer, elle plaça l'enfant entre les genoux de la jeune femme.

Il se réveilla et fixa sur les adultes qui l'entouraient ce magnifique regard bleu foncé des nouveau-nés. Avec des gestes tendres, Julie lava le petit corps à la peau délicate.

— Après, on oublie qu'ils ont été si petits, dit-elle, émue.

Jo hocha la tête.

— C'est vrai. Je n'arrive pas à croire que Laura a été comme ça.

20

— Quel âge a-t-elle à présent ?

— Douze ans.

Le bébé manifestant quelques signes d'impatience, elle le prit et l'enveloppa dans une serviette-éponge. Julie se rallongea avec un soupir extasié.

— Déjà douze ans, oui..., dit-elle, pensive. Je me rappelle quand elle est née. C'était hier. Je vous admire de l'élever toute seule.

— J'ai ma mère, heureusement.

— Oui, moi aussi. Je ne sais pas comment je ferais si je n'avais pas la mienne au moment des moissons.

Jo emporta le bébé dans la chambre et prit la petite balance que Tim avait apportée.

— Trois kilos sept cents, annonça-t-elle d'une voix forte pour que la mère puisse entendre.

— C'est plus que Lucy et moins que Robert.

— Comment allez-vous l'appeler ?

— Nous avions pensé à Michael, répondit Tim qui remontait de la cuisine.

— Ou Anna..., intervint Julie du fond de la salle de bains. Michael me semble plus approprié. Je voudrais bien encore un peu de thé, Tim...

Il la rejoignit, une tasse à la main.

— J'avais deviné ! chantonna-t-il.

Et, pour la millième fois, Jo regretta l'absence d'un père pour sa fille, un père qui l'aurait aimée et aidée à faire ses premiers pas dans la vie, au lieu de...

Elle chassa ces pensées amères et se concentra sur le bébé qu'elle langea et habilla d'une grenouillère bien douillette avant de le coucher dans son berceau.

Puis elle aida Julie à sortir du bain et à enfiler sa chemise de nuit. Après quoi, elle descendit dans la cuisine et s'installa à la table pour remplir le dossier médical de Julie. L'heureux couple la rejoignit bientôt et tous trois commentèrent la naissance.

Ils étaient en train de bavarder quand Ed rentra.

— Voulez-vous une tasse de thé? demanda Tim.

— Volontiers, répondit Ed qui semblait rasséréné. Tout va bien?

— Pas de problème. Le bébé est dans la chambre. Si vous voulez écouter son cœur maintenant qu'il est tranquille, allez-y.

Il revint un moment plus tard, le bébé dans les bras, et le tendit à sa mère.

— Il se mordillait les poings en pleurnichant. Je crois qu'il va avoir bon appétit.

— Comme son père, dit Julie.

Ils échangèrent un regard plein de tendresse et Jo baissa les yeux sur sa tasse. Puis elle consulta sa montre. Cela faisait déjà deux heures qu'ils étaient là.

— Nous devons partir, dit-elle en se levant. Ménagez-vous, Julie. Je repasserai vous voir demain, mais n'hésitez pas à m'appeler si vous avez la moindre inquiétude.

Tim les raccompagna jusqu'à la voiture et, après une poignée de main, ils reprirent la route.

— Il fait plus froid, maintenant, dit Jo en tournant la commande du chauffage.

Elle regrettait de ne pas avoir de gants. Laura les lui avait empruntés, naturellement, comme bien d'autres choses. Dieu sait quand elle les reverrait.

Par égard pour Ed, elle conduisait beaucoup moins vite et il lui en fit la remarque.

— Au cas où vous ne l'auriez pas remarqué, nous n'étions pas vraiment en avance!

— Oui, je comprends mieux votre précipitation maintenant. Comment aviez-vous deviné?

— Il y avait quelque chose dans sa voix. Avec l'expérience, on le sent.

Il garda le silence jusqu'à leur retour à Yoxburgh, le regard fixé sur la route gelée. Au moment où elle garait la voiture devant le cabinet médical, elle se tourna vers lui.

— Quelque chose ne va pas, Ed?

La main sur la poignée de la portière, il lui jeta un coup d'œil méfiant.

— Non, pourquoi?

— Je ne sais pas. J'avais l'impression... Que s'est-il passé là-bas? Je ne conduis tout de même pas si dangereusement.

Il eut un petit sourire.

— Vous avez remarqué? Ça m'arrive parfois. J'étouffe un peu et j'ai besoin de sortir. A chaque naissance, je me demande ce que je ressentirais si c'était mon enfant. Je suppose que vous aussi.

Jo se détendit. Apparemment, il n'y avait rien de tragique dans sa vie.

— J'ai une fille. Je suis passée par là.

Il parut surpris.

— Je ne savais pas que vous étiez mariée.

— Je suis célibataire. Je l'ai toujours été, précisa-t-elle.

— Cela ne doit pas être facile.

— J'ai une mère formidable qui m'a toujours beaucoup aidée.

A cet instant, son téléphone portable sonna. Elle répondit et poussa un soupir en raccrochant.

— Un problème? demanda-t-il.

— Je repars. Une patiente me réclame. Elle pense que le travail a commencé. Mais je vais d'abord me réapprovisionner en fournitures. Vous m'accompagnez?

— Avez-vous besoin de moi? demanda-t-il d'une voix étrangement douce.

— Non, je n'ai pas besoin de vous, répondit-elle dans un souffle.

Etait-ce bien vrai?

2.

— Maman?

Il y eut un bruit de porte qui claque quelque part dans la maison et Jo adressa à sa mère un sourire désolé.

— C'en est fini de notre tranquillité...

— Maman?

Sur le seuil de la cuisine, apparut une adolescente avec un joli visage en forme de cœur, semblable à celui de Jo. Les longs cheveux bruns étaient rassemblés en une queue-de-cheval d'où s'échappaient de petites mèches folles au-dessus des yeux noisette, donnant à l'enfant un regard rêveur.

— Ah, tu es là, mamie! s'exclama Laura. Bonjour... Un gâteau! Mmm... Puis-je en avoir un morceau?

Sans attendre la réponse, elle se servit et, après s'être juchée sur un tabouret devant le comptoir, elle mordit avec gourmandise dans le biscuit au chocolat.

— As-tu passé une bonne journée, ma chérie? s'enquit sa grand-mère.

— Oui. Sauf que je suis restée à l'étude pour rien car nous n'avons pas eu de devoirs aujourd'hui. Nous en avons profité pour parler du nouveau petit ami de Cara.

Son regard se posa alors sur sa mère.

— A propos, il paraît que ton nouveau médecin est très beau.

Jo, qui était en train de boire son thé, faillit s'étrangler.

— Disons qu'il a un physique agréable...

— D'après la mère de Cara, il est vraiment très séduisant.

— Parle-nous plutôt du prince charmant de la demoiselle.

— Le copain de Cara? Il est en troisième. Il a des cheveux bruns avec des mèches oxygénées, un anneau à l'oreille et un tatouage sur le derrière, paraît-il.

— Comment Cara le sait-elle? demanda Jo d'un ton sévère.

— Il a eu un gage dans une soirée où elle est allée, répondit Laura en pouffant. Et il a dû montrer ses fesses. Elle dit qu'il a un dragon et que c'est mignon.

— J'espère pour lui que personne n'aura l'idée d'y planter une épée, dit la mère de Jo avec un humour pince-sans-rire.

Elle se leva pour débarrasser.

— Puis-je avoir une autre part de gâteau? demanda Laura.

Mais sa grand-mère secoua la tête.

— Non. Tu n'auras plus faim tout à l'heure. Va te laver les mains et reviens dans une demi-heure pour le dîner.

Laura s'éclipsa, abandonnant manteau et chaussures dans la cuisine.

— Un tatouage..., répéta Rebecca Halliday, songeuse.

Jo leva les yeux au ciel et ramassa les affaires de sa fille.

— Je regrette qu'elle ne soit pas plus difficile dans le choix de ses amis. Ça m'inquiète.

— Pas moi. C'est une fille raisonnable. Elle n'aura pas de problèmes.

— Tu croyais que j'étais raisonnable, moi aussi... Je me prenais également pour une fille sensée. Et nous nous sommes trompées toutes les deux.

— Non, on t'a menti, ce n'est pas pareil.

Rebecca étreignit brièvement sa fille avant de sortir les légumes du réfrigérateur et commencer à les éplucher.

— Mais tu t'en es sortie... Parle-moi de ce médecin... Il est beau, n'est-ce pas ?

Jo sentit le rouge lui monter aux joues et entreprit de laver la salade.

— Il n'a rien de particulier, maman.

— Il est marié ?

— Non, célibataire. D'après Sue, il a trente-deux ans. Il a commencé à exercer en obstétrique, puis il a décidé de revenir à la médecine générale. Il a effectué un remplacement pendant six mois tout en cherchant un poste.

— Et, maintenant, il est prêt à construire sa vie.

Impatientée, Jo reposa bruyamment le couvercle sur le faitout.

— Je n'en sais rien ! Il travaille chez nous depuis le 1er janvier, c'est-à-dire depuis six semaines seulement.

Rebecca jeta les légumes dans l'eau.

— Ne t'énerve pas comme ça. De toute manière, en général, tu les subjugues en dix minutes.

— Non, c'est Sue, riposta Jo d'un ton irrité. Moi, il me faut quand même un quart d'heure !

Rebecca eut un petit rire, mais elle ne commenta pas.

— J'ai entendu dire que Julie Brown avait accouché hier.

— Oui, d'un deuxième garçon. Tout s'est bien passé. J'ai été si occupée que j'ai oublié de te le dire.

— Veux-tu un peu de vin ?

— Volontiers.

Jo prit le verre des mains de sa mère et la suivit dans la salle de séjour. S'asseyant sur le grand canapé, elle laissa aller sa tête en arrière avec un soupir de plaisir. Il était plus confortable que celui dont elle disposait dans l'annexe, à l'autre bout de la maison, là où d'habitude, elle se reposait après le travail. Mais, ce soir, sa mère semblait avoir besoin de compagnie.

Jo aussi. Depuis la mort du Dr Halliday, les deux femmes trouvaient l'une auprès de l'autre réconfort et soutien moral. Sans sa mère, comme Jo l'avait dit à Ed, jamais elle n'aurait réussi à élever Laura et à mener de front une carrière...

— Ton père aurait eu soixante ans aujourd'hui, dit soudain Rebecca d'une voix douce.

Jo tressaillit.

— Mon Dieu, je suis désolée ! J'avais oublié.

— Dire qu'il était sur le point de prendre sa retraite... Cela fait maintenant presque quatre ans qu'il nous a quittées.

— Et bientôt treize ans que j'ai eu Laura... Papa l'adorait !

— Oui, ils étaient très proches.

— Il doit beaucoup te manquer, aussi.

— Je pense à lui chaque jour, mais la vie continue.

Rebecca demeura silencieuse un moment, comme si elle hésitait.

— Maurice veut m'inviter à dîner ce week-end, dit-elle enfin. J'ai répondu que je réfléchirai.

Jo aimait bien Maurice Parker, le médecin associé à son père durant de longues années. Bientôt, il prendrait sa retraite, et Ed le remplacerait. Qu'aurait pensé son père ? se demanda la jeune femme. Et la femme de Maurice, morte des suites d'une longue maladie, comment aurait-elle réagi ?

— Il a vécu des années pénibles auprès de Betty, reprit Rebecca comme si elle lisait dans les pensées de sa fille. La maladie d'Alzheimer est si cruelle ! Ton père disait qu'il y laisserait sa peau.

— Oui, il avait vieilli. Il semble beaucoup mieux depuis qu'il n'a plus ce fardeau sur les épaules.

— Il a fait tout ce qu'il a pu. Oh, il faut que j'aille surveiller la cuisson des légumes...

Jo la laissa faire et but une gorgée de vin tout en songeant à son père, mort d'une crise cardiaque. Il n'y avait eu aucun signe avant-coureur qui leur aurait permis de se préparer. En quelques minutes, elles l'avaient perdu. Sa mère avait été terrassée par le chagrin, Laura aussi, et Jo s'était dépensée sans compter pour les réconforter, oubliant presque sa propre souffrance.

Mais dans la solitude de sa chambre, elle avait pleuré longuement la perte d'un père qui s'était montré si généreux envers elle.

A la naissance de Laura, il avait été son plus fidèle soutien. Sans lui, elle n'aurait pas pu entreprendre des études. Certes, sa mère s'était occupée du bébé, mais c'était son père qui l'avait encouragée et aidée financièrement.

Ses parents avaient transformé une aile de la maison en annexe séparée, donnant ainsi un peu d'intimité à Jo et à son bébé, tout en assurant facilement la garde de l'enfant. Avec leur aide, elle avait pu entamer une carrière de sage-femme qui la passionnait.

Et, soudain, sans crier gare, le Dr Halliday était parti, laissant Maurice et James Kalbraier se débrouiller avec les patients. Maurice, obligé de réduire ses heures de garde à cause de la maladie de sa femme, avait engagé un autre médecin, Mary Brady, et il s'était dévoué auprès de Betty jusqu'à la fin.

A présent, sa mère parlait d'aller dîner avec Maurice !

Après réflexion, Jo décida que c'était une bonne idée. Comme disait Rebecca, la vie continuait. Cela leur ferait du bien. Qui sait, peut-être...

— A table !

— J'arrive !

Jo emporta son verre de vin dans la cuisine et le posa sur le comptoir.

— Mmm, ça sent bon. As-tu appelé Laura ?

— Oui, mais elle écoute sa musique si fort...

— Je vais la chercher.

En quelques enjambées, Jo gravit l'escalier. Elle frappa à la porte qui vibrait sous le déferlement sonore et l'entrouvrit.

— A table, ma chérie.

La musique s'arrêta net, faisant place à un silence assourdissant.

— Tu ne devrais pas mettre aussi fort...

Mais, déjà, Laura dévalait l'escalier en riant et entrait dans la cuisine.

— Qu'est-ce qu'on mange ? Veux-tu un coup de main, mamie ?

Le sourire aux lèvres, Jo redescendit. Ce n'était pas une enfant difficile — juste un peu bruyante et qui faisait un choix discutable en ce qui concernait ses amis. Jo aurait pu l'envoyer dans l'école privée que Rebecca était prête à payer, mais l'établissement était loin et il n'y avait pas de car de ramassage pour cette destination, ni d'étude après les cours. Bref, ce n'était pas pratique et, quand elle travaillait, Jo aimait savoir sa fille proche d'elle.

— Ce soir, nous avons répétition, dit Laura en se mettant à table. Tu me feras réciter mon texte ?

— Demande à mamie. Moi, je n'ai pas revu le mien depuis Noël.

— Roz va être furieuse !

— Je sais. J'essaierai de réviser après le dîner.

— Comment se passent les répétitions ? demanda Rebecca.

— Avant Noël, c'était épouvantable, répondit Jo. Nous verrons si les gens ont appris leur texte ou s'ils ont fait comme moi. Je crains le pire.

— A-t-on trouvé quelqu'un d'autre pour le chœur ? demanda Laura en attaquant sa tranche de rôti avec appétit.

— Je ne sais pas.

— Tu devrais demander au docteur... Comment s'appelle-t-il déjà ?

— Latimer, Ed Latimer. Je doute que ça l'intéresse.

— Demande-lui.

Jo n'en avait aucune envie. Elle ne voulait pas s'approcher d'Ed Latimer, ni rester en sa compagnie plus que nécessaire. Il était trop beau, trop viril, trop attirant.

Elle acheva son repas en silence, n'écoutant que d'une oreille le bavardage de sa mère et de Laura. Après avoir rempli le lave-vaisselle, elle alla prendre une douche. L'eau était délicieusement chaude sur sa peau et la jeune femme eut soudain conscience de son corps, comme cela ne lui était pas arrivé depuis longtemps.

Ed... Les yeux clos sous l'eau qui ruisselait, elle laissa échapper un gémissement. Pourquoi lui ? Cela faisait des années qu'elle repoussait sans arrière-pensées ni remords tous les hommes qui s'approchaient d'elle.

Mais quelques semaines auparavant, Ed Latimer était entré dans sa vie en douceur, les mains dans les poches, avec son sourire sensuel et son regard plein d'humour. Et déjà, elle ne maîtrisait plus rien, prête à déposer les armes devant cet homme au charme ravageur.

— Ce n'est pas possible ! En quinze jours, vous avez déjà tout oublié !

Quelques protestations s'élevèrent, mais la metteuse en scène, ulcérée, jeta son texte et retourna dans son bureau. Le regard de Jo croisa celui de sa fille et, d'un accord tacite, elles rejoignirent Roz.

— Roz...

— Tous les ans, c'est la même chose ! explosa l'interpellée. Ils savent à peine ce qu'ils doivent faire à la couturière ! Je ne sais pas pourquoi je m'acharne à monter des spectacles avec des amateurs. Il y a longtemps que j'aurais dû laisser tomber. Dès qu'ils n'ont plus leur texte, ils sont là, pétrifiés. Eh bien, tant pis, il faudra qu'ils se débrouillent avec le souffleur !

— Peut-être serait-il plus sage de marquer une pause, répondit Jo d'un ton calme. Je vais préparer du thé et nous reprendrons la répétition dans un moment.

Roz poussa un gémissement.

— Ils me rendent folle.

— Mais tu recommences chaque année depuis treize ans.

— Je sais. Je dois être masochiste.

Les deux femmes échangèrent un sourire.

— Il nous manque toujours un homme pour compléter le chœur, dit Roz, rassérénée. Tu crois que votre nouveau médecin accepterait de participer ?

Prise au dépourvu, Jo renversa du thé dans la soucoupe et se brûla la main.

— Bon sang..., marmonna-t-elle en reposant la théière. Je ne sais pas. Demande-lui, mais il est sûrement trop occupé.

— Peux-tu le lui demander pour moi quand tu le verras ?

Jo ne put refuser.

— Bonjour !

En entendant cette voix masculine, à la fois chaleureuse et sensuelle, résonner dans la kitchenette du cabinet médical, la jeune femme se sentit frémir de la tête aux pieds. Elle se retourna et, se forçant à sourire, leva les yeux vers Ed.

— Bonjour, répondit-elle d'un ton aussi neutre que possible.

— Tout va bien ? Pas de naissances imminentes pour moi ?

— Désolée, nos futures mères s'en tiennent aux dates prévues. Mais j'ai un cours de préparation à l'accouchement à l'hôpital dans quelques minutes. Je leur demanderai de faire un petit effort pour vous.

Il eut un petit rire et se pencha pour vérifier le contenu de la bouilloire. Un rayon de soleil éclaira alors ses cheveux, allumant des reflets roux et mordorés dans les mèches brunes. Jo éprouva soudain une irrésistible envie d'y passer la main...

— Il reste assez d'eau, dit-elle. Je viens d'en faire bouillir pour moi.

— En voulez-vous encore un peu ?

— Non, merci.

Il se servit.

— Pendant que j'y pense, commença Jo, j'ai une requête à vous soumettre. Il manque un homme dans le spectacle que nous jouons chaque année à Yoxburgh. Roz, qui met en scène, m'a priée de vous demander si vous accepteriez de participer, mais je lui ai dit que vous seriez trop occupé.

— Pourquoi lui avez-vous dit ça ?

Sous son regard scrutateur, elle se troubla.

— Je ne sais pas... Je pensais que vous ne seriez pas libre. Vous savez, les répétitions ont lieu plusieurs fois par semaine, reprit-elle d'une voix plus assurée. C'est à vous de voir. Vous êtes le bienvenu, mais je voulais vous ménager une porte de sortie. C'est parfois assez fastidieux.

— Si vous ne voulez pas que je participe, dites-le, Jo, murmura-t-il d'une voix sourde.

— Ne soyez pas idiot, répondit-elle avec un petit rire nerveux. Je croyais vraiment que vous ne seriez pas intéressé. C'est un spectacle d'amateur.

— Et vous jouez dedans ?

— Oui, le premier rôle féminin. Je ne sais pas quand je trouverai le temps d'apprendre mon texte.

— Est-ce amusant ?

La jeune femme comprit alors qu'il mourait d'envie de participer, ce qui l'étonna. Peut-être se sentait-il seul ? Enfin le volontaire tant espéré ! Elle ne pouvait se permettre de le décourager pour des raisons personnelles.

— Oui, répondit-elle à contrecœur. Vos patients vous connaîtraient sous un jour différent. Ce serait bon pour votre image de marque. Ici, les gens mettent du temps à accepter les nouveaux venus.

Il lui jeta un coup d'œil ironique.

— Oui, j'ai remarqué.

Gênée, elle se mordit la lèvre.

— Je suis désolée. J'avais le sentiment que nous retrouver aux répétitions, le soir, après avoir travaillé ensemble, ce serait un peu...

— Trop?

Elle hocha la tête.

— Cela vous perturbe que je sois toujours près de vous?

Le regard gris ardoise posé sur elle était d'un incroyable magnétisme et semblait deviner ses sentiments les plus profonds.

— Un peu...

Il eut un sourire ravi, inattendu, plein de charme, qui relevait les coins de sa bouche.

— Vous savez, je ne suis pas non plus immunisé contre vous.

Pendant quelques instants, elle ne put parler.

— Dans la mesure où nous travaillons ensemble, Ed, dit-elle enfin d'une voix étranglée, nous serions dans une situation délicate, si nous...

Violemment émue, elle ne put se résoudre à prononcer les mots.

— Si nous sortions ensemble?

— Oui.

Sans se départir de son sourire, il haussa les épaules avec insouciance.

— D'accord. Si je promets de garder mes distances, puis-je participer au spectacle?

— Bien sûr. Ce n'est pas très bon, je vous préviens.

— Quand a lieu la prochaine répétition?

34

— Ce soir, à 19 h 45, à la salle des fêtes.

Il hocha la tête, vida sa tasse de thé et prit congé.

Les jambes molles comme celles d'un pantin dont on aurait coupé les ficelles, la jeune femme s'assit et enfouit son visage dans ses mains. Il ressentait lui aussi de l'attirance pour elle... Incroyable. Mais alors, que de complications en perspective !

— Ça va ?

La voix d'Ed la fit sursauter et elle releva la tête.

— Oui, je suis un peu fatiguée, c'est tout. Vous avez oublié quelque chose ?

— Où se trouve la salle des fêtes ?

— Sur la place, c'est le bâtiment noir et blanc.

— Alors, à ce soir. A moins que vous reveniez ici après votre cours de préparation à l'accouchement.

— Mon Dieu !

Elle sauta sur ses pieds. Elle avait complètement oublié. Vite, elle prit son beeper et fila sans même lui dire au revoir.

— A plus tard ! cria-t-il.

Jo courut jusqu'à sa voiture. Quelle folie de lui avoir demandé de se joindre à la distribution du spectacle ! Comme si elle n'était pas suffisamment perturbée comme ça.

Elle arriva à l'hôpital juste à l'heure. Il y avait des retardataires et elle décida d'attendre quelques minutes avant de commencer le cours. Pendant que les jeunes femmes bavardaient entre elles, Jo prépara son matériel — une poupée et un bassin en plastique pour montrer à ses patientes les phases de déroulement du travail et le passage du bébé lors de la mise au monde. Elle disposait également de graphismes et de croquis pour expliquer les étapes de développement du fœtus.

Les retardataires finirent par arriver et Jo put commencer. Elle demanda à chaque future mère de se présenter, de spécifier si elle était ou non primipare et quel type d'accouchement elle souhaitait.

Cinq femmes sur les dix présentes voulaient que leur enfant naisse à la maison ou dans un service généraliste. Sur ces cinq-là, trois seulement figureraient peut-être parmi les patientes de Jo, la quatrième ayant plus de quarante ans et la cinquième des antécédents médicaux qui excluaient toute possibilité d'accoucher en dehors d'un service spécialisé.

— Moi, dit une toute jeune femme enceinte de son premier enfant, ce n'est pas l'accouchement qui me préoccupe, mais les jours qui suivront. J'ai peur de ne pas savoir m'occuper de mon bébé. C'est une telle responsabilité. Si je ne sais pas pourquoi il pleure par exemple, qu'est-ce que je vais faire ?

Jo s'empressa de la rassurer.

— Vous essayez toutes les solutions jusqu'à ce que vous trouviez la bonne. Les bébés sont persévérants et savent très bien obtenir ce qu'ils veulent. Ne vous inquiétez pas.

— Mais si je ne comprends pas le mien, insista la jeune mère.

— Vous saurez ce qu'il faut faire. Dans toute ma carrière, je n'ai rencontré qu'une mère vraiment perdue à la naissance. Peu à peu, elle a réussi à se détendre et à se mettre à l'écoute de son bébé. Tout ira bien, vous verrez. De toute manière, vous ne serez pas seule. Pendant les dix premiers jours qui suivent la naissance, je viendrai vous voir si vous le désirez et, ensuite, je peux passer le relais à une puéricultrice à domicile sur votre demande. Vous ne vous sentirez donc pas abandonnée.

Jo jeta un coup d'œil circulaire.

— Bien. A présent, j'aimerais voir ou revoir avec vous toutes les phases du travail pour m'assurer que vous savez exactement ce qui se passe à chaque stade.

Les jeunes femmes suivirent avec attention les explications détaillées de Jo qui illustra ses propos à l'aide du matériel qu'elle avait préparé. Puis elle invita les futures mères à poser des questions et à faire des commentaires.

Ce qui pouvait se révéler délicat. Car il y avait souvent au moins une femme qui prenait plaisir à évoquer un précédent accouchement, difficile ou même traumatisant, sans se préoccuper de la frayeur qu'elle suscitait chez les autres. Jo se tenait donc toujours prête à interrompre avec tact toute femme qui se lançait dans un discours négatif.

Mais, ce jour-là, rien de tel ne se produisit. Et après quelques minutes d'échanges, elle invita ses patientes à s'allonger pour les exercices de relaxation.

— Concentrez-vous sur chacune des parties de votre corps, l'une après l'autre, et alternez tension et détente. Par exemple, prenez vos pieds. Pointez-les très fort, sans vous faire de crampe, puis relâchez. Complètement. Là, c'est bien. A présent, levez les jambes et pointez les pieds dans la direction de votre tête. Relâchez !... Parfait.

Jo observait ses patientes, repérant celles qui avaient des difficultés ou celles qui, au contraire, n'en étaient pas à leur premier cours ou pratiquaient le yoga. L'une d'elles, Mel, habillée dans le style hippie, semblait merveilleusement détendue. Jo consulta ses notes et fronça les sourcils. L'adresse indiquée était un terrain réservé aux caravanes, dans la forêt qui s'étendait derrière Yoxburgh.

C'était un endroit plein de charme, mais la jeune mère avait exprimé le désir de donner naissance à son bébé chez elle. A la perspective de superviser un accouchement dans une caravane ou une simple cabane, Jo fut parcourue d'un frisson désagréable.

Et si un problème surgissait ? C'était un premier enfant, il n'y avait aucune raison pour que cela se passe mal, mais qui pouvait le dire avec certitude ? Le bébé naîtrait sans doute pendant la nuit et, dans ce coin reculé, il n'y avait ni eau ni électricité ! Comment travailler dans des conditions aussi précaires ? Jo se promit d'avoir une conversation avec Mel avant son terme, pour s'assurer qu'elle comprenait les risques encourus.

Bientôt, la séance prit fin et, après quelques derniers conseils, les jeunes femmes rangèrent les tapis et prirent congé. Toujours préoccupée par Mel, Jo finissait de mettre de l'ordre dans la salle, quand l'une de ses collègues passa la tête dans l'embrasure de la porte.

— As-tu le temps de prendre un café ?

— Oui, avec plaisir. Dis-moi, connais-tu Mel, la jeune femme qui vit dans la forêt ?

— Oui. Crains-tu qu'elle te pose un problème ?

— J'espère que non. C'est une originale, mais elle n'est pas sotte. J'ai pourtant l'impression que j'aurai du mal à la convaincre d'aller à l'hôpital le moment venu. Simple pressentiment.

— Accoucher dans une cabane... Ce ne serait pas la première à le faire !

— Je préférerais l'éviter. Je demanderai peut-être à Ed Latimer de lui parler. On verra s'il est capable de la convaincre.

— Moi, il pourrait me convaincre de faire n'importe quoi pour lui ! assura la jeune femme avec une expression de convoitise.

Jo se mit à rire, mais, soudain, l'appréhension lui noua l'estomac. Elle avait oublié la répétition avec Ed ! Cette fois, elle ne pourrait pas se retrancher derrière une attitude froidement professionnelle. Il n'y aurait qu'elle, et sa fille.

Puis son visage s'éclaira.

Justement, elle serait avant tout la mère de Laura ! Ainsi apparaîtrait-elle moins jeune, avec des préoccupations terre à terre. Enfin... avec un peu de chance.

3.

Ed s'arrêta un instant devant le bâtiment orné de faux colombage noir et blanc et se demanda s'il n'était pas devenu fou.

Jo lui avait fait clairement comprendre que sa présence la dérangeait. Mais il éprouvait pour la jeune femme une attirance si forte qu'il n'avait pu se résoudre à rester chez lui.

Il ne voulait surtout pas l'importuner et, au travail, il prenait bien soin de ne pas s'imposer ni de flirter avec elle. Mais il avait envie de la voir tout le temps, et la demande de Roz lui était apparue comme un cadeau du ciel.

En outre, il fallait bien qu'il fasse connaissance avec les habitants de la commune. Son père était médecin de campagne et, chez eux, il y avait toujours des visiteurs, amis ou relations de ses parents. Mais Jo l'avait prévenu. Les gens de la région étaient très réservés vis-à-vis des nouveaux venus.

Bah, il verrait bien. Il poussa la porte et se retrouva aussitôt plongé dans un univers fantasmatique. De petites abeilles s'ébattaient un peu partout en poussant des cris perçants, une fillette se plaignait que son dragon avait une crête tombante — pouvait-on recoudre les crochets ? —, des gens déguisés allaient et venaient parmi les costumes empilés un peu partout. Et, au milieu de ce capharnaüm,

39

se tenait Jo, vêtue d'une somptueuse robe de mariée, ses cheveux sombres relevés sous une tiare. Elle riait en écoutant les propos d'un homme en costume de satin bleu, agrémenté de manchettes de dentelle.

Il se pencha pour lui dire quelque chose et, les yeux brillants de gaieté, Jo rit de plus belle. Ed se sentit soudain pris d'une envie de frapper.

La jeune femme l'aperçut alors. Ed se demanda si son imagination lui jouait des tours, mais il eut distinctement l'impression qu'un éclat de panique assombrissait ses beaux yeux. Elle se fraya un chemin jusqu'à lui.

— Je croyais que vous aviez changé d'avis, dit-elle. Vous êtes en retard.

— Je n'ai pas pu m'échapper plus tôt. J'ai eu une admission tardive à superviser. Enfin, me voilà. Que dois-je faire ?

— Aller voir Roz. Venez.

Il la suivit, tout en se demandant comment elle réussissait à être aussi éblouissante dans une robe qui, vue de près, ressemblait à un assemblage de tissus d'ameublement et de voilages.

— Roz, je te présente Ed Latimer...

Machinalement, il sourit et serra la main de Roz.

— Je crois que vous allez nous être fort utile ! s'exclama celle-ci avec un regard appréciateur. Savez-vous chanter ?

— Pas trop mal. Pourquoi ?

— Parce que votre partenaire masculin en est incapable. Allez voir Anne. Elle vous donnera d'abord un costume de villageois. Puis vous irez voir notre chef de chœur, là-bas. Andrew ! cria-t-elle. Voici une nouvelle recrue. Donne-lui les paroles des chansons. Tenez, reprit-elle en se tournant de nouveau vers Ed, c'est le texte de la pièce. Merci !

Avec vivacité, elle pivota sur ses talons et disparut au milieu des figurants, le laissant avec Jo.

— *La Belle et la Bête*, lut-il à voix haute sur la page de garde. Je parie que vous êtes la Belle.

Modestement, Jo hocha la tête.

— Un rôle qui vous va bien, murmura-t-il.

Comme elle s'apprêtait à protester, il l'interrompit.

— Pourquoi mentirais-je ?

— Venez, dit-elle en soupirant, je vais vous présenter à Anne, la costumière.

« Bon sang ! pensa-t-il aussitôt. Tu lui avais promis d'être réservé. Qu'est-ce qui te prend ? »

Ils se dirigeaient vers le fond de la salle quand une fillette d'une douzaine d'années vint vers eux.

— Bonjour, je m'appelle Laura. Vous êtes le nouveau médecin ?

Ed la considéra. De toute évidence, c'était la fille de Jo, tant leur ressemblance était frappante. Elle avait un regard franc et direct.

— Oui, répondit-il, c'est moi.

— Voici ma maman...

— Je sais. Ravi de te rencontrer, Laura.

D'un air intrigué, la petite pencha la tête sur le côté, d'une manière qui rappelait tellement sa mère qu'il eut envie de rire.

— Allez-vous jouer dans notre spectacle ? demanda-t-elle.

— Oui, je crois.

— Bien. Maman était contre, mais je suis sûre que ça va vous plaire. C'est marrant, vous verrez.

— Laura ! On t'attend pour répéter ta chanson, intervint Jo avec sévérité.

— Je me sauve ! A plus tard.

Elle s'éclipsa et Ed nota que Jo s'empressait de le confier à la costumière. Celle-ci prit ses mensurations et lui remit un tas de vêtements à essayer chez lui.

Culotte de velours, chemise blanche à larges manches, gilet, chaussettes... De quoi aurait-il l'air ? Tant pis, c'était pour la bonne cause.

Lorsque la répétition commença, Jo essaya de se concentrer, mais chaque fois qu'elle apercevait le jeune médecin, elle était si troublée qu'elle oubliait son texte.

Roz finit par se fâcher et Jo reprit en évitant soigneusement de le regarder. Que Roz aille au diable ! se dit-elle, dépitée. Quelle idée de l'engager ! Sans lui, elle ne pataugerait pas comme ça. Toutefois, quand ils entamèrent le chœur de l'hiver, elle reconnut qu'elle prenait, grâce à lui, un plaisir inattendu à la répétition.

Ed avait une belle voix de basse, et il fut immédiatement engagé pour chanter à la place de la Bête, qui manquait totalement de talent en ce domaine. La Bête porterait un énorme masque et nul ne s'apercevrait que la voix proviendrait de derrière le rideau.

Quand Roz demanda à Ed de rejoindre les coulisses pour répéter, Laura rejoignit sa mère et lui tira la manche.

— Il est beau ! chuchota-t-elle. Tu devrais l'épouser, maman.

— Ne dis pas de sottises, répliqua Jo, suffoquée. Je le connais à peine !

— Alors, arrange-toi pour le connaître mieux.

— Je refuse d'en parler ici. Tais-toi !

A 22 heures, quand la répétition prit fin, Jo rassembla son costume et celui de sa fille puis elle l'entraîna vers la sortie. Devant la porte, Ed bavardait avec d'autres comédiens — le jeune marié, l'arrière-train du cheval, la Bête — et bloquait le passage.

— Nous allons boire un verre au Dog and Fox, Jo... Tu viens ? Ed vient aussi.

Elle leva les yeux vers le médecin, mais il était impassible.

— Euh... Non. J'aimerais bien, mais je suis de garde demain soir et Laura a cours demain matin. Une autre fois, peut-être.

— Je trouve qu'Ed Latimer serait parfait pour toi, dit Laura alors qu'elles se hâtaient de parcourir les cinq cents mètres qui les séparaient de la maison.

— Ce n'est qu'un homme, soupira Jo.

— Que veux-tu dire ? Tu es une femme, non ? Il est beau, il est médecin, ce qui vous fait un centre d'intérêt commun, et il a l'âge idéal. Je ne vois pas où est le problème.

Non, bien sûr. A douze ans, Jo n'en aurait pas vu non plus. C'était avec les années qu'elle avait découvert les traquenards de l'existence et qu'elle était devenue méfiante.

Pourquoi, par exemple, était-il encore célibataire à trente-deux ans ? Il y avait forcément une raison, et pas forcément avouable. La plupart des hommes de cet âge étaient mariés, divorcés ou incapables de vivre avec quelqu'un. Elle savait qu'il n'était ni marié ni divorcé et habitait chez le Dr Parker en attendant de trouver un toit. Et comme il ne semblait pas y avoir de femme dans sa vie, il ne restait qu'une solution. Il n'était pas fait pour vivre en couple !

Quelle aubaine !

Avec un soupir, Jo mit un bras autour des épaules de sa fille.

— Pourquoi cherches-tu à tout prix à me caser ? demanda-t-elle avec une feinte légèreté. Ne sommes-nous pas bien ainsi ?

Laura ralentit le pas.

— Si, mais quelquefois, tu as l'air si seule... Et il y a des choses que nous ne pouvons pas faire, comme soulever des objets lourds. Ce serait bien d'avoir un homme à la maison.

Jo ne put s'empêcher de rire.

— Je ne peux quand même pas me marier pour ce motif !

— Non, bien sûr. Mais si c'était l'homme qu'il te faut...

— Ce n'est pas le cas, coupa Jo, péremptoire. As-tu fait tes devoirs pour demain ?

— Jo, as-tu une minute ?

La jeune femme s'arrêta dans le couloir et se tourna vers le vieux médecin.

— Oui. Qu'y a-t-il, Maurice ?

— Euh... Je me demandais si tu étais libre samedi soir ?

— Libre ?

Elle regarda le visage bienveillant de Maurice Parker et se demanda ce qu'il manigançait.

— Oui, je pense, répondit-elle. Pourquoi ?

— J'ai invité ta mère à dîner. Ed sera là aussi, bien sûr, puisqu'il habite chez moi en ce moment, et je me disais que s'il y avait au moins une autre personne, ce serait... un peu moins intime, conclut-il.

La jeune femme comprit aussitôt son embarras. Après trente ans de mariage avec Betty, Maurice Parker éprouvait de l'appréhension à l'idée de faire la cour à sa mère. Et Rebecca avait sans doute les mêmes sentiments à la perspective d'un tête-à-tête.

Ils étaient charmants tous les deux.

Troublée à la pensée de passer la soirée avec Ed, Jo donna son assentiment sans hésiter.

— Ce sera avec plaisir. Je m'en réjouis à l'avance. A quelle heure devons-nous venir ?

— 20 heures ?

— Parfait. Faut-il s'habiller ?

— Pas trop. Je ne suis pas cordon-bleu, tu sais. Alors, ne t'attends pas à une grande soirée.

Elle lui adressa un large sourire.

— Ce sera très bien, j'en suis sûre... A samedi, Maurice.

Comme s'éloignait, la jeune femme s'adossa un moment contre le mur.

« Je vais passer la soirée avec Ed », songea-t-elle, tout excitée. Serait-elle à la hauteur ?

44

Depuis la naissance de Laura, elle sortait peu et le trac l'envahissait. Elle avait eu l'occasion d'aller à des fêtes, bien sûr, mais surtout avec des collègues de travail et toujours en groupe. Aussi, la perspective de sortir en couple avec un homme lui faisait-elle battre le cœur. Et si, à un moment donné, ils se retrouvaient seuls tous les deux ? Que ferait-il ? Essayerait-il de l'embrasser en la raccompagnant, par exemple ?

Et surtout, le laisserait-elle faire ?

Elle revit la bouche sensuelle, aux lèvres pleines et bien dessinées. Qu'éprouverait-elle si cette belle bouche venait se poser sur la sienne ?

Cette pensée lui arracha un petit gémissement et elle ferma les yeux.

— Jo ?

Elle rouvrit les paupières et rougit violemment. Ed ! Balbutiant une vague excuse, elle passa devant lui et entra dans la kitchenette.

Il la suivit et referma la porte.

— Ça va ?

— Oui... J'ai un peu chaud, c'est tout, répondit-elle, mal à l'aise.

Elle s'en voulait de ne pas mieux maîtriser ses émotions, alors qu'elle se voyait toujours si professionnelle, calme et assurée, indifférente... Non, indifférente, elle ne l'était certainement pas. Elle n'avait qu'un désir. Qu'il l'embrasse jusqu'à lui faire perdre la tête, jusqu'à ce qu'elle se sente fondre dans ses bras !

— Idiote, murmura-t-elle.

— Pardon ?

— Rien, j'ai oublié quelque chose. Vous aviez une question à me poser, docteur Latimer ?

— Ed... Non, pas vraiment. Vous aviez l'air bizarre dans le couloir. Je me demandais si tout allait bien.

— Très bien, je vous assure... Il semble que nous devions jouer les chaperons samedi soir pour éviter à Maurice et à ma mère la gêne d'un rendez-vous galant.

— Un rendez-vous galant? répéta-t-il, surpris.

— Oui, je crois.

— C'est adorable..., dit-il en souriant. Je serai ravi de les chaperonner avec vous. Je vous laisse car on m'attend.

— J'ai l'impression d'avoir seize ans, marmonna Rebecca. C'est ridicule, vraiment...

Elle se posta devant le miroir et posa la main sur son ventre en fronçant les sourcils.

— J'ai grossi. Es-tu certaine que cette robe me va bien?

Jo soupira.

— Oui, tu es superbe. Cesse de te tourmenter. Maurice ne t'invite pas à dîner pour mesurer ton tour de taille.

— Pourquoi m'invite-t-il d'ailleurs?

— Parce qu'il tient à toi, qu'il te respecte. Peut-être aussi parce que tu lui plais.

— Ne dis pas de bêtises. Je vais avoir soixante ans.

— Lui aussi. Et alors? Bon, reprit Jo, es-tu prête?

Rebecca considéra sa fille d'un regard critique.

— Oui, mais pas toi. Tu n'y vas pas avec cette robe?

— Si. Pourquoi?

— Va mettre quelque chose de joli, je t'en prie! On dirait une secrétaire au bureau.

— Je n'ai rien d'autre.

Rebecca ouvrit son placard et passa en revue sa garde-robe.

— Tiens, celle-là! Ton père trouvait qu'elle m'allait très bien. Comme nous sommes de la même taille, elle devrait t'aller.

Jo prit la robe que lui tendait sa mère et la tint devant elle, face au miroir. Elle était en drap de laine fin, d'un joli bleu-gris, avec de longues manches, une jupe qui arrivait presque aux chevilles et un col châle particulièrement flatteur.

— Ce sera parfait avec tes bottines, insista sa mère. Voilà la ceinture.

Docile, Jo se changea.

— Voilà qui est mieux ! dit Rebecca. Oui, ma chérie, tu es parfaite ! Garde-la. Ce serait dommage de l'abandonner dans mon placard alors qu'elle te va si bien.

Jo serra sa mère dans ses bras.

— Tu es sûre ?

— Oui, ton père serait d'accord. Allons, va te coiffer. Il est temps de partir.

Il était inutile de discuter. Après tout, cette soirée était celle de sa mère et cela lui faisait tellement plaisir ! Jo enfila son grand manteau et, bras dessus bras dessous, elles parcoururent les deux cents mètres qui les séparaient de la maison de Maurice. Un vent froid soufflait de la mer, mais elles avaient l'habitude. Heureuse, Jo inspira profondément l'air marin.

— Quelle belle nuit ! murmura-t-elle. Nous allons avoir du gel.

— Mes camélias ne résisteront pas. Es-tu sûre que Laura sera bien, chez Cara ?

— Oui, sa mère est assez ferme. Je crains quand même qu'elles regardent des cassettes vidéo jusqu'à minuit. Heureusement, demain, c'est dimanche. Je me demande ce que nous allons manger, ajouta-t-elle. Je meurs de faim.

Elles remontèrent l'allée qui menait à la belle maison de style victorien et sonnèrent. Presque aussitôt, la porte s'ouvrit et le médecin les invita à entrer. Visiblement nerveux, il les débarrassa de leurs manteaux, adressa à Jo un sourire distrait et, après une hésitation, embrassa Rebecca sur la joue.

— Tu es superbe ! C'est une joie de te recevoir.

Jo sentit l'émotion la gagner. Il semblait vraiment éprouver de la tendresse pour sa mère qui arborait, en cet instant, un visage rayonnant.

— Tu as l'air en forme toi aussi, dit-elle en lui tapotant la joue. Ça fait longtemps qu'on ne s'est pas vus.

— Trop longtemps, murmura-t-il.

Puis il les introduisit dans le salon où un bon feu flam-
bait dans la cheminée. Ed se leva de son fauteuil pour
accueillir les visiteuses.

— Rebecca, dit Maurice, je te présente mon jeune
pensionnaire, Ed Latimer. Ed, voici Rebecca Halliday...
et Jo, que vous connaissez déjà.

— Enchanté de faire votre connaissance, dit Ed en
prenant la main de Rebecca.

— J'ai beaucoup entendu parler de vous.

Ed se tourna alors vers Jo et l'enveloppa d'un regard
approbateur.

— Vous êtes ravissante. Cette couleur vous va très
bien.

— N'est-ce pas? renchérit Rebecca. Elle devrait
s'habiller plus souvent, mais elle ne sort jamais.

— Quel dommage!

— Je suis trop occupée, répondit Jo qui prit le verre de
sherry que lui offrait Maurice et se réfugia dans un coin
du canapé.

— Servez-vous, dit Ed en lui tendant une soucoupe.

La jeune femme sentit ses joues s'empourprer. Etait-ce
la chaleur du feu, la marche dans la fraîcheur du soir ou le
regard un peu moqueur de l'homme qui venait de
s'asseoir à côté d'elle?

— Tenez-vous bien, murmura-t-elle.

Il se mit à rire.

— Je vous offrais seulement des amandes salées.

Elle en prit quelques-unes et tenta d'oublier qu'il était
à vingt centimètres d'elle. Il avait sûrement senti à quel
point il la troublait!

— Comment vont les répétitions? demanda Maurice.

— C'est aussi chaotique que d'habitude. Ed est
engagé.

— Je sais. C'est un bon moyen de se faire accepter par la communauté. A la campagne, on est toujours un peu... fermé.

— Je ne suis pas de cet avis, intervint Ed. J'ai travaillé en ville, c'est pareil. Si l'on n'est pas né dans le quartier, on ne vous fait pas confiance, en tout cas pas d'emblée.

— Moi, j'ai de la chance, dit Jo. Je suis née ici, dans une petite maison un peu plus bas, derrière chez nous. Maintenant, nous la louons aux vacanciers, mais elle me rappelle de nombreux souvenirs d'enfance et, comme je le disais à maman, je ne me vois pas habiter ailleurs qu'à Yoxburgh.

— Puisque vous en parlez, intervint Maurice, Ed cherche quelque chose à louer et il a du mal à trouver. Ces derniers temps, il s'est mis en tête d'acheter une maison en ruines et de la restaurer pendant son temps libre.

— Prenez le cottage, suggéra aussitôt Rebecca.

Une bouffée de panique envahit Jo. C'était trop près de chez elle !

— N'est-il pas déjà loué ? objecta-t-elle, espérant que sa mère comprendrait l'allusion.

— Pas avant Pâques, répondit celle-ci, contente de son idée.

— Je sens que je vais perdre mon chef, dit Maurice en riant. Oui, Ed sait très bien faire la cuisine, figurez-vous. C'est lui qui a préparé le dîner, ce soir.

Jo se tourna vers Ed et haussa un sourcil.

— Vraiment ? Sommes-nous à l'abri d'une intoxication ?

— Je crois. J'ai laissé tomber la viande deux ou trois fois sur le carrelage, mais je l'ai passée sous l'eau.

— Ah bon...

Il la regardait d'un air malicieux et elle ne put s'empêcher de sourire.

— Quel est le menu ?

— Poivrons farcis pour commencer, rôti de porc aux pruneaux, fromages et compote de pommes au miel.

— Je suis impressionnée par ces talents cachés.

— Oh, j'ai toutes sortes de talents cachés, murmura-t-il.

Jo sentit de nouveau le rouge lui envahir les joues.

— Il fait chaud ici, n'est-ce pas ? reprit-il. Il faut que je cuise les légumes. Venez, vous me donnerez un coup de main.

— Vous ne pouvez pas vous débrouiller ?

— Si, mais je me sens seul.

Avec un soupir, elle le suivit dans la cuisine où régnait un désordre contrôlé.

— Laissez, dit-il, comme elle s'approchait de l'évier. Je voulais vous parler de Maurice et de votre mère. Ils ont l'air de bien s'entendre.

— Depuis toujours, répondit Jo qui se souvenait de leurs joyeuses réunions, avant la maladie de Betty et la mort de son père. Ils étaient de grands amis, tous les quatre. Maurice est très gentil avec elle.

— C'est un gentleman. Avec lui, elle sera heureuse. Il ne lui fera jamais de mal.

— J'en suis certaine.

Comme c'était étrange d'évoquer sa mère avec quelqu'un d'autre que son père...

— Puis-je faire quelque chose ? demanda-t-elle.

— Non, tenez-moi compagnie. Ce sera bientôt prêt.

Elle le regarda préparer les brocolis et la purée en y ajoutant de généreuses cuillerées de crème fraîche. Puis il remit le tout dans le four pour le maintenir au chaud.

— Voilà ! conclut-il avec un large sourire. Nous allons pouvoir passer à table.

— C'était somptueux ! déclara Rebecca en reposant sa petite cuillère. Ed, vous êtes un vrai cordon-bleu.

— Délicieux, renchérit Maurice. Tellement mieux que ce que j'aurais fait moi-même. Merci, Ed.

— Je pourrais dire la même chose, avoua Jo. J'ai été trop gâtée. Je n'ai jamais vraiment eu à faire la cuisine.

— C'est ma mère qu'il faut remercier, expliqua Ed. Quand j'ai quitté la maison, elle m'a donné un livre de cuisine et j'ai découvert que j'aimais ça.

Maurice se leva.

— Je vais préparer le café. Ça, au moins, je peux le faire. Ed, accompagnez donc ces dames dans le salon. Je vais débarrasser.

— Je vais t'aider, intervint Rebecca, qui se mit aussitôt à empiler les assiettes.

Dans le salon, Jo se laissa tomber sur le canapé et posa sa nuque sur le coussin.

— Merci pour ce savoureux dîner, Ed.

Elle sentit qu'il s'asseyait à côté d'elle.

— De rien. Quand Maurice m'a parlé de ce dîner, j'ai pensé qu'il fallait que je m'en mêle. Maurice n'exagère pas son manque de savoir-faire.

— C'est à ce point?

— Il est charmant, mais incapable de faire bouillir de l'eau. Je crains le pire pour le café.

— Ma mère le préparera, dit-elle, alanguie.

— Jo, ce cottage... Il est vraiment libre?

Elle tourna les yeux vers lui et se sentit incapable de lui mentir.

— Jusqu'à Pâques, comme l'a dit ma mère.

— Est-il meublé?

— Oui. Il y a tout ce qu'il faut.

— Pourrais-je le visiter?

— Bien sûr, répondit-elle, se résignant à l'inévitable. Quand?

— Je ne sais pas... Demain?

— Entendu.

Elle jeta un coup d'œil à sa montre, cherchant une diversion.

— Vous croyez qu'ils s'en sortent? Si nous allions voir?

Un rire masculin, tonitruant, qui venait de la cuisine, lui répondit.

— Je crois qu'ils n'ont pas besoin de nous.

Jo se mordit la lèvre. Ce tête-à-tête prolongé la mettait mal à l'aise.

Enfin, Maurice refit son apparition, portant un plateau, suivi de Rebecca, une boîte de carrés à la menthe dans les mains. Ils s'installèrent en face de Jo et d'Ed, servirent café et chocolats, puis reprirent leur dialogue, totalement absorbés l'un par l'autre.

Tout en buvant son café, Jo les observait. Maurice chuchota quelques mots à l'oreille de sa mère qui rosit légèrement avant de pouffer. A cet instant, la jeune femme vit Ed sourire. Il lui toucha le bras et, les sourcils haussés, lui désigna la porte.

Elle acquiesça de la tête et ils quittèrent la pièce, sans qu'on parût s'apercevoir de leur départ.

— Allons nous promener au bord de la mer, suggéra Ed.

— Bonne idée.

Galant, il aida Jo à enfiler son manteau avant de mettre sa grosse veste.

En sortant, ils descendirent le sentier baigné de clair de lune qui conduisait à l'océan. Le vent froid de janvier soufflait de plus en plus fort.

— Où voulez-vous aller exactement? s'enquit-il quand ils se trouvèrent face à l'océan.

— Voulez-vous voir le cottage?

— Maintenant?

— Pourquoi pas?

— D'accord.

Ils marchaient côte à côte le long de la mer, accompagnés par le bruit du ressac et le sifflement du vent. Au loin, ils pouvaient apercevoir les lumières des bateaux. En dépit du froid, c'était une promenade romantique. Jo avait conscience de s'être insensiblement rapproché de son compagnon. A un moment donné, il s'arrêta.

— Vous n'avez pas froid?

— Ça va. Vous êtes un bon brise-vent, répondit-elle en souriant.

Alors, il s'approcha encore et, levant une main, il repoussa doucement une mèche qui lui barrait le visage avant de lui caresser la bouche de son pouce. Elle entrouvrit les lèvres, cherchant en vain le regard gris-bleu dans l'obscurité. Oubliant tout, sauf l'homme qui se tenait entre elle et le vent, elle posa la main sur la joue légèrement râpeuse.

— Jo? murmura-t-il.

Puis il pencha la tête vers elle, et les lèvres sensuelles qui l'avaient tant fait rêver vinrent se poser sur les siennes en un baiser divin.

C'était si bon qu'elle crut défaillir, mais peu importait. Il la tenait dans ses bras et elle ne pouvait pas tomber, les mains glissées sous la grosse veste, pressée contre le corps d'Ed qui formait comme un rempart. Les rafales de vent pouvaient bien se succéder, elle n'en avait cure.

Puis, avec un gémissement sourd, il se redressa et lui nicha la tête sous son menton. L'oreille pressée contre sa poitrine, elle percevait les battements précipités de son cœur et son souffle rauque et irrégulier.

— Ça va? demanda-t-il au bout d'un long moment.

— Je crois. Je ne sais plus.

Il eut un rire bref et s'écarta d'elle.

— Vous tenez debout toute seule?

— Pas sûr.

Alors, il lui prit la main pour l'entraîner.

— Voilà le cottage, annonça Jo quelques instants plus tard.

— Y a-t-il un lit?

Jo fronça les sourcils.

— Oui.

— Dans ce cas, il vaut mieux que ce soit votre mère qui me fasse visiter demain. Parce que, après ce baiser, ce ne serait pas très prudent de me retrouver seul avec vous dans une chambre. A moins que vous ne le désiriez.

Oui, c'était ce qu'elle voulait plus que tout au monde. Mais n'était-ce pas une réaction naturelle chez une jeune femme esseulée depuis trop longtemps?

— Je crois que je vais rentrer, dit-elle enfin, à son corps défendant. J'habite tout près, dans la grande maison. Maurice raccompagnera maman, je suppose.

Elle s'arrêta devant le portail et se tourna vers lui.

— Merci pour la promenade et pour le dîner.

— Tout le plaisir était pour moi. Il faudra recommencer.

Recommencer quoi? A se promener? A dîner ensemble? Ou à s'embrasser?

4.

— J'attends un coup de téléphone. Si ce n'est pas trop
te demander, ma chérie, pourrais-tu aller faire visiter le
cottage à Ed ?

Rebecca tendit le trousseau de clés à Jo et Ed vit
qu'elle hésitait une fraction de seconde avant de le
prendre.

— Bien sûr... Passons par-derrière.

Elle le guida à travers le jardin, le long d'un sentier,
jusqu'à une petite porte de bois blanc qui donnait sur
l'arrière du cottage. Au-dessus de l'entrée, il y avait un
porche où s'accrochait du chèvre-feuille. Comme il
devait faire bon, en été, sous l'arcade parfumée !

— C'est joli, dit Ed, rêveur.

— C'est un cottage d'artisan dans le style georgien.
Petit, mais il a du cachet.

Elle pénétra à l'intérieur et tira les rideaux. La lumière
hivernale entra à flots, révélant une salle de séjour aux
meubles simples et rustiques.

— Ça sent un peu le moisi. On n'a pas ouvert depuis
octobre, sauf quelques jours à Noël.

— C'est parfait.

Il imaginait déjà ses affaires, ses livres, sa chaîne stéréo, le léger désordre habituel qui l'aiderait à se sentir
chez lui.

— Je sens que je vais m'y plaire, dit-il avec un sourire.

— Vous n'avez pas encore vu le reste. Ce n'est pas grand, vous savez.

— Je vis seul. Je n'ai pas besoin de beaucoup de place.

— Pour une personne, c'est parfait. Nous habitions ici quand j'étais toute petite. Nous regardions la grande maison, où nous vivons maintenant, en disant : « Ce doit être merveilleux de vivre là ! »... A l'époque, nous n'avions pas les moyens de l'acquérir. Des années plus tard, quand elle a été en vente, mes parents l'ont achetée, ainsi que le cottage, que nos visiteurs aiment beaucoup. A propos, la cheminée marche. Il y a du bois dans la remise.

Ed nota qu'elle parlait comme si elle ne supportait pas qu'il y ait des silences entre eux. Etait-elle donc si mal à l'aise en sa compagnie ? A cause de la remarque qu'il avait faite à propos du lit hier soir ?

Tout de même, elle devait avoir compris qu'il n'était pas du genre à sauter sur une femme, non ?

— Voici la cuisine, dit-elle.

Exiguë, la pièce était parfaitement équipée et d'une propreté méticuleuse. Viendrait-elle s'il l'invitait à dîner ?

— C'est là que vous habitez ? demanda-t-il en regardant par la fenêtre.

— Oui. Laura et moi occupons cette partie de la maison.

Ed leva les yeux vers le premier étage. Quelle était la fenêtre de sa chambre ? Verrait-il sa silhouette se profiler le soir derrière les rideaux ?

Il étouffa un soupir et revint dans le salon.

— Qu'y a-t-il en haut ? demanda-t-il.

— Deux chambres. On peut voir la mer de la chambre principale.

Quand ils se retrouvèrent au premier étage, elle s'arrangea pour rester le plus loin possible de lui. Effectivement, on apercevait la mer du Nord entre deux maisons et les mouettes qui volaient en criant dans la lumière bleutée.

— C'est magnifique.

Il se tourna vers elle et, aussitôt, elle recula vers la porte. Il la retint par le bras.

— Jo...

— Je vais vous montrer l'autre chambre et la salle de bains.

— Un instant. Je ne vais pas vous obliger à faire ce que vous ne voulez pas...

— Hier soir...

— Hier soir, nous étions sous l'influence du bon vin, du froid et de l'air marin. Ne craignez rien. Faites-moi confiance. Il faut que nous parlions.

— De quoi ?

— De ce qui se passe entre nous.

Il s'assit sur le lit et l'invita à en faire autant. Elle s'exécuta, mais fut incapable de prononcer un mot.

— Puis-je faire une suggestion ? reprit-il au bout d'un moment. Nous sommes tous les deux libres de toute attache. Pourquoi ne pas apprendre à nous connaître ?

— Nous travaillons ensemble...

— Et alors ? La plupart des couples se rencontrent sur leur lieu de travail. Nous pourrions sortir tous les deux de temps en temps et voir où ça nous mènerait.

Jo posa sur lui un regard déterminé.

— Je n'ai pas l'intention d'avoir une aventure avec vous. Je vis ici, j'ai une fille à élever et une réputation à préserver.

— Et vous pensez que je m'en moque ? Je ne vous propose pas de faire l'amour en plein jour sur la plage !

Elle eut un petit sourire.

— Alors que m'offrez-vous ? De prendre un verre ou deux, de m'inviter à dîner et, après un laps de temps décent, de me ramener ici pour me séduire ? La chambre de ma fille donne sur cette maison.

— Nous pourrions toujours faire l'amour dans le noir, marmonna-t-il.

Mais il avait un regard malicieux et elle sourit.

— Ed, je parle sérieusement. Je ne recherche pas un compagnon. Vous me plaisez, oui, je vous trouve attirant, mais je vis seule depuis si longtemps. N'importe quel homme présentable m'attirerait.

— Vraiment? Au point de l'embrasser comme vous m'avez embrassé?

— Je vous en prie, murmura-t-elle en baissant les yeux.

— Pourrions-nous faire un essai, s'il vous plaît? Moi aussi, j'ai une certaine appréhension, vous savez, car vous n'êtes pas la seule à avoir été blessée. Mais, parfois, il faut courir des risques.

Il lui prit les mains et les serra.

— S'il vous plaît...

Elle tourna vers lui ses beaux yeux noisette où brillait un espoir et il comprit qu'il aurait gain de cause.

— Oui, mais j'ai besoin de temps.

— Bien sûr, je comprends.

Ils se levèrent. Impulsivement, il déposa un baiser sur les mains de la jeune femme avant de les lâcher. Puis, sagement, il la suivit dans les autres pièces, mais regarda sans voir. Ça ne l'intéressait plus. C'était propre et fonctionnel, il n'en demandait pas plus. Et, cadeau inattendu, son futur logement était près de chez Jo, si près qu'elle pourrait facilement passer pour prendre un café ou...

Stop. Il avait promis de ne pas la bousculer, de lui laisser du temps. S'il continuait comme ça, il ne lui laisserait pas cinq minutes.

Un moment plus tard, ils retrouvèrent Rebecca chez elle, dans la cuisine, où flottait une délicieuse odeur de café.

— Alors, qu'en pensez-vous? demanda-t-elle en les regardant tour à tour.

— Je le lui ai pratiquement vendu, dit Jo, malicieuse. Si vous voulez bien m'excuser, je vais voir ce que fait Laura. Elle a des devoirs pour demain.

Elle s'éloigna et Rebecca posa sur Ed un regard intrigué.

— Donc, ça vous plaît ?

— Beaucoup, répondit-il. Je ne sais pas quel est le montant du loyer, mais...

— Vous plaisantez ! interrompit Rebecca, offensée. Il est inoccupé pour l'instant, je vous le prête. N'oubliez pas que je serai obligée de vous chasser à Pâques. Vous paierez seulement les charges.

— Naturellement. Mais êtes-vous sûre que... C'est si généreux de votre part.

— Non, voyons. Cela me fait plaisir de savoir que quelqu'un l'habite.

— Quand puis-je emménager ?

— Aujourd'hui, si vous voulez. Je vais vous donner du linge, des draps et...

— J'ai tout ce qu'il faut, merci.

— Bon, mais ne vous gênez pas s'il vous manque quelque chose. Voulez-vous une tasse de café ?

— Volontiers. C'est vous qui l'avez préparé, hier soir, n'est-ce pas ?

Elle eut un petit rire musical.

— Vous avez deviné. Pauvre Maurice, son café est imbuvable... A propos, merci encore pour ce dîner. Maurice était enchanté.

— Agréable soirée, n'est-ce pas ?

— Charmante, répondit Rebecca d'un air rêveur. J'ai été gâtée.

— Ce doit être dur parfois, de vivre seule.

— Je ne me sens pas seule. J'ai Jo et Laura. Mais... vous avez raison, bien sûr. Ce n'est pas la même chose. Je regrette de ne pas avoir un homme à la maison. Ah, si seulement...

Elle se tut et lui jeta un regard scrutateur.

— Oui ?

— Rien. Allons dans le salon. Jo va sans doute redescendre dans deux minutes.

— Bonjour, Jo. Qu'est-ce qui vous amène ?

La jeune femme fit claquer la portière de sa voiture et se força à l'impassibilité. Elle n'allait pas sourire bêtement parce qu'il était là !

— J'ai une réunion. Et vous ?

— J'ai été appelé par les urgences. Fracture.

— Vous avez de la chance. Le radiologue est là ce matin.

— C'est ce qu'on m'a dit.

D'un même pas, ils remontèrent l'allée qui menait à l'entrée du cabinet médical et, de le sentir tout près d'elle, Jo avait l'impression de s'éveiller à la vie.

— Vous en avez pour combien de temps ? demanda-t-il.

— Environ une heure. Pourquoi ?

— Que faites-vous à la pause-déjeuner ?

Elle s'arrêta devant la porte, déterminée à ne pas se laisser amadouer.

— En général, je ne déjeune pas.

— Ce n'est pas recommandé.

— Je prends un copieux petit déjeuner, cela me suffit. Etes-vous bien installé au cottage ? demanda-t-elle pour changer de sujet.

— Oui, et je suis ravi. J'aime bien Maurice, mais j'apprécie mon autonomie.

— Vous êtes habitué à vivre seul, je suppose.

— Curieuse, hein ?

Elle rougit.

— Vous avez raison, reprit-il avec un sourire un peu amer. Je vis seul depuis... quatre ans. Ma compagne, à l'époque, n'a pas voulu me suivre quand j'ai dû quitter Londres. Elle a privilégié sa carrière.

— Je suis désolée...

Il haussa les épaules.

— C'est la vie. Et, depuis, je n'ai rencontré personne qui ait compté pour moi. Et vous ? Depuis combien de temps vivez-vous seule ?

— Je ne préfère pas en parler... Il y a Laura et moi, c'est tout.

Il l'enveloppa d'un regard à la fois curieux et plein de compassion.

— C'est triste.

— Non, c'est simple. Je vous le répète, Ed. Je ne cherche pas de compagnon. Nous sommes heureuses comme ça.

Elle consulta sa montre et poussa la porte.

— Il faut que j'y aille ou l'on va commencer sans moi. A plus tard.

Ed la regarda s'éloigner. Qu'avaient donc les hommes de cette ville pour qu'une femme comme Jo, belle, intelligente et chaleureuse, vive seule pendant aussi longtemps ?

Car il savait qu'elle était seule — Maurice ne s'était pas fait prier pour lui parler de la famille de Rebecca. Il n'y avait pas eu d'homme dans le vie de Jo depuis qu'elle s'était retrouvée enceinte et abandonnée par son amant à l'âge de dix-huit ans.

A présent, elle en avait trente.

Le père de Laura l'avait-il si cruellement blessée ?

Il ressentit une violente colère envers l'inconnu qui l'avait ainsi rejetée sans ménagement. Sans le soutien de ses parents, sa vie aurait été bien difficile.

Il parvint au service des urgences où l'attendait un garçonnet au bras curieusement tordu. Ed adressa un sourire rassurant à la mère et s'accroupit devant son jeune patient.

— Bonjour. Je suis le Dr Latimer. Comment t'appelles-tu ?

— Richard.

— Alors, Richard, que t'est-il arrivé ?

— Je suis tombé de mon vélo, répondit le petit d'une voix larmoyante. Ça fait mal.

— J'imagine. Bouge les doigts...

L'enfant les remua faiblement. Ils étaient roses et, apparemment, sensibles au toucher. Il n'y avait donc pas à craindre de rupture des nerfs ou de la circulation sanguine, en dépit de l'angle insolite du membre.

Il se redressa et sourit à la maman.

— Je pense qu'il s'agit d'une fracture simple. La radio nous dira exactement ce qu'il en est. On devrait pouvoir arranger cela et plâtrer le bras ici. Sinon, il faudra aller à Audley.

— J'espère que non... Nous n'avons pas de voiture en ce moment et c'est si loin en autobus.

— Je ferai de mon mieux. Je vais vous donner l'ordonnance pour le radiologue.

Une aide-soignante les accompagna et, en attendant, Ed entreprit de faire un peu de classement dans son bureau.

Vingt minutes plus tard, les radios étaient prêtes, et il les examina au négatoscope. Bon, ce ne serait pas facile, mais plutôt que d'envoyer l'enfant à Audley, il se débrouillerait ici.

— Je vais remettre l'os en place. Pour ça, on va d'abord te faire une piqûre anesthésiante. J'aurais besoin d'un pansement compressif et de lidocaïne, reprit-il en se tournant vers l'infirmière.

Le temps qu'elle revienne, il expliqua à la mère et à l'enfant comment il allait s'y prendre.

A son retour, il banda étroitement la main de l'enfant, du bout des doigts au poignet, puis fit un garrot autour de son bras pour empêcher le sang de circuler. Enfin, il injecta l'analgésique.

— Comment ça va? demanda-t-il au bout de quelques minutes.

— Ça ne me fait plus mal, répondit le garçonnet.

— Très bien. On va pouvoir y aller.

Tenant le haut de l'avant-bras, il tira d'un coup sec sur la main du petit patient. Il y eut un craquement et les os retrouvèrent leur alignement naturel.

— Ça va toujours ?

L'enfant hocha la tête. Il était pâle, sans doute impressionné, mais, visiblement, il ne souffrait pas.

Ed enleva la bande pour que la circulation sanguine reprenne normalement, et quand la main eut recouvré sa sensibilité, il vérifia la couleur et la température des doigts.

— Tu sens quelque chose ?

— C'est bizarre, mais je sens quelque chose, oui.

— Bien.

Après une seconde série de radios qui confirmèrent que tout était en place, Ed plâtra le bras du garçon, ce qui lui prit encore vingt minutes. Et il lui restait des visites à faire. Heureusement qu'il n'avait pas convaincu Jo de déjeuner avec lui !

Ensuite, l'après-midi passa très vite. Il revint au cabinet pour recevoir ses derniers patients et put rentrer chez lui vers 19 heures.

Il mourait de faim, et plutôt que de préparer son dîner, il s'arrêta devant un *Fish and chips* et décida d'aller manger sur le front de mer.

Appuyé contre la digue, le regard perdu sur l'horizon assombri, le visage offert au vent, il écouta le ressac et le roulement des galets sur la grève, respirant avec bonheur l'air marin, ce mélange de sel, de goudron et d'algues.

La morue était fraîche, bien cuite, et les frites délicieuses. Il se demanda ce que penseraient ses patients en voyant leur médecin manger quelque chose d'aussi riche en lipides. Tant pis. Il s'accordait rarement ce plaisir et c'était nourrissant.

Il s'essuya les mains avec un mouchoir en papier et se retourna. La maison de Jo se trouvait devant lui, légèrement sur la gauche. Tandis qu'il regardait, une lumière s'alluma tout à coup au premier étage.

Etait-ce sa chambre? Avait-elle vue sur la mer? Probablement.

De nouveau, il pensa au baiser qu'ils avaient échangé et son cœur se serra. Pensait-elle à lui en ce moment?

Une voiture tourna dans l'allée de la grande maison et il l'identifia aussitôt. Remontant chez lui à grandes enjambées, il resta dans le jardinet, et attendit qu'elle descende de voiture.

— Bonsoir! lança-t-elle avec un sourire. Que faites-vous donc?

— Je finissais de dîner, répondit-il en agitant le papier. Et vous, avez-vous mangé?

— Oui, avant une dernière visite impromptue.

— Voulez-vous venir prendre un café?

— Est-il aussi bon que votre rôti de porc aux pruneaux?

— Meilleur!

— D'accord. Je préviens ma mère et j'arrive.

Il entra dans la maisonnette et jeta un coup d'œil circulaire. Il y avait encore deux caisses qui traînaient dans le salon, mais, après tout, il n'était là que depuis deux jours. Il brancha la machine à café et alluma un feu dans la cheminée puis il attendit. L'excitation lui faisait oublier les fatigues de la journée et il éprouvait une vive impatience. Soudain, il entendit le grincement de la porte de bois et son cœur fit un bond dans sa poitrine.

Jo aperçut la haute silhouette dans la lumière du porche. Elle ralentit son pas, mais se traita aussitôt d'idiote. Il était peut-être attirant, séducteur, et bien d'autres choses encore, mais c'était aussi un gentleman. De cela, elle était sûre. Elle le connaissait à peine, mais elle savait qu'il tiendrait parole.

64

Et il avait promis de ne pas la brusquer.

Sans même s'en rendre compte, elle hâta le pas et s'élança vers lui. Il tendit les bras pour l'étreindre fugitivement avant de la laisser entrer.

Il faisait chaud dans le cottage où flottait l'arôme agréable du café.

— Asseyez-vous, dit-il avant de disparaître dans la cuisine pour en revenir une seconde plus tard avec un plateau.

— Quel plaisir de se faire servir ! s'exclama-t-elle. J'ai couru toute la journée.

— Moi aussi, je n'ai pas chômé. La fracture dont je vous ai parlé m'a pris deux heures. Heureusement que nous n'avions pas rendez-vous pour déjeuner.

— J'ai donc bien fait de refuser.

— Pour de mauvaises raisons, commenta-t-il.

Il lui tendit une tasse de café.

— Un biscuit ?

— Fait maison ?

— Quand trouverais-je le temps ? La nuit ? Je suis doué pour beaucoup de choses, Jo, mais je ne fais pas tout.

Elle en prit un. C'était sa petite faiblesse, elle adorait les sablés.

Il s'assit dans le fauteuil et, du coin de l'œil, Jo l'observa, se demandant ce qu'il avait de si particulier pour qu'elle ait pensé à lui au moins cent fois depuis son réveil !

— Parlez-moi de votre journée, dit-il.

— Bien remplie, mais rien de spécial. Visites postnatales, une réunion, visites prénatales et une admission. La routine...

— Comment va Julie Brown ?

— Très bien. Le bébé a toujours bon appétit.

— Prenez un autre biscuit.

Elle se laissa tenter et il en prit un aussi. Elle regarda

ses dents blanches, parfaites, croquer dans le sablé, et sa gorge devint sèche. Mal à l'aise, elle se débarrassa de ses chaussures et glissa les pieds sous elle, tout en jetant un regard au petit salon familier. Ed avait installé sa chaîne stéréo dans le coin près de la fenêtre, rempli les étagères de livres et fait sien cet endroit douillet.

— Vous avez bien arrangé la pièce, commenta-t-elle. Nous essayons de rendre l'endroit accueillant pour les locataires, mais sans touches personnelles, c'est difficile.

— Je m'y plais beaucoup. Le lit est très confortable, ferme. Je déteste les matelas mous.

— Moi aussi, dit-elle, tout en se demandant comment ils en étaient venus à parler de lits.

Ed se leva pour choisir un disque et, bientôt, une musique de jazz caressante s'éleva dans la pièce. Il se versa le reste de café avant de se rasseoir, les yeux fixés sur elle au-dessus de sa tasse.

— Comment va votre mère ?

— Bien, merci.

— Maurice ne parle que d'elle. C'est comme s'il la voyait enfin pour la première fois.

— Je sais. Elle aussi.

— Ça vous gêne ?

— Je ne sais pas... Cela me fait un curieux effet de voir ma mère flirter avec lui.

— C'est compréhensible.

— En même temps, je suis contente pour elle. Mais je trouve ça...

— Etrange.

— Oui.

Jo reposa sa tasse de café et remit ses chaussures.

— Il faut que je me sauve. Laura ne fera pas ses devoirs si je ne suis pas là et je ne veux pas qu'elle se couche trop tard. Vous n'oublierez pas la répétition demain soir ?

— Non, je serai là.

— Vous n'êtes pas venu hier.

— A cause de mon emménagement. Mais je ne manquerai plus, à moins que l'on m'appelle quand je suis de garde.

— Arrangez-vous au moins pour vous faire remplacer à l'hôpital pendant les représentations. Sinon, ce sera la catastrophe.

— Promis.

— Merci pour le café. A demain.

Il la raccompagna à la porte. Allait-il l'embrasser ? se demanda-t-elle, toute vibrante d'émotion.

— Une dernière chose, murmura-t-il quand ils furent sur le seuil.

Il l'attira contre lui. Ses lèvres se posèrent sur les siennes et elle oublia tout, en dépit de ses résolutions.

Il resserra son étreinte autour d'elle, si fort qu'elle sentait les battements de son cœur contre le sien. Un gémissement lui échappa et, alanguie, elle se laissa aller contre lui, mais il la prit aux épaules pour l'écarter de lui.

— Vous feriez mieux de filer, murmura-t-il d'une voix rauque de désir.

Elle faillit protester, mais son regard se posa tout à coup derrière lui, sur la fenêtre de la chambre de Laura. En un éclair, elle recouvra son sang-froid.

Sans prononcer un mot, elle sortit dans la nuit et s'éloigna. Elle monta directement dans la chambre de sa fille, éteignit la lumière puis s'approcha de la fenêtre.

Là, dans la sécurité de la maison, elle pouvait le regarder tout à loisir. Il était toujours là, la cherchant des yeux, et elle poussa un soupir tremblant. Non, elle n'avait pas besoin de cet homme. Le désir fou qu'elle avait de lui n'était qu'une réaction physique. Elle ne se laisserait pas piéger une seconde fois.

Elle se détourna et trébucha sur un tas de vêtements abandonnés sur le sol par sa fille.

Non, elle ne pouvait oublier ce qui arrivait quand on perdait la tête.

5.

Après ce baiser tout aussi extraordinaire que le premier, Jo se demanda comme elle allait se comporter quand elle le reverrait.

Mais le lendemain matin, accaparé par ses patients, Ed se contenta de lui adresser un bref sourire et un signe de la main avant de disparaître dans son cabinet. L'après-midi, ils travaillèrent en tandem, sans avoir le temps d'échanger quelques mots en particulier. Ce ne fut qu'à l'heure du thé, qu'il vint la rejoindre dans la cuisine, alors qu'elle lavait des tasses.

— Vos patientes vont bien ? s'enquit-il.

— Fort bien. Sauf peut-être une femme enceinte dont je trouve le bébé bien petit. J'ai demandé une échographie. Mais ses deux autres bébés étaient petits à la naissance. Donc, je ne suis pas trop inquiète pour l'instant.

— Elle n'a peut-être pas de bons placentas. Il y a des femmes comme ça.

— Nous verrons.

Jo servit le thé. Sa tasse à la main, Ed s'assit sur une chaise et, sans façon, posa les pieds sur une autre.

— A quelle heure commence la répétition ? demanda-t-il d'une voix lasse.

— 19 h 45.

— J'ai beaucoup de patients à voir aujourd'hui. Présentez mes excuses à Roz si jamais j'ai un peu de retard, voulez-vous ?

Il ferma les yeux et elle en profita pour l'observer.

Ses longs cils dessinaient des croissants sombres sur ses pommettes et elle voyait déjà l'ombre de sa barbe naissante. Elle se rappela qu'elle avait caressé ces joues râpeuses l'autre soir et faillit tendre la main pour le toucher, effleurer ces lèvres sensuelles, suivre du bout du doigt les fines rides d'expression qui encadraient sa bouche et...

Il rouvrit les paupières et Jo se retrouva le regard rivé au sien.

— Hier soir, j'ai eu du mal à m'endormir, murmura-t-il. La maison m'a semblé très vide après votre départ.

— Je ne suis restée qu'une demi-heure !

— Vous sous-estimez l'impact de votre personnalité. Croyez-moi, vous m'avez manqué.

Elle se sentit absurdement heureuse.

— Vous êtes fou, dit-elle en tapotant nerveusement sur la table.

— Seulement très attiré par vous, rectifia-t-il en lui attrapant la main pour l'immobiliser. Je ne cesse de songer à ce baiser, au goût de vos lèvres et à votre parfum.

Une vague de chaleur submergea Jo. Brusquement, elle lui retira sa main et se réfugia près de l'évier où elle fit mine de s'activer.

— Arrêtez, Ed. Je vous en prie.

Il se leva à son tour et s'approcha d'elle.

— Pourquoi ? Vous êtes belle, Jo. Pourquoi serait-il interdit de vous le dire ?

Elle fit volte-face, prête à le prier sèchement de ne plus la harceler, quand elle découvrit l'expression sincère du regard gris posé sur elle.

— Je ne suis pas belle, dit-elle alors d'une voix étranglée.

— Désolé, je ne suis pas d'accord.

Il lui sourit, déposa sa tasse vide dans l'évier et s'éclipsa.

Comme un automate, elle lava les tasses et s'essuya les mains.

Pourquoi était-elle si sensible à son charme ? Et à ce genre de déclarations ? Elle savait pourtant où cela menait de prêter une oreille complaisante aux compliments masculins !

— Votre attention, s'il vous plaît, commença Roz. J'aimerais refaire la fin de la première partie, avec la rencontre de la Belle et de la Bête.

Ed regarda Jo jouer la Belle, la jeune fille innocente et virginale, mais quand la Bête la prit dans ses bras et lui marcha sur les pieds pour la troisième fois, il sentit sa frustration redoubler.

— Y a-t-il ici un homme qui sache danser ? demanda Roz à la cantonade. Je voudrais quelqu'un capable de montrer à Peter comment s'y prendre.

Les exclamations et les plaisanteries fusèrent, mais personne ne se présenta. Avec un soupir résigné, Ed s'avança. Il savait danser, mais il n'était pas sûr de pouvoir tenir Jo dans ses bras et de valser avec elle sur cette scène sans se ridiculiser.

— Ed ! s'exclama Roz, soulagée. Notre sauveur !

— Je ne sais pas si je peux faire beaucoup mieux, mais je peux essayer.

— Ça ne sera pas pire que moi, plaisanta Peter. Si je continue comme ça, la Belle va se retrouver avec un pied dans le plâtre pour la première.

— Bon, vous l'invitez à danser, reprit Roz. Vous avez une ou deux répliques, puis elle répond : « Ce serait un honneur pour moi. » Vous la prenez dans vos bras et vous la faites tournoyer. D'accord ? Musique, s'il vous plaît !

Ed s'inclina et Jo lui répondit par une petite révérence.

Puis il tendit les bras et, comme s'ils dansaient en duo depuis des années, ils valsèrent sur la scène avec un ensemble parfait. Quand ils s'arrêtèrent, les applaudissements crépitèrent. Peter secoua la tête.

— Vous ne voulez pas mon rôle ? Je ne sais ni chanter ni danser. On m'a choisi pour la simple raison que j'étais le seul homme disponible plus grand qu'elle.

— Dis plutôt que tu en as assez d'apprendre ton texte ! lança une voix.

Des rires s'élevèrent.

— Vous allez y arriver, dit Ed quand le calme revint. Un petit conseil : au lieu de la tenir en face de vous, placez-vous légèrement sur le côté. Comme ça, ses pieds seront près des vôtres et non dessous. Essayez.

Ils recommencèrent et les choses se passèrent mieux. Ed, qui s'était reculé pour regarder, fit la grimace quand Peter marcha de nouveau sur les pieds de Jo.

— Désolée, la Belle, dit-il, gêné. Je ne suis pas doué.

— Poursuivez vos efforts, intervint Roz. Personne ne va vous remplacer. A présent, je voudrais voir la scène du village. Pendant ce temps, la Belle et la Bête peuvent aller s'exercer.

Ed et Jo se retrouvèrent au moment de la pause.

— Merci pour votre aide, dit-elle. Je crois que Peter va s'en sortir maintenant.

— Si vos doigts de pied surmontent l'épreuve.

— Préparez l'aspirine !

Eclatant de rire, elle le quitta de nouveau pour répéter et il la suivit des yeux. Il aurait aimé jouer le rôle de la Bête, pour être le seul à danser avec elle, à la tenir dans ses bras, à l'embrasser et... pour être celui qui l'épouse à la fin du spectacle !

Et pas seulement dans le spectacle.

Quelle idée étrange... Il n'était pas du tout candidat au mariage.

— Ed ?

Il tourna la tête et sourit machinalement.

— Oui, Roz?

— Je tenais à vous remercier. Vous êtes une bonne recrue. Aviez-vous déjà joué?

— Oui, quand j'étais enfant. J'espère seulement que mon travail ne m'empêchera pas d'être là pour toutes les répétitions.

— Ne vous inquiétez pas, on s'arrangera, dit-elle avant de s'éloigner pour rejoindre la troupe.

A cet instant, Laura se matérialisa soudain devant Ed et se percha sur la table.

— Je trouve que c'est vous qui auriez dû jouer la Bête, déclara-t-elle sans préambule.

Il sourit.

— Et pourquoi, mademoiselle?

— Vous êtes bien mieux. Il faut qu'on découvre un bel homme quand le masque tombe, et Peter est gentil, mais il est... comment dire? Ce n'est pas un prince, quoi. Il ne fait pas assez viril.

Ed se mit à rire de bon cœur.

— Laura, si tu continues comme ça, je vais avoir une si grosse tête que, de toute façon, je ne pourrais pas mettre le masque. Cela dit, est-ce que tu sais à quoi ressemble un prince?

— Pas vraiment... Mais en l'absence d'un vrai, vous pourriez faire l'affaire, répliqua-t-elle avec un clin d'œil avant de se sauver.

— Que voulait-elle?

Jo venait de le rejoindre.

— Que je sois la Bête. Elle dit que Peter n'a pas l'air d'un prince quand il retire son masque.

— Et vous, si?

Il haussa les épaules, amusé.

— C'est votre fille qui le dit. Que voulez-vous que j'y fasse?

— Vous êtes vaniteux.

— Non. Moi, j'accepte les compliments de bonne grâce.

Elle ne put s'empêcher de rire.

— Je vais dire deux mots à Laura...

— Rabat-joie !

Il considéra Jo. Comment, en si peu de temps, avait-elle réussi à entrer ainsi dans sa vie ? Deux semaines auparavant, il ne la connaissait pas et, à présent, pour éviter qu'elle ait les pieds écrasés, il était prêt à se compliquer la vie en jouant le premier rôle dans un spectacle amateur !

Le lendemain, vers midi, Jo reçut un appel de Liz Bateman, la jeune femme enceinte dont le bébé l'inquiétait à cause de sa petite taille. Elle arriva chez elle à 14 heures et la trouva en pleurs.

— Il n'a pas bougé depuis hier soir, Jo. Il s'est beaucoup agité à un moment et, depuis, plus rien !

— Allons, ne tirons pas de conclusions hâtives, répondit-elle gentiment. Il s'est peut-être fatigué hier et se repose aujourd'hui. Avez-vous passé votre échographie, ce matin ?

— Non, Roger n'était pas là pour m'emmener et je n'ai pas eu le courage d'y aller toute seule.

— Bon, allongez-vous sur le canapé. Je vais vous examiner.

Elle découvrit le ventre arrondi de Liz et, avec des gestes très doux, localisa le fœtus. Rien d'anormal à première vue. Il avait la tête en bas et sa colonne vertébrale reposait à droite de l'abdomen de sa mère.

— A combien de semaines en êtes-vous ? Trente-quatre ?

— Oui.

Décidément, ce bébé était trop petit. Jo sortit le matériel de son sac. Agenouillée près du canapé, elle étala du gel sur le ventre de la jeune mère, alluma son appareil portable et promena le récepteur sur la peau brillante, à la recherche du cœur. Au bout d'un long moment, elle poussa un soupir et ferma l'appareil.

— Je suis désolée, Liz, mais je n'entends rien. La batterie doit être à plat. Je vais essayer autrement.

Elle essuya l'abdomen de Liz et, après avoir installé son stéthoscope sur les oreilles, y appliqua le pavillon.

Rien.

— Il est mort, n'est-ce pas ? demanda Liz calmement.

— Je ne peux rien affirmer sans une échographie, mais je suis inquiète, c'est vrai. Je vais vous emmener à l'hôpital. Puis-je téléphoner ?

— Je vous en prie. A la cuisine.

Jo referma la porte derrière elle et composa le numéro de la maternité.

— Jo Halliday. J'ai une mort *in utero* possible. Je voudrais amener immédiatement ma patiente, Elizabeth Bateman, pour une échographie.

— Entendu. Dans une demi-heure.

Elle raccrocha et regagna le salon. En larmes, Liz n'avait pas bougé.

— Je sais qu'il est mort, répéta-t-elle entre deux sanglots.

— Ce n'est pas sûr. Venez, nous pourrons en parler quand nous aurons les résultats de l'échographie.

Liz finit par se lever et réajusta ses vêtements machinalement.

— Il faut que j'appelle ma voisine pour lui demander de récupérer les enfants à l'école. Je voudrais aussi prévenir mon mari.

— D'accord, dit Jo en rangeant son matériel. Je vous attends dehors. N'oubliez pas votre dossier.

Une fois dans sa voiture, elle appela son service.

— J'emmène Mme Bateman à Audley. Y a-t-il des appels pour moi ?

— Non. Bien que le téléphone n'arrête pas de sonner. Ici, c'est de la folie.

— Bon, vous pouvez me joindre sur mon portable, mais tâchez de me faire remplacer. Je ne voudrais pas être obligée d'abandonner ma patiente.

Liz la rejoignit bientôt et, dans un douloureux silence, les deux jeunes femmes prirent la route pour le grand hôpital de la région. Elles furent reçues immédiatement.

L'échographe, une femme compétente et sensible, leur expliqua avec tact ce qu'elles savaient déjà : le bébé était mort à cause d'une défaillance du placenta.

— Voyez, il n'est pas suffisamment développé.

— J'ai... j'ai compris hier soir qu'il était mort, dit Liz d'une voix tremblante. Vous aussi, Jo, vous le saviez, n'est-ce pas ?

— J'en étais presque sûre...

— Que va-t-on faire maintenant ? demanda Liz.

— Vous allez voir le médecin. Il va sans doute provoquer l'accouchement.

— Je préférerais que ça se passe chez moi.

— Nous lui demanderons.

Mais le médecin fut formel : il gardait Liz à l'hôpital pour déclencher l'accouchement.

Après son départ, la malheureuse jeune femme s'effondra en pleurant dans les bras de Jo.

— Je suis désolée, répétait celle-ci, bouleversée, en la berçant dans ses bras.

Puis Liz la repoussa doucement, paraissant un peu rassérénée.

— Je vais me reposer. Merci d'être restée avec moi.

— C'est bien naturel. Ça va aller ?

— Oui, ne vous inquiétez pas. J'ai déjà deux enfants adorables, un mari qui m'aime... Je suis seulement si triste !

Rassurée, Jo laissa la jeune femme et regagna son service.

— Des messages ? demanda-t-elle à la réceptionniste.

— Non. Vous avez échappé au coup de feu. Comment va Liz Bateman ?

— Pas trop bien.

De fait, Jo n'avait pas envie d'en parler... Sauf à Ed.

— Le Dr Latimer est-il là ?

— Vous l'avez manqué. On vient de l'appeler en urgence. Il ne repassera sans doute pas.

Jo rentra chez elle, se fit couler un bain et s'y plongea. Pendant un long moment, elle resta là, les yeux fixés sur le mur, jusqu'à ce que Laura vienne frapper à la porte.

— Mamie dit que le dîner est prêt et que tu ne dois pas oublier la répétition.

— Je sais.

La jeune femme s'immergea dans l'eau. Elle aurait voulu se laver des impressions de cette mauvaise journée, se débarrasser de la tristesse pesante qui lui serrait la gorge. Elle avait besoin de parler à Ed. Etait-il rentré ?

Elle souleva le coin du rideau vénitien puis le relâcha. Le cottage était plongé dans l'obscurité. Tant pis, songea-t-elle, déçue. Elle le verrait plus tard.

Quelque chose clochait. Tout en apprenant son texte, Ed regardait Jo et la trouvait soucieuse, avec un regard presque douloureux. Il était arrivé quelque chose, mais quoi ? Il n'avait pas eu le temps de repasser à l'hôpital car il y avait eu un accident de la route et il était resté sur place jusqu'à ce qu'on réussisse à dégager les victimes, pour assister l'équipe paramédicale. Une fin d'après-midi particulièrement pénible...

Il était rentré chez lui, le temps de prendre une douche. Pour ne pas être encore en retard à la répétition, il n'avait pas dîné et trompait sa faim avec un paquet de biscuits.

Le sourire aux lèvres, Laura s'approcha de lui.

— Vous apprenez votre texte ?

— J'essaie. Je n'ai plus l'habitude. Comment va ta maman ?

La petite haussa les épaules.

— Je ne sais pas. Elle n'a pas ouvert la bouche depuis qu'elle est rentrée du travail. Ça lui arrive d'être un peu bizarre.

— Je la verrai tout à l'heure.

— Vous ne voulez pas me faire réciter ? Je ne sais toujours pas les paroles de ma chanson.

— Moi non plus. J'essaie justement de l'apprendre. Je ne voudrais pas me rendre trop ridicule.

— Oh si ! Ce serait marrant !

— Merci bien, dit-il en donnant une tape sur la tête de Laura avec le script.

Elle rit aux éclats et s'enfuit en lui chipant le paquet de biscuits.

Ce fut bientôt son tour de monter sur la scène. D'abord un peu gauche, il recouvra vite l'aisance acquise pendant sa jeunesse quand il participait régulièrement à ce genre de spectacle. S'il n'avait pas été préoccupé par Jo, il y aurait presque pris plaisir.

— C'était très bien ! déclara Roz avec enthousiasme au moment de la pause.

Il la remercia d'un sourire distrait et s'empressa de rejoindre Jo.

— Quelque chose ne va pas ?

Les bras croisés, repliée sur elle-même, elle lui jeta un regard triste.

— Oui. Pourrai-je vous voir après ?

— Bien sûr. Chez vous ou chez moi ?

— Chez vous. C'est au sujet d'une patiente. Je préfère éviter d'en parler devant Laura.

— Entendu.

Dès que la répétition fut achevée, Ed rentra au cottage. Il n'eut pas à attendre longtemps. Jo le rejoignit et se réfugia immédiatement dans ses bras pour pleurer à chaudes larmes. Au bout d'un moment, elle finit par se calmer.

— Auriez-vous un mouchoir?

— A la cuisine.

Il l'entraîna dans la kitchenette et, pendant qu'elle se rafraîchissait le visage, il déboucha une bouteille de vin.

— Tenez, dit-il en lui tendant un verre. Venez vous asseoir dans le salon et vous me raconterez tout.

Elle s'assit sur le canapé à côté de lui et lui conta la triste histoire de Liz.

— Ed, vous voulez bien me prendre dans vos bras? murmura-t-elle lorsqu'elle eut fini.

Il l'attira vers elle et avec un soupir de bien-être, elle se blottit contre lui.

— Pauvre chérie. Vous avez eu une bien mauvaise journée.

— Pas autant que Liz Bateman. Je ne puis m'empêcher de penser que si j'avais repéré les symptômes plus tôt, le bébé aurait survécu.

Avec tendresse, il la serra contre lui pour la consoler.

— C'est impossible. Ce genre de phénomène se produit subitement. Le placenta cesse d'alimenter le fœtus et c'est tout. On peut seulement constater que la croissance du bébé se ralentit, mais il faut du temps pour ça. On ne peut pas pratiquer des échographies tout le temps.

— Je sais... Je prends les choses trop à cœur.

— Il y a parfois des journées comme ça. La mienne a été dure aussi. Je me suis retrouvé au bord de la route, à tenir la main d'un homme en attendant qu'il meurt. Parfois, on ne peut pas faire plus.

Le visage de la victime surgit de nouveau dans son esprit et il ferma les yeux.

— Je suis désolée.., dit Jo. Je ne parle que de moi alors que vous avez eu vous aussi une journée difficile.

— Enfin, tout n'a pas tourné à la catastrophe. Peter ne vous a pas marché sur les pieds ce soir.

Elle eut un petit rire.

— Grâce à vous ! Il vous est très reconnaissant. Moi aussi.

Il la serra un peu plus contre lui et se retrancha dans le coin du canapé pour lui laisser la place de s'allonger.

— Je ferais mieux de rentrer, dit-elle d'une voix ensommeillée.

— Restez encore un peu. Nous en avons besoin tous les deux.

La tête sur la large poitrine, Jo s'endormit rapidement. Pensif, Ed lui caressa les cheveux, puis il finit par sombrer à son tour dans le sommeil.

Quand ils se réveillèrent, c'était l'aube car le soleil pointait à l'horizon. Instinctivement, Jo se blottit plus étroitement contre Ed.

— Ça va ? murmura-t-il.

— Je survivrai. Merci d'être là, avec moi.

— A votre disposition.

Il déposa un léger baiser sur ses lèvres.

— Il faut que je parte. Ma fille va se préparer pour l'école.

— Vous n'avez pas de patientes à voir ?

Elle secoua la tête.

— Juste quelques nouveau-nés...

— Essayez quand même de vous reposer. Ordre du médecin.

— Bien, docteur, répondit-elle en ébauchant un sourire.

— Très bien... Je vois que vous apprenez vite...

Il la raccompagna jusque chez elle et l'embrassa de nouveau avant de remonter à grandes enjambées l'allée qui menait au cottage. Frissonnante dans le froid matinal, elle resta un moment immobile, à le regarder s'éloigner.

6.

— Jo? Moira Clarke à l'appareil. Je suis désolée de vous réveiller si tôt, mais j'ai passé une très mauvaise nuit. Mon mari est absent en ce moment, les enfants s'agitent et je ne me sens pas capable de...

Elle se tut et Jo entendit la jeune femme renifler à l'autre bout du fil.

— Calmez-vous, Moira. Allez vous allonger et attendez-moi. J'arrive.

En hâte, Jo s'habilla, prit son téléphone portable et redescendit l'escalier quatre à quatre. Comme elle n'avait pas le temps de préparer le café, elle se contenta d'un verre d'eau, griffonna un mot pour sa mère et Laura, et partit.

La maison de Moira se trouvait un peu plus loin le long de la côte, dans un endroit sauvage et isolé. Située au bord de la plage, elle était sans cesse menacée par la mer, mais les Clarke l'adoraient. Jo n'aurait pas voulu y habiter, surtout pas avec trois petits garçons turbulents et un quatrième enfant en route.

Mon Dieu, pourvu qu'il n'y ait pas de problème, songea la jeune femme, encore sous le coup du drame vécu par les Bateman.

Elle appuya sur l'accélérateur. A 6 heures, un samedi matin, elle ne risquait pas d'être arrêtée pour excès de vitesse. Il y avait peu de circulation et elle n'effraya qu'un lièvre qui passait par là.

Elle gara sa voiture dans l'allée qui menait au Driftwood Cottage, prit son sac et sonna.

Un galopin d'environ six ans, les cheveux blonds embroussaillés et la morve au nez, lui ouvrit.

— Maman est encore au lit, annonça-t-il, sans lever les yeux de son Gameboy. Elle a vomi.

— Merci, Oliver.

Jo monta rapidement au premier et arrivée sur le palier, inspirant profondément, elle pénétra dans la chambre. Les yeux clos, Moira était effectivement allongée sur son lit.

— Vous êtes un peu pâlotte.

La jeune femme ouvrit les yeux.

— Je me sens très mal. Je ne comprends pas... Oliver, reprit-elle, éteins ça tout de suite, c'est insupportable !

Le son du Gameboy s'éloigna et, avec un soupir, Moira laissa de nouveau aller sa tête sur l'oreiller.

Les sourcils froncés, Jo posa son sac. Il n'y aurait pas de drame aujourd'hui. Si elle ne se trompait pas, il s'agissait seulement d'un accouchement imminent !

— Avez-vous eu des contractions ? demanda-t-elle en retirant son manteau.

— Seulement quelques contractions isolées.

— Je vais me laver les mains et vous examiner. Défaites-vous.

Elle se rendit à la salle de bains et en revint avec une grosse serviette-éponge. Quelques minutes plus tard, elle s'en félicita car Moira perdit les eaux.

— Le travail a commencé, annonça Jo avec un large sourire.

— C'est impossible ! s'écria Moira. Je dois accoucher dans deux semaines. Mon mari est en Allemagne pour son travail.

— Désolée, mais le bébé est en route. Je crois même que je n'aurai pas le temps d'aller chercher ma trousse dans la voiture. Voyons.

Elle enfila ses gants stériles et se pencha au-dessus de sa patiente.

— Je confirme ce que j'ai dit. Le bébé sera là d'un moment à l'autre. Puis-je utiliser votre téléphone ?

— Je vous en prie, marmonna Moira. C'est incroyable ! Je n'ai pas du tout prévu d'accoucher si tôt.

La sonnerie résonna trois fois puis on décrocha.

— Ed ?

— Jo ? Qu'y a-t-il ? répondit-il d'une voix ensommeillée.

La jeune femme s'en voulut de le réveiller alors qu'il n'était pas de garde, mais n'avait-il pas exprimé le désir d'enrichir son expérience en obstétrique ?

— Pouvez-vous venir ? J'ai une naissance à domicile imminente, si cela vous intéresse. Prenez la route qui longe la côte vers le nord. A environ cinq kilomètres, vous apercevrez une maison isolée sur la plage. Mais dépêchez-vous. Le bébé semble pressé.

— On dirait qu'ils le sont tous dans le Suffolk, grommela-t-il. J'arrive.

Le sourire aux lèvres, Jo raccrocha.

— Le Dr Latimer sera là dans vingt minutes. Vous le connaissez ?

— J'ai rendez-vous avec lui mardi.

— Ce ne sera pas nécessaire, je crois. Voulez-vous marcher un peu, Moira ?

— Je ne sais pas. J'ai surtout soif...

Les mots se transformèrent en gémissement sous l'assaut d'une contraction.

— Donnez-moi la main, s'il vous plaît, dit Moira dans un souffle.

Péniblement, elle se mit debout.

— Appuyez-vous sur moi et faites quelques pas pour vous détendre. Voilà.

— Jo, je veux aller à l'hôpital... Je vous en prie, appelez une ambulance. Je ne veux pas accoucher ici, sans Hal.

— Je regrette, mais vous n'avez plus le choix. Ne vous inquiétez pas. Tout ira bien.

— Bon sang, écoutez-moi : je ne veux pas rester ici ! s'écria-t-elle.

Presque aussitôt, elle fondit en larmes, puis une nouvelle contraction la saisit et elle se cramponna à Jo.

— Excusez-moi, dit-elle avec un pâle sourire quand la souffrance s'atténua.

— Pendant quelques secondes, j'ai cru que vous étiez résolue à vous rendre à pied à l'hôpital !

— Moi aussi. Je...

Une contraction, plus violente, l'interrompit de nouveau et, cette fois, elle ne songea plus à discuter. Elle se rallongea sur le lit et exécuta tout ce que lui ordonnait Jo.

— Nous y sommes presque, dit celle-ci qui apercevait déjà la tête de l'enfant. Concentrez-vous sur votre respiration, bien en rythme, voilà. Détendez-vous... Une dernière fois... Bonjour, bébé. Bienvenue à toi.

Moira poussa un long gémissement. Puis Jo posa le bébé vagissant sur le ventre de sa mère et leva les yeux.

— Vous arrivez après la cavalerie, dit-elle en adressant à Ed un sourire rayonnant.

— Merci d'être venu.

Ed était nonchalamment appuyé contre la portière de sa voiture.

— Mais trop tard, dommage. En tout cas, c'est un joli bébé.

— Une fille, en plus. Moira est ravie. Ils ont trois garçons et ce sont de vrais petits monstres.

— Normal. Les petites filles, elles, c'est en grandissant qu'elles deviennent trop malines.

Jo se mit à rire.

— C'est bien possible. Quelle magnifique journée ! reprit-elle en s'étirant avec un soupir de bien-être.

Elle regarda autour d'elle, la mer bleu-gris, tachetée de crêtes d'écume, les nuages qui filaient dans le ciel et, derrière eux, la lande à perte de vue. Quelle chance elle avait d'habiter ici, et comme la vie était belle !

Ed aussi semblait puiser de nouvelles forces dans le spectacle de la nature.

— C'est un paysage somptueux... Nous devrions aller marcher, profiter du beau temps. Il neigera peut-être la semaine prochaine.

— Excellente idée. Ecoutez, j'ai une visite prénatale à faire chez quelqu'un qui habite en forêt. Voulez-vous venir avec moi? Le couple vit dans une caravane et je voudrais dissuader la jeune femme d'accoucher chez elle comme elle le souhaite, alors qu'il n'y a ni eau, ni électricité, rien...

— En effet, ce serait de la folie. Et vous voulez que je vienne pour vous aider à la convaincre, c'est cela?

— En tant que médecin, vous réussirez peut-être plus facilement. Et l'endroit est magnifique. Nous pourrions ensuite nous promener là-bas.

Il ne semblait pas très enthousiaste et Jo se sentit coupable de lui voler son samedi matin de repos.

— Je n'avais rien prévu de particulier, mais je meurs de faim! Aussi, je vous préviens. Je ne vous suivrai pas avant d'avoir pris un solide petit déjeuner.

Ce n'était que ça! Soulagée, elle acquiesça en souriant.

— Venez le prendre chez nous. J'aimerais voir Laura avant de partir. Peut-être voudra-t-elle nous accompagner? Je lui demanderai.

Elle regretta d'avoir fait cette suggestion, mais il ne parut pas se formaliser.

— D'accord. Je vais chercher des croissants et je vous rejoins.

Chacun monta dans sa voiture et, en redescendant vers la ville, Jo se surprit à chantonner. Elle était heureuse. Le bébé de Moira se portait bien, le soleil brillait, Ed venait prendre le petit déjeuner et le monde semblait rempli de promesses.

Que désirer de plus?

*
**

— C'est là-bas, un peu plus haut à la lisière de la forêt, annonça Jo. Laissons la voiture ici et faisons le chemin à pied.

Ed coupa le contact et se tourna vers elle.

— Dites-moi ce que vous savez sur cette patiente.

— Elle a vingt-huit ans, vit d'allocations diverses avec son compagnon. Ils n'ont pas d'autre domicile que cette caravane, mais semblent s'en contenter.

— Et son bilan de santé?

— Bon. Elle est végétarienne, mais se nourrit convenablement. En tout cas, elle semble en pleine forme.

— C'est sans doute un effet de l'air frais, ironisa Ed. Bon, allons-y. Je veux savoir à quoi m'en tenir.

Ils remontèrent le sentier sablonneux qui traversait la lande. Il faisait un temps idéal pour se promener, mais Laura avait refusé de venir, ayant mieux à faire, comme d'aller au cinéma avec Cara. Comment pouvait-elle s'enfermer dans une salle obscure par un temps pareil? se demanda Jo en soupirant. Ah, les enfants...

— Pas très plaisant, murmura Ed.

Ils étaient arrivés en vue d'un terre-plein où étaient rassemblés des camions en piteux état et de vieilles caravanes. Au centre, on avait allumé un feu où un matelas achevait de se consumer.

Quelques secondes plus tard, ils se retrouvèrent entourés par quelques chiens au poil sale, qui grondaient en montrant les dents. Peu rassurée, Jo vit bouger les rideaux de la caravane. Dieu merci, Ed était avec elle.

Un homme à la mine patibulaire parut sur le pas de la porte. Il cria pour faire taire les chiens, qui reculèrent, la queue basse.

— Bonjour..., lança Jo avec un sourire contraint. Je cherche Mel Jenkins.

— Qui la demande?

— Je suis la sage-femme.

L'homme la dévisagea, bras croisés. S'il cherchait à intimider les gens, c'était réussi.

— Et lui ? dit-il en désignant Ed d'un brusque signe de tête.

— C'est le Dr Latimer, mon confrère.

Le regard de l'homme se posa sur Ed avant de revenir sur Jo, un regard d'une dureté incroyable. Instinctivement, la jeune femme se rapprocha de son compagnon.

— Ils n'habitent pas ici, dit l'homme.

Une femme surgit alors à son côté et descendit les marches, un bébé sur la hanche. Elle avait un œil au beurre noir et la lèvre meurtrie.

— Elle habite à cinq cents mètres, un peu plus haut vers les arbres. Elle va bien au moins ?

— Oui, pour autant que je sache, répondit Jo. C'est une simple visite de routine.

La femme hocha la tête.

— En prenant le chemin à gauche, vous ne pouvez pas les rater.

— Merci.

Elle croisa encore une fois le regard suspicieux de l'homme avant de se détourner.

— Sympathique, commenta Ed. Je ne voudrais pas avoir affaire à lui.

— Non, j'espère que je convaincrai Mel et que nous n'aurons pas à nous promener dans le coin en pleine nuit. Avez-vous vu les hématomes sur le visage de la femme ?

— Oui. Le bébé avait aussi un gros bleu sur la main. Il faudra les signaler à l'assistante sociale.

Ils suivirent le sentier et parvinrent à une clairière au centre de laquelle se trouvait une caravane, toute blanche sous le soleil, flanquée d'un appentis. Il y avait aussi une camionnette et un chien qui, contrairement aux autres, les accueillit en remuant amicalement la queue.

— Mel ! appela Jo. Vous êtes là ?

La porte de la caravane s'ouvrit et un homme parut. Aussitôt, Jo se raidit, mais celui-là vint à leur rencontre, le sourire aux lèvres.

— Gizmo, viens ici, ordonna-t-il au chien. Je peux vous aider ? reprit-il aimablement.

— Je cherche Mel Jenkins. Je suis Jo Halliday, sage-femme. Je voulais juste faire connaissance et repérer les lieux, au cas où elle m'appellerait en urgence.

— Je suis Andy Roarke, son compagnon.

Sa poignée de main était ferme et Jo se sentit rassurée.

— Je vous présente le Dr Latimer. Il est médecin généra-liste, chargé de l'obstétrique dans notre cabinet.

A leur tour, les deux hommes se serrèrent la main.

— Ravi de vous rencontrer. Venez, Mel est à la maison.

Il les invita à entrer. A la surprise de Jo, l'intérieur était fonctionnel, propre et ordonné.

— Tu as de la visite, Mel, annonça Andy. La sage-femme et le médecin.

— Bonjour ! Entrez.

Assise sur une banquette, les pieds relevés, la jeune femme reposa sa tasse sur la table.

— Il reste du thé, dit-elle en essayant de se lever.

— Ne bougez pas, intervint Jo. Nous allons nous débrouiller.

Andy leur fit de la place et ils s'assirent en face de la jeune femme.

— Comment prenez-vous votre thé ? demanda Andy.

— Un peu de lait pour les deux, merci, répondit-elle. J'espère que vous ne nous en voulez pas de venir à l'impro-viste. Comme je le disais, je tenais seulement à vous locali-ser au cas où vous auriez un problème en pleine nuit.

Le visage de Mel se détendit.

— Ah bon, j'avais peur que vous veniez à la demande des services sociaux... Ils insistent pour que j'aille habiter dans un de leurs appartements. Nous n'arrivons pas à leur faire comprendre que nous avons choisi notre mode de vie et que le bébé n'en souffrira pas.

Andy apporta les deux tasses de thé et s'assit à côté de sa compagne.

— Avant, nous habitions à Londres, commença-t-il. J'étais architecte d'intérieur et Mel avait une petite affaire de tissus d'ameublement. C'est comme ça qu'on s'est rencontrés. Les affaires sont devenues trop dures, nos marges ne cessaient de se réduire et, un jour, nous nous sommes dit : pourquoi tant d'efforts ? Nous n'étions pas heureux.

— Nous avons donc tout vendu, acheté une caravane, une camionnette et voilà ! enchaîna Mel en le regardant avec tendresse. Andy fait des petits boulots et dessine parfois des plans pour un architecte du coin. Moi, je fais des coussins, des châles et des objets pour un marché artisanal et nous nous débrouillons. Bref, nous ne regrettons rien.

Jo leur sourit.

— Je comprends. Parfois, on n'en peut plus. Mais peu de gens ont le courage de changer de vie.

— Pour nous, c'était une question de survie.

— Alors, reprit Jo, quels sont vos projets pour le bébé ? Ils se consultèrent du regard.

— Il faut que j'aille à l'hôpital, c'est cela ? demanda Mel, les sourcils froncés.

— Pas forcément, non.

Le visage de Mel s'éclaira.

— Je préférerais que cela se passe à l'hôpital, naturellement, reprit Jo, dans la mesure où vous n'avez ni eau, ni électricité, ni chauffage adéquat. Voyons, la naissance est prévue en mars, n'est-ce pas ?

— Oui. Il fera moins froid, plaida Mel. Je tiens vraiment à mettre mon bébé au monde ici, et même dehors, en pleine nature, si le temps le permet. Ce serait une naissance magnifique, vous ne trouvez pas ?

Jo réprima un soupir.

— En théorie, oui. Mais s'il pleut, si c'est la nuit ?

— On allumera des bougies. Je ne supporte pas l'idée d'accoucher sous la lumière d'un néon, les pieds dans des étriers et palpée par des médecins qui...

— Hé, un instant s'il vous plaît, coupa Jo en riant. Cela

ne se passe pas comme ça avec moi. Dans la mesure du possible, je fais tout pour que mes accouchements se déroulent dans une ambiance paisible, feutrée, et dans un rapport de confiance absolu. Il n'y a pas de néon, ni rien de ce genre.

Mel jeta un coup d'œil à Ed qui n'avait encore rien dit.

— Je n'interviens qu'en cas de problème, dit-il, comme à regret. C'est elle la sage-femme. La dernière naissance à laquelle elle m'a convié s'est produite si rapidement que j'ai seulement eu le temps de retirer mon manteau avant qu'on me confie le nouveau-né.

— Le pauvre..., plaisanta Jo. Voyez-vous, reprit-elle plus sérieusement, je n'utilise les moyens techniques qu'en cas d'absolue nécessité. Les femmes sont naturellement faites pour accoucher. Je suis seulement là pour m'assurer que tout se passe dans de bonnes conditions de sécurité pour votre enfant et vous.

— J'ai beaucoup lu sur le sujet, dit Mel. Je suis jeune, en bonne santé et il n'y a pas d'antécédents dans ma famille. Je ne vois pas pourquoi je ne pourrais pas mettre mon bébé au monde chez moi.

— Je suis d'accord... J'ai seulement quelques réserves par rapport à votre habitat actuel. Le manque d'eau courante, surtout, m'inquiète. Comment vous en procurez-vous ?

— Il y a un point d'eau dans l'autre camp, expliqua Andy. Je la porte. Les femmes africaines font la même chose depuis des siècles. Avec la camionnette, il n'y a pas de problème.

— Et pour l'électricité ?

— Nous avons une lampe branchée sur une batterie. Ce n'est pas idéal, mais ça marche. On l'utilise en cas de nécessité.

Depuis un moment, Mel se mordillait les lèvres. Finalement, elle leva vers Jo un regard de défi.

— Si je maintiens mon refus d'aller à l'hôpital, cela veut-il dire que vous ne viendrez pas m'aider ?

— Non, répondit Jo, résignée. Vous restez ma patiente... Mais si, après vous avoir examinée, j'estime qu'il y a un risque que les choses se passent mal, je vous demande de vous rendre à la maternité sans discuter. Sur ce point, il faut que nous nous mettions bien d'accord.

— Simplement parce que nous habitons ici.

— Non. J'agis de la même manière pour toutes les naissances à domicile. Je ne vous laisserai pas compromettre la santé ou la vie de votre bébé et la vôtre. Je ne veux pas intervenir plus que nécessaire, mais je vous demande de me faire confiance.

— Donc, vous me laisserez essayer ?

— A condition d'être prévenue dès que le travail sera commencé. Je jugerai alors si je peux vous accoucher dans ces conditions. L'option « hôpital » reste entière.

— Mais votre service n'a pas d'équipement particulier, n'est-ce pas ?

— Seulement de la lumière, du chauffage et l'eau courante.

Mel sourit.

— La lumière et la chaleur, on s'en charge. Quant à l'eau courante, Andy courra la chercher !

Ed eut un petit rire, puis son visage redevint grave.

— Vous êtes vraiment décidés ?

— Oui, répondit Andy. Tout le monde dit que nous sommes fous, mais c'est notre vie.

— Je ne vous prends pas pour des fous... Vous agissez en accord avec vous-mêmes, c'est tout. Mais je souscris aux propos de Jo. S'il y a le moindre problème, je vous demande d'accepter de suivre nos conseils.

— Sinon ?

— Il y a un risque pour que ce soit le bébé qui en pâtisse, répondit Jo, d'un ton calme et ferme. Je ne suis pas quelqu'un qui s'alarme pour rien. Je sais quand je peux régler un problème toute seule et quand j'ai besoin d'assistance. Si vous ne voulez pas le comprendre, il faudra être prêt à en accepter les conséquences.

Andy hocha la tête.

— D'accord, merci.

Ed et Jo se levèrent.

— Une dernière chose, dit celle-ci. Si cela doit se passer ici, pourriez-vous vous arranger pour accoucher de jour, s'il vous plaît ?

Mel eut un petit rire.

— Je ferai de mon mieux. Merci.

Andy les raccompagna.

— Attention à l'homme aux chiens, recommanda-t-il. Il n'est pas commode.

— Oui, nous avons remarqué, dit Jo.

— Il fait peur à Mel. Nous partirons d'ici dès que le bébé sera né.

— Je comprends. Il a un drôle de regard.

— Tant qu'on ne l'embête pas, on n'a rien à craindre de lui, paraît-il, mais il est bizarre. Bon retour, ajouta-t-il. Merci d'être passés et à bientôt.

Ils rebroussèrent chemin en passant à bonne distance des autres caravanes.

— Alors ? dit Ed quand ils furent dans la voiture.

Jo soupira.

— Il était inutile d'essayer de les convaincre. Ce sont des gens anticonventionnels, mais intelligents. S'ils veulent que leur enfant naisse ici, nous ne pouvons rien faire.

— En tout cas, vous aviez raison, elle a l'air en pleine forme. *A priori*, il ne devrait pas y avoir de problème.

Ed fit démarrer la voiture et, avec un soupir de lassitude, Jo posa sa nuque contre l'appui-tête.

— Fatiguée ?

— Un peu. Finalement, je suis contente que Laura ne soit pas venue. C'était plus facile de leur parler.

— Quoique cela n'ait servi à rien.

— On verra bien. En tout cas, merci de m'avoir accompagnée.

— De rien. Au fait, où voulez-vous aller marcher ?

— Marcher?

— Oui, vous n'appelez pas cette petite promenade une marche?

Pourquoi diable avait-elle suggéré l'exercice? Apparemment, Ed était un obsédé de la bonne forme physique.

— A l'intérieur ou au bord de la mer? demanda-t-elle.

— Les deux.

— D'accord. Nous allons remonter la côte jusqu'à Dunwich. Je vous préviens, il y aura beaucoup de vent.

— Moi, cela ne me gêne pas. Je vous protégerai.

A cette douce perspective, elle ne put s'empêcher de sourire.

Un quart d'heure plus tard, ils laissaient la voiture au bord de la route et partaient pour une longue promenade sur la falaise. L'endroit était désert, le froid mordant. Le vent violent, impitoyable, leur coupait le souffle. Ed mit son bras autour des épaules de la jeune femme et ils marchèrent sans parler pendant un long moment.

— Parlez-moi de Laura, demanda Ed tout à coup.

— Que voulez-vous que je vous dise?

— Racontez-moi les circonstances de sa naissance, par exemple, comment vous avez vécu ces moments-là.

Jo se mordit la lèvre. Elle n'aimait pas évoquer cette époque, mais s'ils devenaient aussi intimes, sans doute avait-il le droit de savoir.

— J'avais dix-sept ans et j'étais en terminale. Richard en avait vingt-cinq. Il était plutôt beau garçon, drôle, plus mûr que moi, raffiné. Il fumait des cigarettes françaises, buvait du gin tonic et non de la bière, comme les autres garçons que je connaissais. Il me flattait, me disait que j'étais belle et qu'il m'aimait.

— Et vous êtes tombée dans le piège.

— Oh oui! s'exclama-t-elle avec un rire amer. J'étais si impressionnable. Il m'avait affirmé qu'il était divorcé, que sa femme ne l'avait jamais compris, qu'elle avait deux enfants d'un premier mariage et qu'elle ne l'aimait plus... Enfin, ce genre de choses.

Jo sentit Ed se raidir à côté d'elle.

— Oui, je vois très bien. Et alors?

— Je suis tombée enceinte et je le lui ai annoncé. Je pensais qu'il serait fou de joie car il m'avait dit qu'il regrettait que les enfants de sa femme ne soient pas les siens.

— Et c'était les siens, bien sûr.

— Oui, et il n'était pas divorcé. Son épouse habitait Londres en attendant qu'il trouve une maison ici. Finalement, il est retourné vers elle. Je ne l'ai jamais revu.

Ed demeura silencieux. Seule la tension dans son bras autour des épaules de Jo exprimait la colère qui l'habitait.

— Le saligaud..., dit-il seulement.

Il s'arrêta de marcher et se tourna face à elle.

— Moi, je ne suis pas marié, Jo... Je ne l'ai jamais été. Je n'ai pas d'enfant et je ne mens pas.

Devant tant de véhémence, elle sourit et lui caressa la joue.

— Je sais.

— Je suis désolé de ce qui s'est passé.

— Pas moi. J'ai Laura et je ne saurais imaginer ma vie sans elle. C'est la plus belle chose qui me soit arrivée...

— Je l'aime bien. Elle a une forte personnalité.

— Un peu trop, soupira Jo qui frissonna.

Il s'en aperçut et il la prit par les épaules.

— Rentrons.

Docile, elle se laissa entraîner. Elle se sentait choyée, chérie et protégée. Comme c'était bon! C'en était effrayant.

7.

Avec l'épidémie de grippe qui sévissait dans la région, Ed fut débordé de travail au cours des semaines qui suivirent. Il effectuait de nombreuses visites — peu familier des lieux, il lui arrivait parfois de se perdre avant de trouver le domicile de son patient! — ainsi que des interventions mineures à l'hôpital. Mais son activité ne l'empêchait pas de penser presque constamment à Jo et au récit qu'elle lui avait fait.

Avoir un enfant à dix-huit ans avait dû bouleverser totalement sa vie et ses projets d'avenir. Mais douze ans plus tard, elle affirmait sereinement que sa fille était la meilleure chose qui soit arrivée.

Au fond, ce n'était pas surprenant. Il avait assez vu Jo, un nourrisson dans les bras, pour savoir que toute naissance était pour elle une joie chaque fois renouvelée et le chagrin qu'elle avait manifesté à la mort de la petite Bateman montrait bien ses qualités de cœur.

Avant vingt ans, elle avait dû faire abstraction de ses désirs et de ses besoins pour se consacrer à son enfant. C'était sans doute la raison pour laquelle elle était restée célibataire.

Sans parler de la méfiance bien compréhensible qu'elle éprouvait à l'égard des hommes. Quel gâchis, songea-t-il en la regardant répéter, un soir. Jo était quelqu'un de si généreux, elle ne pouvait être qu'une mère et une épouse merveilleuse.

Elle connaissait tout le monde et tout le monde l'aimait bien. En la voyant plaisanter avec ses camarades du spectacle, il eut une bouffée de tendresse pour elle. A un moment donné, leurs regards se croisèrent et le sourire de la jeune femme lui alla droit au cœur.

Elle était irrésistible !

Et il n'allait pas tarder à en être éperdument amoureux.

Mais voudrait-elle de lui ? Quand il lui aurait dit ce qu'il devrait bien finir par lui dire, le rejetterait-elle aussi ?

— On reprend la scène du village, annonça Roz. J'aimerais un peu plus d'enthousiasme, s'il vous plaît. Je vous rappelle qu'il ne reste que trois répétitions avant la couturière.

Ed se secoua. Il réfléchirait à l'avenir et aux questions graves plus tard. Pour l'instant, on lui demandait de faire preuve d'entrain et de gaieté.

Il eut une moue sarcastique et rejoignit les autres sur la scène.

Jo le regarda approcher. Il avait l'air fatigué, pensat-elle, soucieuse. Ces derniers temps, il était submergé de travail. Maurice lui faisait désormais pleinement confiance et se reposait sur lui. Du coup, elle l'avait à peine vu depuis leur promenade dans la lande, trois semaines plus tôt. Leurs tours de garde, les activités de Laura et la préparation du spectacle, tout avait contribué à les empêcher de se voir en tête à tête.

Un sourire incertain sur les lèvres, il vint vers elle à la fin de la répétition.

— Etes-vous libre ce soir ? Juste pour boire un verre en écoutant de la musique afin de vous détendre.

Jo jeta un coup d'œil sur sa montre. Il était déjà 22 h 30.

— Je crois que je vais me détendre dans mon lit...

— Dommage... Même pas une petite demi-heure ?

Jo regarda sa fille qui bavardait un peu plus loin avec des amis et la vit bâiller à se décrocher la mâchoire.

— Il faut que je mette Laura au lit. Elle est épuisée. Je crois qu'elle couve la grippe.

— Venez après.

Elle faillit dire non. Mais il plongea son regard dans le sien et la jeune femme sentit sa résistance fondre.

— D'accord, mais je ne resterai pas longtemps.

— Je vous attendrai.

Dans les yeux gris-bleu brilla comme une promesse, et Jo sentit son cœur battre à grands coups.

Laura se mit au lit et s'endormit aussitôt. Mais il était quand même plus de 23 heures quand la jeune femme prévint sa mère qu'elle ressortait.

— Je croyais que tu n'étais pas de garde ce soir, dit celle-ci, intriguée.

— Je vais prendre le café chez Ed.

Rebecca la scruta un instant puis sourit.

— Moi, je vais me coucher. A demain, ma chérie. Ne rentre pas trop tard.

Il est déjà trop tard, pensa Jo en traversant le jardin, mais trop tard pour quoi ? Ed l'attendait sur le seuil et elle se jeta à son cou.

— Vous m'avez manqué, murmura-t-il. Cela fait un siècle que je ne vous ai pas tenue dans mes bras.

Avec un profond soupir, elle se pressa contre lui.

— Vous m'avez manqué à moi aussi...

Touché, il resserra un moment son étreinte avant de l'inviter à s'asseoir dans le petit salon. Sur la table basse, se trouvait un plateau avec une cafetière et ses sablés préférés. On entendait une musique douce.

Etait-ce une mise en scène pour la séduire ? se demanda-t-elle. Ou seulement une manière délicate d'accueillir une amie ?

Peu importe... Elle était trop fatiguée pour résister et trouvait très agréable de se laisser choyer.

— Ça va ? demanda-t-il.

— Oui, mais ne m'en veuillez pas si je m'endors.

— Ne vous gênez pas, répondit-il avec un petit rire.

Il lui caressait l'épaule — une torture délicieuse — et la regardait avec une intensité particulière. En cet instant, il lui sembla vaguement dangereux.

— Je regrette qu'on ne se voie pas plus souvent, reprit-il. Rien que nous deux, sans le reste de la troupe du spectacle, sans les autres membres du cabinet, sans patients non plus.

— Du temps rien que pour nous, répéta Jo, hypnotisée par ses caresses.

— Sans interruption, ni téléphone. Nous sommes toujours en train de courir. Nous n'avons jamais le temps de nous parler vraiment.

— De quoi voudriez-vous parler?

Il se rembrunit.

— De nous, par exemple. Il y a encore tant de choses que nous ignorons l'un de l'autre...

C'était vrai. Elle ne savait presque rien de lui, mais cela semblait sans importance. Il lui avait dit l'essentiel, le reste était superflu.

— Je sais tout ce que je dois savoir, dit-elle d'une voix douce.

— Non.

— Si. Je sais que vous ne me mentirez pas.

Elle sentit la main quitter son épaule, et remonter le long de son cou pour redessiner son profil jusqu'à la pointe du menton.

— Non, je ne vous mentirai pas.

Elle tourna la tête et pressa ses lèvres sur la main d'Ed. Comme s'il n'attendait que ce signe, il se pencha vers elle et la débarrassa de sa tasse.

Il allait l'embrasser! La gorge serrée par l'émotion, elle ferma les yeux et attendit. Ses lèvres reçurent un fugitif baiser.

Frustrée, elle gémit et se rapprocha, les yeux toujours clos. Il l'attira vers lui.

— Tu es si belle, murmura-t-il dans un souffle avant de prendre sa bouche.

Elle lui rendit son baiser avec ferveur, les mains enfouies dans ses cheveux bruns. Elle se rapprocha encore. Elle voulait être tout contre lui et se fondre dans sa chaleur.

La bouche d'Ed descendit le long de son cou et elle le sentit batailler avec les boutons de son chemisier, puis l'agrafe de son soutien-gorge pour libérer ses seins.

Il se pencha alors pour les embrasser et les mordiller tour à tour, arrachant à Jo des gémissements de plaisir. Comme c'était bon de sentir la joue râpeuse contre sa peau et ces lèvres qui réveillaient en elle des sensations oubliées !

L'émotion fut si violente qu'elle laissa échapper un sanglot.

Alors ses caresses se firent moins impétueuses, ses lèvres redevinrent douces sur sa peau. Il releva la tête et plongea son regard dans le sien.

— J'ai envie de toi, Jo. Je ne veux pas te bousculer, mais je veux que tu saches ce que je ressens.

Il lui laissait encore la possibilité de choisir. Que voulait-elle faire ?

La sonnerie du téléphone retentit, lointaine, mettant provisoirement un terme à son dilemme. Ed étouffa un juron et se leva pour répondre.

— Latimer... Bonsoir, Rebecca. Oui, je vous la passe.

Il tendit le combiné.

— Ta mère.

Le chemisier plaqué sur la poitrine, elle se leva à son tour et prit l'appareil.

— Oui, qu'y a-t-il ?

— Excuse-moi de vous déranger, mais Laura est malade. Je crois qu'elle a la grippe. Elle a vomi et a mal à la gorge. Sa température est de trente-neuf degrés.

— J'arrive.

Elle raccrocha et se tourna vers Ed.

— Laura a la grippe. Il faut que je te laisse.

— Bien sûr, je comprends.

Il lui repoussa les mains pour agrafer lui-même le soutien-gorge, reboutonner le chemisier avant de déposer un tendre baiser sur ses lèvres.

— Ma proposition tient toujours, Jo. Tu peux venir quand tu veux, à n'importe quelle heure du jour ou de la nuit. Je ne te chasserai pas, quelle que soit la raison de ta venue, d'ailleurs. A ta prochaine visite, nous ne sommes pas obligés de faire l'amour. Seulement si tu le veux.

Elle voulait, c'était justement ça le problème. Elle le voulait tellement qu'elle eut l'impression de subir un arrachement en le quittant. Mais Laura avait besoin d'elle et Laura passait avant tout.

C'était peut-être aussi bien comme ça.

Laura fut malade pendant trois jours. Par chance, Jo n'attrapa pas le virus. Mais elle éprouva une certaine culpabilité à partir au travail en laissant une fois de plus la petite à sa mère.

Comme elle s'était reproché, le soir où la grippe s'était déclarée, de se trouver dans les bras d'Ed alors que Laura avait besoin d'elle. Du coup, elle ne chercha pas à le revoir.

Ce n'était pas difficile. Le travail lui prenait tout son temps. Lors d'une consultation, elle eut l'occasion de revoir Mel. Il lui restait encore cinq semaines pour parvenir à son terme. Elle était toujours en parfaite santé et Jo n'essaya pas de revenir à la charge pour la convaincre d'accoucher à l'hôpital.

Le bébé était de bonne taille, les échographies dûment effectuées et le carnet de santé à jour. A l'aide de son stéthoscope, elle repéra le cœur fœtal et Mel, très émue, écouta les battements rapides et réguliers, amplifiés par l'appareil.

100

— Je le sens souvent bouger, dit-elle, émerveillée, mais entendre son cœur, ça le rend encore plus présent, plus réel.

— Réel, il le sera encore plus dans quelques semaines, vous verrez ! commenta Jo en riant.

— Je sais. Sioux, la jeune femme que vous avez recontrée en venant chez nous, m'amène parfois son bébé quand Mick a bu. C'est une petite fille adorable, mais très active, très présente. On n'oublie pas qu'elle est là.

— Que pensez-vous de vos voisins ? demanda Jo tandis que Mel se rhabillait.

— Sioux est sympathique, mais Mick a toujours cet air sombre et hostile ! Il me fait peur.

Jo hocha la tête. Elle avait pris contact avec les services sociaux qui lui avaient appris qu'effectivement, Mick avait fait de la prison pour cambriolage et vente de drogue. Ce n'était pas le voisin idéal quand on vivait dans un endroit aussi isolé, avec un bébé. De plus, elle s'inquiétait pour le bébé de Sioux.

— Mel, est-ce qu'il la bat ?

La jeune femme eut l'air d'avoir peur tout à coup.

— Je ne veux pas me mêler de ce qui ne me regarde pas.

— Je comprends, mais j'ai vu des hématomes sur son visage et la main du bébé m'a semblé un peu jaune, comme si on l'avait meurtrie.

Mel baissa les yeux, paraissant nerveuse.

— Je n'en sais rien. Je ne veux surtout pas avoir affaire à lui.

— Oui, cela vaut mieux, dit Jo, comprenant qu'il était inutile d'insister. L'assistant social doit être au courant, je suppose.

— Il est venu plusieurs fois, mais si Sioux ne veut rien dire, que peut-il faire ? Je pense qu'elle a très peur de Mick et qu'elle aimerait le quitter, mais il ne la perd jamais de vue.

Elle se leva.

— Je dois partir, Andy m'attend. Vous ne direz rien, n'est-ce pas ? Si Mick apprenait que je vous ai parlé...

— Parlé de quoi ? Vous ne saviez pas que j'étais sourde ?

Mel eut un sourire reconnaissant.

— Au revoir. A bientôt, Mel.

Lorsque la jeune femme fut partie, Jo, avec un soupir, décrocha son téléphone. Il fallait absolument qu'elle parle à Joe Saunders, l'assistant social. Comme il était en rendez-vous, elle exposa donc le cas à la visiteuse médicale qui avait, administrativement, la responsabilité du bébé, dans l'espoir que l'on ferait quelque chose avant qu'il soit trop tard.

La jeune femme consulta sa montre. On était mardi après-midi et elle avait encore des visites à faire après ses consultations. Ensuite, ce soir, il y aurait la répétition en costumes avant la première représentation jeudi. Quatre étaient prévues, trois soirées et une matinée. Toutes les places étaient déjà vendues et il ne restait plus qu'à espérer que tout se passerait bien. Comme chaque année, à la même date, Roz était complètement affolée.

Ce soir, ce serait l'épreuve décisive. Franchement, si tout se déroulait sans anicroche, cela tiendrait du miracle !

Dans les coulisses, Ed regardait Barry, le jeune marié, flirter avec la Belle. Sa Belle. Cette semaine encore, il l'avait à peine vue, et quand il la retrouvait, elle était au bras d'un autre homme qui lui faisait des yeux de velours !

Ce qui ne l'aurait pas gêné s'ils n'avaient eu en dehors de la scène des relations très chaleureuses.

Ed dut s'avouer qu'il était jaloux, lamentablement jaloux, mais le reconnaître n'arrangea rien. La Bête l'énervait toujours, surtout qu'au dernier tableau, elle prenait la Belle dans ses bras pour la faire valser.

Le public adorait. Rires, exclamations et applaudissements se succédaient. C'était la deuxième représentation et ils en étaient à la moitié du spectacle. Encore une matinée et une soirée, et ce serait fini.

Bien entendu, il y aurait une fête après la dernière représentation et chacun apporterait à boire et à manger. Tel que Ed connaissait les participants, la soirée risquait d'être très animée.

Il se joignit aux « villageois » pour entrer en scène et chanter l'avant-dernière chanson tandis que le reste de la troupe se préparait pour le final.

Tout le monde attendait la Belle et la Bête. Ce fut alors que Ed entendit un bruit sourd derrière lui, suivi d'un craquement. Il aperçut la Belle avec Peter, qui se tenait sur une jambe, le visage crispé par la douleur.

— Ça va aller ? demanda Jo, inquiète.

— Oui, répondit son partenaire, haletant.

Il entra en scène, lourdement appuyé sur la Belle.

Le final fut plus court que d'habitude. Comment Peter réussit-il à tenir, Ed n'aurait pu le dire. Dès que le rideau fut baissé, il s'effondra sur le sol.

Ed fut aussitôt près de lui.

— Que s'est-il passé ?

— Je suis tombé du plateau.

— J'ai entendu.

— Je crois que je me suis cassé quelque chose.

— C'est probable. On va vous emmener.

Le jeune marié, l'arrière-train du cheval et Ed soulevèrent Peter et l'emportèrent dans la loge. Roz parut bientôt.

— Il s'est cassé la cheville, expliqua Ed. Il faut que je l'emmène aux urgences.

— En êtes-vous sûr ? demanda Roz, horrifiée.

— Certain, répondit Ed.

Il déchaussa Peter et se pencha sur le pied blessé, les sourcils froncés. Sauf erreur, il aurait besoin d'un plâtre.

— Pourrai-je jouer demain ? questionna Peter.

— Non.

— Mais...

— Mais le spectacle doit continuer ? Oui, mais sans vous, mon cher. Vous serez à l'hôpital.

Jo s'approcha.

— Je ne voudrais pas vous ennuyer, mais celui qui jouera la Bête demain aura besoin du pantalon. Si on l'emmène comme ça aux urgences, ils vont le découper.

— Oh non, le costume est loué ! s'exclama Roz.

— Aidez-moi à le retirer avant que j'aie trop mal, dit Peter.

Ce qu'ils firent, aussi délicatement que possible. Quand l'opération fut terminée, Peter était très pâle, en sueur, mais le pantalon en velours intact.

— A présent, il ne reste plus qu'à trouver celui qui le portera à sa place, dit Roz en regardant autour d'elle. Il faut que ce soit quelqu'un de la même taille que lui, qui n'ait qu'un petit rôle, mais connaisse suffisamment la pièce pour apprendre les répliques et les déplacements de Peter avant 14 h 30 demain.

Ed était en train d'emmailloter bien serré le pied de Peter avec un foulard pour faciliter son transport à l'hôpital. Tout à coup, il prit conscience du silence qui s'était instauré et, jetant un coup d'œil par-dessus son épaule, il vit que tout le monde avait les yeux fixés sur lui.

— Qu'y a-t-il ?

— Savez-vous rugir ? demanda Roz.

Ed écarquilla les yeux.

— Oh non... Non, Roz, ne me demandez pas ça ! Jamais, vous entendez ? C'est non !

Laura avait raison, songea Jo, Ed était parfait pour le rôle. Il savait chanter, danser, il avait de la présence et pas une fois il ne lui marcha sur les pieds.

104

Il s'était un peu embrouillé dans ses répliques cet après-midi, mais le public n'avait rien remarqué. Ce soir, ce serait plus délicat car il risquait d'être déconcerté par l'excitation de la dernière représentation et des spectateurs encore plus bruyants que d'habitude.

Sa première apparition avait lieu quand le père de la Belle trouvait la rose, et il devait entrer en poussant un rugissement, ce qui déclenchait toujours les rires dans l'assistance. Ce soir-là, ce fut encore le cas, mais il attendit que le calme revienne et reprit comme un professionnel. Il devait être naturellement doué. Avait-il conscience qu'il risquait d'être sollicité désormais chaque année?

Le silence régnait quand la scène de la rencontre entre la Belle et la Bête commença. Ils se tenaient si près l'un de l'autre qu'elle sentit la tension qui l'habitait. Il avait le trac, se dit-elle. Mais quand il prononça sa première réplique, il n'y avait aucune trace de nervosité dans sa voix.

Après l'entracte, ils avaient de nouveau une scène ensemble. A cause du masque, elle ne voyait pas son visage, ce qui la rendait d'autant plus sensible au timbre de sa belle voix grave. Et quand la Bête demanda à la Belle si elle avait déjà eu envie d'épouser quelqu'un, la réponse éveilla en elle de singuliers échos.

— Oh non... Il faudrait d'abord que je tombe amoureuse.

— Comment sauras-tu que tu es amoureuse? demanda-t-il.

Et elle aurait juré qu'il lui posait la question à elle, Jo. Si seulement elle avait pu voir son regard!

— Je ne sais pas. Cela ne m'est encore jamais arrivé.

Il baissa la tête d'une telle façon qu'elle eut envie de le prendre dans ses bras pour le consoler. Dans la salle, on entendit des soupirs de compassion.

— Mais je suis sûre que je le saurai quand cela se produira, ajouta-t-elle, s'adressant cette fois à Ed et non à la Bête.

Il ne resta bientôt que la dernière scène. Arrivant au château où la Bête se meurt, la Belle devait se jeter, en pleurs, à son chevet. En fait, c'était la femme de Peter, costumée en Bête, qui gisait là, mais c'était à Ed qu'elle s'adressait et avouait son amour.

— Ne meurs pas, la Bête ! suppliait-elle avec des sanglots dans la voix. Je t'aime, moi aussi. Tu entends ? Je t'aime !

Le noir se fit et, quelques secondes plus tard, Ed reparaissait dans la lumière, costumé en prince charmant. Il s'avança vers la Belle et l'enveloppa d'un regard incroyablement tendre.

Le public applaudissait et interpellait le prince, mais Jo n'entendait rien, ne voyait que lui...

— Ne me reconnais-tu pas, la Belle ? demanda-t-il au bout d'un moment.

Jo se rendit alors compte qu'elle avait oublié de donner sa réplique et réagit.

— Qui es-tu ? Où est ma Bête ?

— Je suis un prince. J'étais la victime d'un sort qui m'avait métamorphosé en Bête. Maintenant le charme maléfique est rompu, grâce à toi, la Belle, et au pouvoir de ton amour.

Sous l'intensité de son regard, Jo se sentit glisser dans un état second durant les répliques suivantes. Puis vint le moment où le prince tend de nouveau la main à la Belle.

— Epouse-moi, la Belle...

— Ce serait un honneur pour moi, répondit Jo d'une voix étranglée.

La scène s'acheva, puis ce fut le tableau final et le rideau tomba dans un tonnerre d'applaudissements.

Il y eut de nombreux rappels. Le public déchaîné ne voulait plus les laisser partir. Quand, enfin, après leur dernier salut, ils revinrent dans les coulisses, tout le monde entoura Ed pour le féliciter avec enthousiasme, mais Jo n'avait qu'une envie, partir. Quelque chose de magique s'était produit entre eux, ce soir, et elle voulait se retrouver seule avec lui pour avoir les réponses aux questions lancinantes qu'elle se posait.

— Tu as été formidable, maman! s'écria Laura en la pressant contre elle.

Puis elle aperçut Ed, la chemise blanche à larges manches largement ouverte sur la poitrine, et se jeta à son cou.

— Tu vois, je t'avais dit que tu serais bien dans le rôle de la Bête, dit-elle avant de filer se changer.

Ensuite, la fête fut délirante, mais Jo n'y participa pas vraiment, attendant que Ed échappe à ses admirateurs. Elle commençait à désespérer quand il s'approcha d'elle.

— Viens chez moi ce soir, murmura-t-il à son oreille. S'il te plaît.

— Oui, répondit-elle dans un souffle.

8.

Ed l'attendait car la porte du cottage s'ouvrit dès qu'elle eut pénétré dans le jardin. Il lui ouvrit les bras et l'embrassa tendrement.

— Je croyais que tu avais changé d'avis.

— Non. J'ai pris une douche. Entre le fond de teint et la chaleur des projecteurs, j'en avais besoin.

— Moi aussi.

Elle effleura ses cheveux encore humides.

— Je voudrais danser avec toi, viens, dit-il avec un petit sourire.

Pour avoir attendu si longtemps, elle avait imaginé qu'il l'entraînerait aussitôt vers la chambre, mais Ed ne semblait pas du tout pressé. Ils évoluèrent au rythme lent de la musique qui enchaînait les morceaux tendres et langoureux.

Soudain, il s'immobilisa et l'enveloppa d'un regard brûlant.

— Fais l'amour avec moi, Jo, dit-il d'une voix rauque, changée.

Pour toute réponse, elle se haussa sur la pointe des pieds et l'embrassa. Alors il la souleva dans ses bras et, telle une jeune mariée, l'emporta au premier étage. Dans la chambre à la lumière tamisée, il la déshabilla aussitôt, avant de se dévêtir à son tour, tandis qu'elle se glissait sous les couvertures.

Le cœur de Jo battait comme un fou. Il y avait si long-temps ! Elle craignait de ne plus savoir... Une chose était sûre : elle avait franchi le point de non-retour.

Ed la rejoignit. Appuyé sur un coude, il resta long-temps sans bouger, à la dévorer des yeux.

— Je t'aime, dit-il avec gravité.

Elle sentit des larmes d'émotion lui brûler les yeux et l'attira contre elle.

Il se montra tendre et généreux, attentif à ne pas la brus-quer, suspendu à son plaisir. Elle le sentait trembler tant il contrôlait la vague immense de son désir. Et ce fut seule-ment quand le feu du plaisir emporta la jeune femme qu'il s'abandonna dans un dernier assaut en murmurant son nom.

Puis il s'effondra à côté d'elle, haletant, la tête sur son épaule et une main sur son sein. Lorsqu'il la sentit fris-sonner, il tira la couverture sur eux.

— Ça va ? demanda-t-il.

Elle eut un petit rire incertain.

— Je crois. J'ai l'impression de ne pas être encore redescendue sur terre.

Il rit à son tour et repoussa les mèches de cheveux qui lui retombaient sur les yeux.

— Tu es belle, murmura-t-il. Si belle...

Et, cette fois, elle le crut. Alanguie, elle caressa les larges épaules, prenant plaisir à sentir les muscles durs sous la peau douce.

— Toi aussi, tu es beau. Tu me plais.

Il soupira.

— J'ai encore envie de toi...

La bouche d'Ed vint se poser sur la sienne et, chose incroyable, Jo sentit que le désir qu'elle avait de lui se réveillait déjà. Et ce fut le même éblouissement.

— Il faut que je rentre, murmura-t-elle d'une voix ensommeillée, longtemps après, quand elle reprit pied dans la réalité. Laura ne sait pas que je suis là.

Puis une idée la traversa et elle sortit de la douce tor-peur dans laquelle elle baignait encore.

— Ed, pourrais-tu me rédiger une ordonnance pour la pilule du lendemain ? Je serais plus tranquille.

Le regard gris-bleu s'assombrit.

— Ne t'inquiète pas. Tu ne peux pas être enceinte de moi. Je suis stérile.

— Stérile ?

Le choc la pétrifia un instant, puis une vague de compassion la submergea et elle lui tendit les bras.

— Oh, Ed, je suis désolée.

Il n'était pas étonnant qu'il parût toujours un peu triste à la naissance d'un bébé !

— Tu ne pouvais pas le deviner, murmura-t-il en la serrant contre lui. En fait, je peux avoir des enfants, mais pas comme ça.

Elle le regarda, ne comprenant pas, puis se redressa.

— Que veux-tu dire ?

— A l'âge de vingt ans, commença-t-il d'un ton neutre, j'ai eu un cancer des testicules. Heureusement, on s'en est aperçu très tôt. On m'a enlevé le testicule malade et j'ai subi une chimiothérapie qui a bloqué la production de sperme dans l'autre. Mais, auparavant, on a pris la précaution d'en congeler un peu.

Mais Jo se souciait plus de la vie de l'homme qu'elle aimait que de sa stérilité.

— Et maintenant, ça va ? Es-tu totalement guéri ?

— Oui, depuis des années.

Elle laissa échapper un soupir de soulagement.

— Pourquoi ne me l'as-tu pas dit plus tôt ?

— Je ne sais pas..., répondit-il en détournant le regard. Par égoïsme, je suppose. Et parce que cette confidence a déjà fait fuir une ou deux femmes que j'ai connues.

— C'est absurde !

— Je sais. Mais je craignais que tu réagisses comme elles, que tu me quittes. Ce qui aurait été terrible pour moi. C'est pour ça que je n'ai pas trouvé le courage de te l'avouer plus tôt. J'aurais dû. Je te demande pardon.

— Oh, Ed, murmura Jo, bouleversée, je ne te quitterai pas. J'en serais incapable.

Il la pressa contre lui. Les mots étaient devenus inutiles. Pendant un long moment, ils restèrent ainsi, étroitement enlacés dans la maison parfaitement silencieuse. Soudain, dehors, la porte de bois grinça et un bruit de pas se fit entendre dans le jardin.

Les sourcils froncés, Ed se redressa.

— Qui cela peut-il être ?

— Va voir.

Il se leva pour regarder par la fenêtre. Au même moment, on frappa à la porte.

— Je ne vois rien. Je descends. Ne bouge pas.

En hâte, il s'habilla et dévala l'escalier. Jo commençait à enfiler son pull-over quand elle suspendit son geste. Elle ne pouvait pas descendre car le visiteur n'était autre que Laura !

— Que se passe-t-il ? demanda Ed en découvrant la petite aux yeux rougis.

— Il fallait que je parle à quelqu'un et maman n'est pas rentrée. J'ai vu qu'il y avait de la lumière chez toi, alors... Je te dérange ?

— Non, pas du tout. Viens.

Elle se précipita dans ses bras et se remit à pleurer. Ed la guida vers le canapé et la laissa sangloter un moment avant de lui offrir un mouchoir en papier. Elle s'essuya les yeux.

— Que s'est-il passé pour que tu sois dans un état pareil ? demanda-t-il avec douceur.

— C'est mamie...

— Elle est malade ?

— Non, elle va bien, répondit-elle d'une voix étranglée. Le Dr Parker l'a raccompagnée après le spectacle. Moi, je suis rentrée avec maman, mais je n'arrivais pas à dormir. Alors, je suis descendue chercher quelque chose à boire et là, dans la cuisine, j'ai vu mamie avec le Dr Parker. J'allais entrer, mais il a dit...

112

— Quoi?

— Que... qu'elle était belle et qu'il l'aimait. Qu'il voulait l'épouser. Il lui a demandé de réfléchir. Et il l'a embrassée! Pas sur la joue, hein, un vrai baiser! Mais il n'a pas le droit! Elle est la femme de papy.

— Mais ils sont seuls maintenant. Alors...

— Quand même, ce n'est pas bien!

Ed poussa un profond soupir.

— C'est dur à admettre, je sais. Mais on peut tomber amoureux à n'importe quel âge et...

— Pas mamie! Si elle l'épouse, elle déménagera. Et quand maman sortira la nuit, comme ce soir, je serai toute seule!

— Ça te fait peur?

— Non, mais je n'aime pas trop. Et je n'ai pas envie que ça change. On était très bien comme ça!

De nouveau, elle éclata en sanglots et enfouit son visage dans un coussin. Ed leva les yeux et aperçut alors Jo dans l'escalier. Il fit non de la tête et elle recula dans la pénombre.

— Viens dans la cuisine, Laura, dit-il. Je vais te préparer un bon chocolat chaud.

En reniflant, elle le suivit et, du coin de l'œil, Ed vit Jo traverser silencieusement la pièce. Presque aussitôt, elle frappa à la porte. Il alla ouvrir.

— Ed, Laura n'est pas à la maison, dit-elle. Je me demandais si elle n'était pas chez toi.

Il lui adressa un clin d'œil.

— Si, elle est là. Elle avait un problème et elle est venue m'en parler.

Jo se dirigea vers la cuisine et prit sa fille dans ses bras.

— Ma chérie!

— Tu n'étais pas là, balbutia Laura d'un ton de reproche. Mamie va épouser le Dr Parker.

Jo lui caressa les cheveux et son regard déchiré croisa celui d'Ed.

113

— Je ne savais pas, dit-elle d'une voix blanche.

— Et il l'a embrassée, ajouta Laura en relevant la tête. C'était vraiment nul !

— Plutôt inattendu, tu veux dire. T'ont-ils vue ?

— Non. Ils étaient bien trop occupés ! Alors, je suis partie.

— Ils ne se seraient pas donné un baiser s'ils avaient su que tu étais là.

— Et alors ? Tu trouves ça mieux ?

Jo ferma les yeux avec lassitude et elle pressa Laura contre elle avant de la lâcher.

— Je ne sais pas. Il est tard. Allons nous coucher.

— Où étais-tu ?

— J'ai été appelée auprès d'une patiente...

Ed vit que ce mensonge lui coûtait. Mais le moment semblait effectivement mal choisi pour dire la vérité à l'enfant.

— Merci, Ed.

Il lui adressa un sourire tendre.

— Je t'en prie... A demain.

Il les regarda s'éloigner au clair de lune, puis referma sa porte en soupirant.

Pauvre petite Laura... Elle était en train d'apprendre les réalités de la vie. La leçon était brutale, mais Jo saurait lui expliquer.

Il monta se coucher. Les draps avaient gardé la trace du parfum de Jo et il s'y étendit avec délice. Si seulement elle était encore là !

— Comment va Laura ?

— Mieux, répondit Jo. Elle passe l'après-midi chez des amis avec Cara.

Ils marchaient le long de la mer. Ed mourait d'envie de passer son bras autour des épaules de la jeune femme, mais il la sentait lointaine.

114

— As-tu parlé à ta mère ?

— Oui. Elle a évoqué ses projets avec Maurice et s'inquiète de la réaction de Laura. Naturellement, je ne lui ai pas dit ce qui s'était passé, elle en serait bouleversée. Elle n'a pas encore pris de décision, mais elle est rayonnante. J'aimerais tellement que Laura en soit heureuse pour eux.

— Oui, j'ai vu Maurice. Il est gai comme un pinson.

— Le problème, c'est que, d'après maman, si elle l'épouse et qu'il prend sa retraite, ils seront souvent en voyage. Maurice s'est promis, paraît-il, de rattraper le temps perdu. Ce qui veut dire qu'elle ne sera plus là pour s'occuper de Laura.

— Ce n'est peut-être pas insoluble, dit Ed d'un ton incertain.

— Comment cela ?

Ils avaient atteint la jetée et s'assirent sur les rochers, face à la mer. Il se pencha pour ramasser un galet rayé de blanc et l'examina, cherchant ses mots.

— La nuit que nous venons de passer ensemble est la meilleure chose qui me soit arrivée, reprit-il. Je t'ai dit que je t'aimais et c'est vrai, plus que les mots ne peuvent le dire. J'ai envie de vivre avec toi, Jo. Je veux t'épouser. Si c'est possible, j'aimerais que nous ayons des enfants, sinon tant pis. Tu as déjà Laura et je me sens prêt à être un bon père pour elle.

Il osa enfin se tourner vers la jeune femme, mais dans les grands yeux noisette, il ne lut que le déchirement.

— Pas maintenant, Ed... Pas quand ma mère va se marier.

— Au contraire, ce serait parfait. Nous pourrions alterner nos gardes pour être sûrs que Laura ne soit jamais seule à la maison.

— Et être tout le temps fatigués parce qu'il y en aura toujours un qui réveillera l'autre ? Non, cela ne marcherait pas. Même si je t'aime, moi aussi...

— Alors, où est le problème ? Nous trouverons un arrangement.

Elle secoua la tête.

— Je... je crois que ce serait trop pour Laura. Elle a vraiment été choquée hier. Ce matin, elle n'a pas adressé une seule fois la parole à ma mère.

— Mais que feras-tu quand elle se mariera avec Maurice ? Qui s'occupera de Laura quand tu seras de garde ?

— Je ne sais pas. Peut-être prendrai-je un locataire ou une fille au pair. Je n'ai pas eu le temps d'y réfléchir vraiment. Je sais seulement que le moment est mal choisi. Pardonne-moi, ajouta-t-elle tristement. Plus tard, peut-être.

Plus déçu qu'il ne voulait le montrer, il hocha la tête.

— D'accord. Tu la connais mieux que moi. Laissons-lui le temps de s'habituer à l'idée. Mais je ne renoncerai pas à toi, Jo. L'un comme l'autre, nous avons trop à perdre. Je ne vais pas cesser de t'aimer parce que la vie est compliquée.

Elle glissa sa main dans la sienne.

— Merci... Je savais que tu comprendrais.

Les mâchoires crispées, il fixa les vagues qui venaient se briser sur les rochers. C'était maintenant qu'il voulait vivre avec Jo, marcher main dans la main avec elle sans que quiconque y trouve à redire, s'endormir dans ses bras et lui faire des enfants. Il voulait tout, tout de suite, mais c'était impossible.

Pas tout de suite, en tout cas.

Il espérait que Laura, avec le temps, accepterait.

— As-tu déjà parlé de nous à Laura ? demanda-t-il.

— Non. Pourquoi ?

— Elle ne réagirait peut-être pas aussi mal que tu crois.

— Je ne veux pas prendre ce risque, pas maintenant.

— Alors que faisons-nous ? Allons-nous cesser de nous voir ?

116

— Je ne sais pas, Ed... Ce serait affreux si elle nous surprenait, comme elle a failli le faire hier soir.

— Je ferais peut-être mieux de déménager.

— Ce serait encore plus dur pour nous.

— Alors quoi ? Tu veux qu'on aille dans les bois et qu'on fasse l'amour dans la voiture ? On a passé l'âge, tu ne crois pas ?

— Oui, dit-elle en riant.

Elle se tut puis reprit plus sérieusement :

— Peut-être que ce serait une bonne idée si nous passions plus de temps ensemble tous les trois... Tu pourrais venir régulièrement pour dîner, prendre le café, jouer aux cartes ou regarder la télévision. Comme si tu faisais partie de la famille.

— Tu n'as pas peur qu'elle se sente de trop ? Elle doit bien avoir des amis avec des parents seuls, qui ont des liaisons. Comment font-ils ? Ce genre de problème arrive à d'autres qu'à nous.

— Je ne sais pas... Il faut que je rentre. J'ai du travail à la maison.

Ils revinrent sur leurs pas. La plage était déserte, à l'exception de quelques pêcheurs et d'un chien.

Ed avait le cœur serré. Il venait de demander Jo en mariage, et cela aurait dû être le plus beau jour de sa vie, mais il ne ressentait qu'incertitude et déception.

Frustré, il donna un coup pied dans un galet. Jo soupira.

— Je suis désolée, Ed.

— Tu fais ce que tu dois faire, je suppose. Je me dis aussi que Laura dort parfois chez une copine de temps en temps, non ?

— Je ne peux pas l'y envoyer de force, dit Jo en riant. Elle devinerait qu'il y a anguille sous roche.

— Non, mais n'oublie pas que tu as des droits, toi aussi.

Il la serra un instant contre lui puis la relâcha et leva

les yeux. Un pêcheur se préparait à jeter sa ligne, observé par un couple de promeneurs arrêté derrière lui.

Une seconde plus tard, un hurlement déchirait le silence et la jeune fille porta les mains à son visage.

— Il l'a accrochée, dit Ed.

Il se précipita, Jo sur ses talons.

— Désolé, je ne vous avais pas vue, dit le pêcheur. Ça va aller ?

Mais la jeune fille cria de plus belle et le garçon qui l'accompagnait se mit à tempêter contre l'homme.

— Je suis médecin, interrompit Ed. Puis-je l'examiner ?

Il saisit les mains tremblantes de l'adolescente et les souleva pour découvrir que l'hameçon était solidement accroché à l'arcade sourcilière gauche.

— Mon Dieu..., dit son compagnon, tout pâle, en portant la main à sa bouche.

Puis il courut vers l'eau pour vomir.

— Retirez-le, dit la fille.

— Non, intervint le pêcheur. C'est un hameçon à crochets. Il faudra couper le bout pour l'enlever.

— Je vais vous emmener aux urgences, dit Ed. Je vous donnerai un anesthésique local d'abord.

— Je viens aussi, dit le pêcheur. Je prends mon matériel et j'arrive.

— Et votre ami ? demanda Jo.

La fille tourna la tête et haussa les épaules.

— Paddy ? Il viendra. Hé, nous allons l'hôpital !

Le dénommé Paddy les suivit en traînant les pieds. Ed remarqua alors qu'il avait des anneaux dans les oreilles, le nez et l'un des sourcils, et il se demanda pourquoi la vue de l'hameçon le rendait malade !

— Voulez-vous que je vous emmène ou avez-vous une voiture ?

— J'ai ma moto, répondit le jeune homme.

— Non, je ne monterai pas dessus ! protesta la fille. Je viens avec vous, dit-elle à Ed.

118

— Tu viens, Jo ? J'aurai sans doute besoin d'un coup de main.

Quand le convoi arriva à l'hôpital, Paddy s'affala sur la banquette de la salle d'attente.

— Je t'attends, Tammy... Sinon, je vais encore être malade, dit-il en prenant un magazine.

— Petite nature, marmonna Tammy.

Laissant le pêcheur en compagnie de Paddy, Ed fit entrer la blessée dans une chambre de soins. Là, il l'invita à s'allonger sur la table d'examen, lui injecta un anesthésique local, puis il demanda à Jo de tenir le crochet tandis qu'il en coupait la pointe pour pouvoir le faire glisser.

Ed montra l'hameçon à Tammy avant de nettoyer la plaie à l'aide d'une solution saline.

— Je vais vous prescrire un antibiotique, dit-il. Surtout, n'oubliez pas de le prendre ou vous risquez une vilaine infection.

Quelques instants plus tard, il la raccompagnait auprès de Paddy. Tammy fila aussitôt aux toilettes. Ed et Jo échangeaient quelques mots avec le pêcheur quand elle reparut et interpella Paddy.

— Super ! s'écria-t-il en riant.

Tout le monde tourna la tête.

— J'ai la berlue ou quoi ? dit Ed en écarquillant les yeux.

— Je ne crois pas, répondit Jo.

Tammy leur adressa un large sourire.

— Je me suis dit qu'il serait dommage de ne pas en profiter.

Et quand elle fit demi-tour pour s'en aller, un rayon de soleil fit briller l'anneau qui lui ornait maintenant l'arcade sourcilière.

— Il faut de tout pour faire un monde..., commenta le pêcheur, blasé. Bon, je rentre chez moi. Quand ma femme saura ce que j'ai attrapé pour le dîner !...

Ed et Jo se regardèrent, amusés.

— Nous aussi, rentrons, dit-elle avec une grimace comique.

— J'ai déjà vu des choses bizarres dans ma vie, mais ceci dépasse tout.

Il raccompagna Jo.

— Inutile d'espérer que tu viennes chez moi, je suppose ?

— Non, répondit-elle avec un sourire. Laura pourrait revenir entre-temps.

Il plongea son regard dans le sien.

— Je t'aime, murmura-t-il.

— Moi aussi, je t'aime, Ed.

Il la regarda s'éloigner. Avaient-ils vraiment un avenir commun tous les deux, ou n'était-il qu'un éternel rêveur ?

9.

— Maman, est-ce que je peux aller dormir chez Lucy ?
Sa mère lui a permis d'inviter une amie.

— Bien sûr, répondit Jo avec un sourire ravi.

Un week-end entier pour eux seuls ! Et, de plus, ils
n'étaient pas de garde !

Elle dut se faire violence pour ne pas courir l'annoncer
à Ed sur-le-champ. La semaine qui venait de s'écouler
avait été particulièrement survoltée et elle n'avait passé
que quelques rares moments avec lui, prise par le travail,
les soucis, le projet de mariage de sa mère. Et voilà qu'on
lui offrait un week-end sur un plateau !

Elle annonça la bonne nouvelle à Ed le lendemain
matin, ce qui le mit d'excellente humeur pour toute la
journée. Quant à Jo, elle ne sentit plus sa fatigue et chantonna jusqu'au soir.

C'était trop beau... La mère de Lucy attrapa une grosse
angine et le projet fut annulé.

— Peut-elle venir chez nous ? demanda Laura, le vendredi soir.

Jo, qui avait fait une croix sur son week-end, accepta et
téléphona à Ed pour lui faire part de ce coup du sort.

Il prit les choses du bon côté.

— Et si je venais chez vous ? J'ai acheté tout ce qu'il
faut pour préparer le dîner. Je ferai la cuisine pour toi.
Les filles regarderont la télévision pendant que nous
bavarderons dans la cuisine, toi et moi.

— Ce n'est pas pareil.

— Non, mais je préfère être avec toi et les enfants que sans toi. Je viendrai vers 18 h 30, d'accord ?

— Entendu. Tu es adorable.

— Je t'aime, c'est tout. A plus tard.

Pensive, Jo raccrocha. C'était vrai qu'il l'aimait. Peut-être avait-il raison. Il fallait bien que Laura s'habitue à sa présence dans la vie de sa mère.

Dans la salle de séjour, elle trouva sa fille, vautrée devant la télévision, en train de grignoter des chips.

— Téléphone à Lucy pour lui dire qu'elle peut venir.

Tout excitée, Laura sauta sur ses pieds.

— C'était délicieux !

Ed s'inclina. Puis, tandis que Jo débarrassait la table, il prépara le café qu'il apporta avec une boîte de chocolats.

— Surprise ! claironna-t-il en souriant.

A cet instant, Laura revint dans la cuisine.

— Des chocolats ! s'exclama-t-elle, ravie. C'est pour nous ?

— Tu veux dire pour Lucy et toi ou pour nous tous ? la taquina Ed. Allez, ouvre la boîte et sers-toi. Si ta mère le permet.

— Maman ?

— Oui, mais ne mange pas tout. Vous pouvez en prendre deux chacune.

— Moi, je veux les délices à la noisette, dit Lucy qui plongea dans la boîte, imitée par Laura.

Par-dessus leurs têtes, Ed adressa un clin d'œil à Jo. Une seconde plus tard, les filles filaient dans le salon avec leurs boissons et leurs réserves de chocolats.

— Je parie qu'elles ont pris mes préférés, grommela Ed en se penchant vers la boîte.

— Ça t'apprendra à faire des cadeaux !

— Tu crois que ce serait un problème si tu venais chez

122

moi un moment ? dit Ed, alors qu'ils buvaient leur café. Elles ont l'air de se passer de nous et ta mère n'est pas loin. Qu'en penses-tu ? Juste pour un deuxième café et un baiser ?

— D'accord, répondit Jo, vaincue.

Elle se rendit dans le salon.

— J'accompagne Ed chez lui pour l'aider à rapporter ses plats. Je reviens dans une demi-heure, d'accord ?

— D'accord, répondit Laura sans même lever la tête.

Et devant tant d'indifférence, Jo se demanda si elle ne se faisait pas du mauvais sang pour rien.

Dès qu'ils furent arrivés, Ed brancha la cafetière et alluma un feu dans la cheminée. Non qu'il fît froid dans le cottage, mais c'était tellement plus agréable. Puis il mit un disque et les premières notes d'une sonate de Mozart s'élevèrent. Alors seulement, il se laissa tomber sur le canapé à côté de Jo.

— Enfin seuls ! s'écria-t-il d'un ton théâtral.

— Oui, mais pas pour longtemps. Un café et je file.

— Un café et un baiser, n'oublie pas.

Jo sourit et vint se blottir contre lui. Ils écoutèrent la musique, tout au plaisir d'être ensemble.

— Ça va ? demanda-t-il au bout d'un moment.

— Je voudrais rester comme ça toute ma vie !

— Moi aussi, dit-il en déposant un baiser dans ses cheveux. Tu me manques tellement ! C'est idiot, je sais. En fait, on se voit tout le temps, mais quand il y a du monde, ce n'est pas la même chose.

— Dis plutôt que tu as des idées coquines en tête !

— C'est vrai, mais il n'y a pas que ça et tu le sais. Tant pis, j'attendrai, reprit-il en soupirant. Notre tour viendra.

— Il faut que je m'en aille, dit-elle à regret en se levant.

— Déjà ? Nous n'avons même pas pris le café.

— Une autre fois.

Ed se leva à son tour et l'attira dans ses bras.

— Et le baiser promis ?

— Un petit, alors, répondit-elle, malicieuse.

Bien entendu, ce qui devait être bref se prolongea et ils ne se séparèrent que pour reprendre leur souffle. Avec un petit rire, Ed s'adossa contre la porte, Jo dans ses bras.

— Tu finiras par me tuer ! Allez, sauve-toi, sinon je ne te laisserai plus repartir.

Après avoir déposé un baiser sur la joue râpeuse, elle s'éclipsa. Il resta sur le seuil pour la suivre des yeux, lui donnant un doux sentiment de sécurité.

Après un dernier signe de la main, elle rentra chez elle. Elle venait de refermer la porte quand elle entendit les deux adolescentes discuter dans la cuisine.

— C'est gentil de nous avoir apporté des chocolats, disait Lucy. En plus, il a préparé le dîner pour ta mère. Elle lui plaît, c'est sûr.

— Ne dis pas de bêtises... Ils travaillent ensemble, c'est tout.

Lucy se mit à rire.

— C'est toi qui fais l'idiote. Tu n'as pas vu comme il la regarde ? Je parie qu'ils sont amoureux.

— Quoi ? s'exclama Laura, choquée. Tu es folle !

— Pas du tout. Ma mère aussi a un petit ami. Ils croient que je ne le sais pas, mais j'ai compris. Ils sont mignons tous les deux. Lui, il l'adore et la regarde comme Ed regardait ta mère ce soir. Ils vont finir par se marier, j'imagine. Mais maman veut être sûre, cette fois.

Jo décida qu'elle en avait assez entendu. Elle rouvrit la porte et la fit claquer pour annoncer son arrivée.

— C'est moi ! lança-t-elle. Oh, vous êtes là. Tout va bien ?

Laura la regarda avec attention quand elle entra.

— Tu n'es pas restée longtemps.

— Je t'avais dit que je reviendrais vite.

En son for intérieur, Jo regretta de s'être précipitée.

124

Quoique... A les entendre, elles auraient fini par les marier, Ed et elle.

Quelle idée merveilleuse! Décidément, elle aurait dû s'attarder, pour donner à Lucy le temps d'expliquer à Laura les réalités de la vie...

Le mardi soir, Jo était de garde et, au retour d'une visite, elle alla directement chez Ed. Il était plus de 22 heures et il était en train de prendre sa douche. Les reins ceints d'une serviette, il lui ouvrit la porte et déposa un baiser mouillé sur sa bouche.

— Je te rejoins sous la douche! dit-elle.

— Le dernier aura un gage! riposta-t-il en remontant l'escalier, Jo sur ses talons.

Deux heures plus tard, ils étaient toujours dans les bras l'un de l'autre, pelotonnés dans la chaleur des couvertures.

— Si seulement cela nous arrivait plus souvent, murmura-t-il.

Jo acquiesça. Laura était-elle prête à accepter ce que Lucy admettait si facilement? Faisait-elle une montagne d'une taupinière?

— Je viens d'avoir un appel urgent, maman, annonça Jo. C'est un accouchement qui risque d'être assez long. Peux-tu garder un œil sur Laura?

— D'accord.

— Souhaite-moi bonne chance. Le bébé va naître en pleine nuit dans une caravane perdue dans la forêt. J'espère que tout ira bien.

— Tu pars seule?

— Non, Ed m'accompagne, heureusement.

Elle sortit et retrouva Ed qui l'attendait déjà près de la voiture, sa trousse à la main.

— J'ai pris aussi mon matériel d'obstétrique, dit-il, au cas où il y ait un problème.

Jo s'installa au volant et Ed plia ses longues jambes pour se glisser à côté d'elle.

— Ne conduis pas trop vite, d'accord?

— Promis, répondit-elle en riant. De toute manière, nous avons le temps.

De plus, la chaussée était glissante car il avait plu et un léger brouillard flottait dans la forêt. Jo gara la voiture le plus près possible de la caravane et ils effectuèrent le reste du chemin à pied.

Quand ils arrivèrent, Mel allait et venait en psalmodiant des mantras. Assis dans un coin, le chien sur les genoux, Andy ne la quittait pas des yeux.

— Asseyez-vous. Tout va bien pour l'instant. Voulez-vous du thé?

— Volontiers, répondit Jo. Bonsoir, Mel.

Celle-ci rouvrit les paupières.

— J'essaie de méditer pendant les contractions. Ça aide.

— Sont-elles fortes?

— Ça dépend. Parfois, ça va. Et à la suivante, j'ai l'impression que je ne vais pas tenir sur mes jambes.

— Quelle est leur fréquence?

— Toutes les quatre minutes, répondit Andy qui chronométrait. Chacune dure une minute environ.

— Bien. Puis-je vous examiner?

Mel s'allongea sur la banquette et Jo lui palpa d'abord le ventre pour s'assurer que le bébé se présentait bien. Après s'être soigneusement lavé les mains, elle enfila des gants stériles et procéda à l'examen.

— La dilatation est de six centimètres, annonça-t-elle. Ce n'est pas pour tout de suite, mais le travail est bien engagé.

L'accouchement serait long, comme cela se produisait souvent pour un premier enfant. Mais étant donné les conditions dans lesquelles elle devait travailler, Jo ne le déplorait pas.

Il était plus de 4 heures du matin quand Mel commença à ne plus pouvoir rester en place.

— Je veux aller dehors, Andy.

— D'accord, répondit-il comme si cela allait de soi.

Il rassembla des couvertures, deux lampes tempête et un oreiller.

— Que faites-vous ? intervint Jo en posant la main sur son bras.

— Elle veut donner naissance à notre bébé dehors, dans la forêt. J'ai construit un abri, vous verrez, c'est très beau.

Ed et Jo échangèrent un regard exaspéré, mais toute discussion semblait inutile. Après tout, accoucher dehors était possible, si tout continuait à se dérouler normalement.

Ils suivirent l'étrange procession jusqu'à un endroit qui leur parut tout d'abord n'être qu'un tas de branches. Il s'agissait d'un abri dont le côté ouvert était orienté à l'est. Un tas de fougères et de bruyères trônait au centre et, sur ce lit improvisé, Andy étendit les couvertures pour le rendre plus confortable.

Mel s'y coucha et resta là, haletante. On n'entendait que les bruits de la forêt — les craquements du feuillage sous les pas des petits animaux, le hululement d'une chouette. C'était beau, mais pas vraiment pratique, songea Jo qui consulta Ed du regard. Il haussa les épaules comme s'il l'encourageait à poursuivre. Un nouvel examen de la patiente lui apprit que le bébé n'allait pas tarder.

— Respirez bien. Vous allez aborder le deuxième stade du travail. Vous vous souvenez de ce que j'ai dit pendant les cours ?

— C'est quand je commence à m'énerver et à vous envoyer au diable, c'est ça ?

— Peut-être, répondit Jo en riant.

— J'ai envie de marcher, dit Mel tout à coup.

Ed et Andy l'aidèrent à se relever et à faire quelques pas. Tout alla bien jusqu'au moment où elle éprouva une irrésistible envie de pousser. Elle se suspendit au cou d'Andy, se raidit, cria et haleta, pour pousser encore.

Rien ne se produisit.

— Où en est-on? demanda Ed en s'accroupissant à côté de Jo.

— J'aperçois la tête, mais il n'y a pas de progression. Encore un petit effort, Mel.

— Je suis trop fatiguée et ça fait mal! répondit Mel entre deux sanglots.

Andy continuait à la tenir. Il devait avoir les muscles tétanisés, mais pas une fois il ne suggéra à sa femme de s'étendre.

— J'ai besoin de plus de lumière, dit Jo. Mel, il va falloir vous allonger cette fois. Andy? Pouvez-vous me passer l'autre lampe?

Jo constata alors ce qu'elle savait déjà. Le bébé était presque là, mais il restait bloqué.

— Les épaules? murmura Ed.

— Je ne sais pas. Elle a le périnée si tendu que je ne peux pas l'examiner.

— Je ne veux pas aller à l'hôpital, gémit Mel, désespérée. Je vous en prie, aidez-moi!

— Je vais chercher quelque chose dans mon sac, dit Ed. Jo?

Elle le suivit. Le ciel commençait à s'éclaircir. Bientôt, ce serait l'aube.

— Tu veux l'emmener à l'hôpital, n'est-ce pas? demanda-t-elle.

— Ce serait raisonnable, mais elle refusera. Je voudrais pratiquer une épisiotomie. Cela nous permettra de déterminer le problème.

— D'accord. Si tu n'étais pas là, j'appellerais l'ambu-

128

lance. Cela fait une heure qu'elle en est au deuxième stade du travail et nous n'avançons pas.

— Oui, il faut agir vite maintenant. La tête du bébé a une couleur qui ne me plaît pas. Il souffre, c'est évident.

— Je te passe le relais, dit Jo, soulagée qu'il soit là avec toute son expérience en obstétrique. Je serai ton assistante.

Jusqu'à présent, il n'avait été qu'un observateur. Mais maintenant qu'elle avait besoin de lui, il était là et apportait des réponses.

— Je vais pratiquer une incision, aussi petite que possible. Ensuite, je déciderai si je dois utiliser les forceps. Crois-tu qu'on ait une chance de la convaincre d'accoucher à l'intérieur à présent?

— Non, ne perdons pas de temps. Il faut sortir ce bébé. Pour le reste, nous verrons plus tard.

Ils revinrent auprès du jeune couple et expliquèrent ce qu'ils allaient faire.

— Oh non, je voulais que tout soit naturel, sanglota Mel.

— Je t'en prie, supplia Andy. Maintenant, il faut les écouter.

Il s'efforça de la calmer pendant que Ed, après une anesthésie locale, pratiquait l'incision. Puis, au toucher, il examina la parturiente pour essayer de comprendre ce qui empêchait la naissance.

— C'est l'épaule, dit-il finalement. Elle est bloquée contre la symphyse pubienne. Je vais essayer de le repousser.

Il plaça sa main recouverte d'un gant stérile sur la tête du bébé et poussa avec douceur et fermeté. Il sentit bientôt un léger changement dans sa position et la venue d'une contraction. Il exhorta alors Mel à rassembler tout son courage et, au grand soulagement d'Ed, le bébé progressa. Un dernier effort et il vint au monde.

Mel laissa échapper un sanglot tandis que Ed prenait le

nouveau-né par les pieds. De son petit doigt, il lui nettoya la bouche, mais le bébé, un peu bleu, ne criait toujours pas.

Jo se précipita pour aspirer rapidement le sang et le mucus qui encombraient encore son nez et sa bouche. Puis Ed pinça et coupa le cordon et, sans cérémonie, reprit le bébé par les pieds.

Cette fois, il cria.

Avec un large sourire, Ed plaça le bébé sur le ventre de sa mère qui lui caressa le dos.

— Bonjour, mon tout-petit, murmura-t-elle.

Et, dans ses yeux, les premiers rayons du soleil firent briller des larmes d'émotion.

— Je regrette, dit Ed avec autorité, mais vous ne pouvez pas rester ici. Vous avez eu ce que vous vouliez, le bébé est né dans la nature, mais vous avez besoin de plusieurs points de suture... L'intervention est impossible dans ces conditions.

— Quel enquiquineur..., dit Mel. Et ma petite fille, elle peut venir aussi ?

— Naturellement. Loin de moi l'idée de vous en séparer. L'ambulance va vous emmener tous les trois.

Jo finissait de ranger le matériel et de prendre des notes. Il y avait maintenant une heure que l'enfant était née et ils étaient tous revenus dans la chaleur de la caravane.

Ed sortit dans la lumière du matin. Un bruit curieux attira tout à coup son attention. On aurait dit un bris de verre, comme si quelqu'un fracassait une vitre.

— J'ai l'impression que Mick a encore une crise, commenta Andy à côté de lui.

Ils entendirent alors un bruit de pas précipités et Sioux déboula dans la clairière, le visage ensanglanté, son bébé serré contre son sein.

130

— Aidez-moi ! Il va me tuer ! Au secours !

Ed, qui avait son portable dans la main, le lança à Jo.

— Appelle la police et l'ambulance. Dis-leur de venir de toute urgence. Qu'il y a un homme armé, dangereux ! Et reste à l'intérieur.

Il fit entrer Sioux dans la caravane, dit à Andy de rester là pour les protéger et, courbé, il s'élança en zigzaguant à travers la forêt. Il avait suivi un entraînement militaire de nombreuses années auparavant, mais il y a des choses qu'on n'oublie jamais.

Comme la violence et les moyens de la combattre.

Le bruit provenait de l'endroit où Jo avait garé sa voiture. Dissimulé derrière un tronc d'arbre, Ed vit Mick, armé d'une barre de fer, qui s'appliquait à détruire le véhicule.

— La garce ! hurlait-il. Je vais lui apprendre, moi, à me raconter des histoires !

L'un après l'autre, les phares furent pulvérisés comme le pare-brise et les vitres. Ed attendit. De toute manière, la voiture était fichue. Et tant qu'il s'acharnerait sur elle, il ne menaçait ni femmes ni enfants.

Où se trouvaient les autres hommes du campement ? Pourquoi n'intervenaient-ils pas ? Avaient-ils tous peur de lui ?

Non loin de là, s'éleva un gémissement. Ed tourna la tête. Un homme gisait dans la bruyère, le visage meurtri et le bras tordu. Une autre victime ?

Il rampa jusqu'à lui.

— Je suis médecin. Ça va, il est là-bas. Ne bougez pas.

— Il va la tuer, chuchota l'homme avec angoisse. Empêchez-le. Il est dangereux.

— La police arrive. Je les entends.

Mick aussi. Il jeta la barre de fer et courut vers une des voitures. La colère submergea Ed. Il n'était pas question de le laisser échapper. Il se lança à sa poursuite et, au dernier moment, réussit à le plaquer au sol. Ils roulèrent dans la boue en se battant, jusqu'au moment où Ed trouva le point faible de son adversaire, la petite queue-de-cheval qu'il avait sur la nuque.

Violemment, il tira dessus, pressa le visage de l'homme dans la boue et s'assit sur lui, les genoux sur ses bras immobilisés.

— Ne bouge pas d'un pouce, dit-il avec force, ou je te transforme en bouillie.

Les sirènes se turent et les portières claquèrent.

— Par ici! cria Ed.

Les policiers se précipitèrent vers eux et menottèrent l'homme avant de l'emmener vers une des voitures de patrouille. Puis deux ambulances arrivèrent sur les lieux. Ed s'avança en époussetant inutilement ses manches.

— Il y a un homme là-bas, avec des blessures à la tête et un bras cassé, peut-être plus. Et là-haut, une femme avec des blessures au visage et un bébé qui a peut-être reçu un coup. Je n'ai pas eu le temps de voir. Emmenez-les en ambulance à Audley. Dans la caravane, vous trouverez aussi une femme avec un nouveau-né. Conduisez-les à la clinique à Yoxburgh pour des soins postnatals.

— La nuit a été agitée, on dirait, commenta l'ambulancier avec un petit sourire.

— Un peu, oui.

Il accompagna l'ambulance jusqu'à la caravane. Là, ils trouvèrent Sioux qui tremblait encore sans pouvoir se contrôler.

— Elle est en état de choc, dit Jo.

— Il est aux mains de la police maintenant.

Elle s'aperçut alors de l'état effrayant dans lequel il se trouvait.

— Que t'est-il arrivé? demanda-t-elle, incrédule.

— J'ai joué aux commandos, répondit-il en souriant.

— Tu te prends pour Rambo, c'est ça?

Il rit.

— Si tu veux. Maintenant, en route. Et en arrivant, nous prendrons le petit déjeuner. Je meurs de faim !

Les policiers durent attendre que Ed eut fini avec Mel pour pouvoir l'interroger. Il s'avéra que le blessé qu'il avait trouvé près de la voiture était Joe Saunders, l'homme des services sociaux qui essayait d'aider Sioux.

— Joe a fini par avoir une aventure avec elle, expliqua Ed à la jeune femme un peu plus tard. Cela durait depuis plusieurs semaines. D'où la colère de Mick.

— J'espère que Joe va s'en remettre.

— Certainement. En tout cas, Mel aura eu son accouchement dans les bois.

— Tu as été formidable !

— Que veux-tu, c'est ça, le talent.

Ils rirent.

— Et c'est toi qui as arrêté Mick.

— J'ai été médecin militaire en Allemagne. Ça m'a permis d'apprendre quelques trucs qui ne figurent pas forcément au programme des études médicales.

— Je suis fourbue, dit Jo en bâillant. Je rentre chez moi me coucher.

— Tu as de la chance. J'ai des patients à voir.

— Merci pour ton aide. Je ne sais pas ce que j'aurais fait sans toi.

— N'importe qui d'autre aurait envoyé Mel à l'hôpital. Mais c'est peut-être aussi bien comme ça. Nous n'aurions pas été là pour aider Sioux.

— J'aurais peut-être encore une voiture.

— Vois les choses du bon côté. Tu vas en avoir une nouvelle !

En attendant, elle en louerait une. Mais, pour l'instant, elle était trop fatiguée pour s'en occuper.

Elle fit la sieste et, le soir, se mit au lit de bonne heure. Le jour suivant, au réveil, elle eut du mal à se lever et se dirigea péniblement vers la salle de bains.

Sa mère était venue lui préparer le petit déjeuner et une légère odeur de pain grillé montait dans l'escalier. Sans crier gare, le dégoût la submergea. Elle eut juste le temps de se pencher au-dessus de la cuvette. Elle se lava le visage et s'assit sur le rebord de la baignoire. Qu'avait-elle bien pu manger pour être malade comme ça?

Pas grand-chose. C'était peut-être ça. Elle avait besoin de se remplir l'estomac. Mais, à cette idée, elle sentit son estomac se contracter. La dernière fois qu'elle avait eu de pareilles nausées, elle avait dix-huit ans.

Et elle était enceinte.

10.

Jo était abasourdie. Elle ne pouvait pas être enceinte, Ed était stérile ! A moins que les effets de la chimiothérapie se soient estompés et que ses cellules de production des spermatozoïdes aient recommencé à fonctionner.

Etait-ce possible ? Avec fébrilité, elle se plongea dans ses livres de cours avant de partir au travail, mais ne trouva pas l'explication qu'elle cherchait. Elle garda le secret toute la journée jusqu'au moment où elle put pratiquer un test de grossesse. Si elle était enceinte, Ed serait enchanté.

Il adorait les enfants. Quel bonheur s'il découvrait qu'il pouvait en avoir naturellement, sans passer par des moyens artificiels !

Le test se révéla positif. Elle attendit qu'il eût terminé ses consultations prénatales et se glissa dans son cabinet.

— As-tu le temps de recevoir une dernière patiente ? demanda-t-elle, le cœur battant.

Il consulta sa montre.

— Oui. Qui est-ce ? As-tu son dossier ?

— Non, pas encore. C'est moi.

Il rejeta la tête en arrière et la regarda fixement, puis il eut un petit rire.

— Pendant une seconde, j'ai cru que tu disais qu'il s'agissait de toi.

— Oui. C'est bien moi, dit-elle en s'approchant de lui. Je suis enceinte, ajouta-t-elle, radieuse. Nous allons avoir un enfant !

Pendant une éternité, il la regarda, incrédule, avant de se lever brusquement. Son fauteuil heurta le mur avec force et la fit sursauter.

— Comment as-tu pu faire ça? demanda-t-il d'une voix étranglée.

— Quoi? dit-elle, désarçonnée. Qu'y a-t-il? Tu disais que...

— Je sais ce que j'ai dit, coupa-t-il.

Le souffle court, il regardait par la fenêtre.

— Mon Dieu, si tu voulais me faire du mal, pourquoi choisir ce moyen-là, entre tous?

Suffoquée, Jo se précipita vers lui.

— Ecoute, Ed, c'est vrai ce que je te dis. Je suis vraiment enceinte. Nous allons avoir un enfant. Je viens de faire le test. Cela doit remonter à cinq ou six semaines.

Il tourna vers elle un regard glacé.

— Tu es peut-être enceinte, mais pas de moi. Désolé, Jo. Je ne suis pas le genre d'hommes qu'on piège aussi facilement. Je sais que ce n'est pas possible. Et si je souhaite désespérément avoir des enfants, je ne suis pas désespéré à ce point-là!

— Mais, enfin... c'est forcément le tien, balbutia-t-elle, sans vraiment comprendre. De qui veux-tu que ce soit?

— Je n'en sais rien. C'est à toi de me le dire, rétorqua-t-il avec dureté. Barry, peut-être? Le jeune marié du spectacle? Tu lui plaisais bien, non?

— Tu es fou! Il est marié!

— Et alors? Le père de Laura l'était aussi et ça ne t'a pas empêchée de...

Elle leva la main, et ce fut la brûlure dans sa paume qui lui fit prendre conscience de ce qu'elle avait fait.

— Comment oses-tu me dire une chose pareille?

Il ne broncha pas. Peu à peu, la marque de la main apparaissait sur sa joue.

— Tu peux tout nier, mais si tu es enceinte, ce n'est pas de moi! Ce n'est peut-être pas Barry, mais tu as eu une aventure avec quelqu'un. Forcément!

136

— Dans cette petite ville? Tu crois vraiment que si c'était le cas, tu n'en aurais pas entendu parler?

— Pourquoi pas? Personne ne sait pour nous deux.

— Bien sûr que si, tout le monde le sait! On ne peut rien faire ici sans que tout le monde soit aussitôt au courant.

Elle frotta sur sa hanche sa main cuisante. Il devait avoir mal! Mais elle s'en moquait bien.

— Je rentre. Quand tu seras calmé et que tu auras un peu réfléchi, tu viendras me dire comment nous devons l'annoncer à Laura.

— C'est ton problème, répondit-il avec froideur. Cela n'a rien à voir avec moi.

— Ed, je t'en prie!...

— Va-t'en, Jo. Sors d'ici avant que je fasse quelque chose que je pourrais regretter.

Elle scruta son visage, à la recherche d'un signe. Rien, pas la moindre trace de l'amour qui les avait réunis. Avec un sanglot, elle pivota sur ses talons et s'enfuit.

Silhouette solitaire sur la plage déserte, Ed était assis, les mains pendantes entre ses jambes, la tête baissée. Il était en état de choc.

Après tout ce qu'elle lui avait dit, après tant d'amour partagé et tant de désir...

Sa gorge se noua et il serra les mâchoires pour contenir son chagrin. Il ne pleurerait pas. Non, elle n'en valait pas la peine.

Elle lui avait menti! Sans doute avait-elle aussi inventé l'histoire du père de Laura pour dramatiser une banale aventure. Elle avait dû penser qu'un homme plus âgé, de surcroît marié, la rendrait plus intéressante.

Bon sang!

En tout cas, elle avait réussi. Il aurait pu jurer qu'elle l'aimait et serait à lui pour la vie. Peut-être que son insistance à ne pas heurter les sentiments de Laura n'était qu'une excuse pour empêcher que leur histoire ne l'engage trop loin. Il n'était sans doute destiné qu'à meubler les absences d'un autre amant...

De rage, il jeta un galet dans la mer puis se leva pour retourner à sa voiture. Il avait des choses à faire, trouver une maison, par exemple.

Il se rendit en ville et, après avoir acheté le journal, en éplucha les petites annonces. Ses yeux tombèrent sur celle proposant une propriété à rénover en lisière de forêt. Ce n'était pas forcément du goût de tout le monde, mais cela lui plaisait. Il avait des économies et tenait à déménager le plus tôt possible.

Le propriétaire lui proposa une visite le soir même. La maison était située sur la route qui menait au campement. Assez jolie, du moins le serait-elle après de gros travaux, avec ses murs en brique rouge à colombage et son toit de tuiles, nichée dans un jardin peu soigné. Ed se déclara aussitôt preneur.

Il fallut quatre jours pour que l'affaire soit conclue, quatre jours durant lesquels il garda les rideaux tirés pour ne pas voir la maison de Jo, tandis qu'il harcelait sans merci le notaire.

Enfin, il emménagea dans son cottage humide et froid, avec ses fenêtres à l'encadrement pourri, sa plomberie fatiguée, ses fuites dans le toit et sa cuisine rudimentaire. Au moins avait-il un refuge pour lécher ses plaies.

— Ça fait bizarre de ne plus avoir Ed près de nous, dit Rebecca, un soir.

Elles étaient assises toutes les trois dans la salle de séjour. Maurice était là, lui aussi, et il posa aussitôt un regard interrogateur sur Jo.

— Oui, bizarre, répéta-t-elle d'un ton neutre. Encore un peu de café, Maurice ?

— Volontiers, merci.

138

Il lui tendit sa tasse sans cesser de l'observer.

— Je suis allé le voir chez lui ce week-end. La maison est charmante, mais en piètre état et nécessite de gros travaux. De plus, elle n'est pas très loin des caravanes.

— Il aurait dû rester chez nous un peu plus longtemps, renchérit Rebecca. Il aurait bien fini par trouver un appartement. Et de toute manière, notre cottage est libre après les vacances de Pâques. Il aurait pu y revenir et, entre-temps, aller chez vous, Maurice. Non, vraiment, je ne comprends pas cette hâte. T'a-t-il donné une explication, Jo ?

— Non. Je suppose qu'il veut se sentir indépendant.

La jeune femme continua à boire son eau minérale en tâchant d'ignorer l'odeur du café... et le regard scrutateur de Maurice.

— Je vais vous laisser, dit-elle au bout d'un moment. J'ai des dossiers à remplir.

— Mes chéries, commença Rebecca, avant que vous ne partiez, Maurice et moi, nous avons quelque chose à vous dire.

Elle prit la main de son compagnon et lui jeta un regard attendri.

— Il m'a demandé de l'épouser et j'ai dit oui.

— C'est formidable, dit Jo avec un enthousiasme forcé. Je suis très contente pour vous. J'espère que vous serez heureux tous les deux.

Rebecca adressa un regard de reproche à sa petite-fille.

— Laura ? Tu ne nous félicites pas ?

— Non. Je ne veux pas que tu te remaries. Tu n'as pas le droit !

Elle se leva d'un bond et sortit en pleurant du salon.

A son tour, Jo se leva pour la suivre.

— Excusez-moi, je vais aller lui parler et...

— Non, reste là, coupa Rebecca. C'est à moi de lui parler.

Elle s'éclipsa et Maurice se tourna vers Jo.

— C'est pour quand ? demanda-t-il.

— Pardon ?

Jo se sentit blêmir et se rassit brusquement.

— Le père, c'est Ed, n'est-ce pas ?

Son état n'avait pas échappé à la perspicacité du vieux médecin. La jeune femme ferma les yeux et ne songea plus à fuir.

— Oui, mais il croit que c'est impossible. Il y a douze ans, il a eu un cancer des testicules et la chimiothérapie l'aurait laissé stérile.

— Ce qui n'est pas le cas.

Elle eut un rire amer.

— Il ne veut rien entendre. Il croit que j'ai une aventure avec un autre homme.

— Ce qui, bien sûr, est faux. Mon Dieu, quelle histoire ! L'aimes-tu ?

Les larmes aux yeux, elle hocha la tête.

— Oui. Je croyais qu'il m'aimait aussi. Il m'a même demandé de l'épouser. Mais Laura était si perturbée par votre mariage que nous avons jugé le moment mal choisi pour le lui annoncer et nous n'en avons finalement parlé à personne.

— Perturbée ? Comment ça ?

— Il y a quelques semaines, tu as demandé à maman de t'épouser. Laura t'a vu l'embrasser.

Le visage de Maurice s'assombrit.

— Mon Dieu ! répéta-t-il. Je sais qu'elle adore sa grand-mère. Je ne veux surtout pas lui faire du mal. Et tout cela s'est passé en même temps ?

— Oui. Puis j'ai su que j'étais enceinte.

— Et cet idiot ne te croit pas... Quelle folie... Je vais lui parler.

— Non, c'est inutile. S'il ne peut pas me faire confiance, il n'en vaut pas la peine. Je regrette seulement son incrédulité, parce que son enfant grandira sans lui et c'est bien triste...

Le bras de Maurice vint se poser sur ses épaules en un

140

geste d'affectueux réconfort. Alors, pour la première fois, elle se laissa aller à pleurer. Paternellement, il lui essuya les joues, alla lui chercher un autre verre d'eau et se rassit.

— Ta mère et moi avons réfléchi... Ma maison a besoin de travaux. Que dirais-tu si nous habitions ici ? Nous pourrions nous occuper de Laura et du bébé. Tu veux continuer à travailler, je suppose ?

— Je ne sais plus, répondit-elle d'un ton morne. Je n'ai pas de projets. Je vis au jour le jour.

— Penses-y. Laura finira bien par s'y faire. Il faut d'abord qu'elle accepte la mort de son grand-père. Pour un enfant, c'est aussi un choc de s'apercevoir que les gens âgés éprouvent les mêmes sentiments que les plus jeunes.

— Et comment réagira-t-elle quand elle apprendra que j'attends un bébé ? Je n'ai pas de beau-père affectueux à lui présenter ! Que vais-je lui dire ? Que c'est la cigogne qui m'a apporté ce cadeau ?

Désespérée, elle déchirait machinalement son mouchoir en papier.

— Elle adorait Ed. Ils s'entendaient bien et il avait l'air de bien l'aimer. Pourquoi ne me croit-il pas ?

— Peut-être parce que c'est tellement important pour lui... On lui a d'abord dit qu'il pouvait mourir, puis qu'il ne mourrait pas, mais n'aurait pas d'enfants. Comme dans un marché, donnant-donnant. Il s'y est cramponné. On peut aussi supposer qu'il a eu des liaisons et qu'aucune des femmes qu'il a connues n'est tombée enceinte. D'où son scepticisme.

— Bien sûr. C'est tellement plus facile de croire que je lui mens et que je le trompe !

— Non, je ne pense pas. Il n'ose pas te croire parce qu'il y a trop en jeu. Ces temps-ci, il a une mine épouvantable. Si cela peut te consoler, je crois qu'il est très malheureux.

Jo enfouit son visage dans ses mains.

— Que faire, Maurice ? Comment le convaincre ?

— Je pourrais lui demander de faire pratiquer un spermogramme. Ce serait une preuve.

Jo releva la tête.

— Bien sûr ! Ça montrerait que sa production de sper-matozoïdes a repris. Comment n'y ai-je pas pensé plus tôt ? Essaie de le convaincre, je t'en prie !

Maurice lui tapota la main.

— Promis. Ça ne marchera peut-être pas, mais je ferai de mon mieux.

Jo se rendit chez Mel pour une visite postnatale de rou-tine. En prenant la route qui menait au campement, elle passa devant le cottage acheté par Ed. Et en arrivant à la caravane, elle l'aperçut en train de bavarder avec Andy, qui avait le bébé dans les bras.

Le cœur battant, elle se dirigea vers eux.

— Bonjour. Y a-t-il un problème ?

— Non, répondit Ed, très distant, je passais en voisin, c'est tout. Il faut que j'y aille... J'ai des patients à voir.

Sans la saluer, il s'éloigna à travers les fougères en direc-tion de sa maison. Jo réprima son chagrin et caressa la joue du bébé.

— Comment va-t-elle ?

— Elle est en pleine forme, répondit Andy, tout heureux. Mel se repose. Elle s'est levée souvent cette nuit. L'allaite-ment se passe bien.

— Bon. Je vais aller la voir.

Avec un sourire forcé sur les lèvres, elle pénétra dans la caravane.

— Bonjour, Mel. Comment vous sentez-vous ?

— Fatiguée, mais ça va.

— Je viens de voir votre fille. Elle est superbe !

Mel eut un sourire fier et attendri. Après l'avoir exami-née, Jo se déclara satisfaite et elle les quitta en annonçant sa prochaine visite pour la fin de la semaine.

Quelques minutes plus tard, elle descendait le chemin au volant de sa voiture. Au moment où elle passa devant chez

142

Ed, il manœuvrait pour s'engager sur la route. Si bien qu'il la suivit jusqu'en ville, présence obsédante dans son rétroviseur. Mais quand il descendit de voiture, il ne lui accorda pas un regard.

Elle pourrait aussi bien ne pas exister, pensa-t-elle, la gorge serrée.

— Monsieur et madame Reynolds, c'est bien cela?

Ed recevait un couple d'une bonne trentaine d'années dans son cabinet. Tous deux semblaient tendus et inquiets, mais la visite concernait seulement Mme Reynolds.

— Ma femme ne se sent pas bien, expliqua son époux. Il y a deux mois, elle a été prise de vomissements et n'avait aucun appétit. Puis cela a passé. A présent, elle a des problèmes de vessie et doit se lever plusieurs fois chaque nuit. Et on sent une grosseur dans son ventre.

— Une grosseur? répéta Ed en regardant la femme.

— Oui. Ça ne fait pas mal, pourtant.

— Avez-vous apporté un échantillon d'urine?

— Oui, répondit-elle en posant un flacon sur le bureau.

— Bon, je vais vous examiner.

Mme Reynolds passa derrière le paravent tandis qu'il examinait l'échantillon. Rien d'anormal, en apparence. Il se lava les mains avant de rejoindre sa patiente. Elle était allongée sous la couverture, qu'il releva pour lui palper l'abdomen. Elle avait effectivement le bas-ventre gonflé, mais à moins qu'il ne se méprenne...

L'examen interne ne lui laissa plus de doute.

— Avez-vous eu vos règles ces derniers mois?

— Non, justement. Je voulais vous en parler. Vous... vous pensez que j'ai le cancer, docteur? demanda-t-elle d'une voix blanche.

Il eut un sourire machinal et retira son gant.

— Non, madame Reynolds. Vous êtes enceinte!

Mme Reynolds se redressa, incrédule.

— Enceinte? Mais c'est impossible! D'après les médecins, mon mari a un sperme trop pauvre. Cela fait quinze ans que nous essayons!

Elle fondit en larmes et M. Reynolds se précipita.

Ed se rassit à son bureau. Quelle coïncidence ironique... Encore une femme infidèle qui trompait son mari et cet idiot qui la croyait!

— J'en suis pratiquement certain, reprit-il d'un ton professionnel. L'analyse d'urine le confirmera et vous pourrez alors prendre rendez-vous avec l'une des sages-femmes...

— Jo Halliday! lança aussitôt Mme Reynolds. Il paraît qu'elle est merveilleuse. Oh, Rob, je n'arrive pas à y croire, ajouta-t-elle bouleversée. Quel bonheur!

De nouveau, ils s'étreignirent. Ed mit alors rapidement un terme à la visite.

— Remettez cette ordonnance à la réception avec votre échantillon. On vous donnera les résultats demain par téléphone. Dès que vous aurez la confirmation, vous pourrez prendre rendez-vous avec Jo.

« Même si ce n'est pas elle qui vous accouchera », aurait-il pu ajouter, puisqu'elle sera sur le point d'accoucher elle-même. Mais c'était à elle de s'arranger avec eux. Après tout, il ne savait pas exactement quand l'enfant de Jo naîtrait. Une seule chose était sûre, ce n'était pas le sien.

— Nous n'avions plus d'espoir, après tant d'années. Il faut dire qu'on ne nous en avait guère laissé après les examens qu'avait subis Rob. C'était il y a longtemps. Alors, quand j'ai cessé d'avoir mes règles, je n'ai même pas songé à cette possibilité.

Jo écoutait Mme Reynolds avec une stupéfaction grandissante.

— Que vous a dit le Dr Latimer?

— De venir vous voir avec le résultat de l'examen. Il avait l'air sûr de mon état.

144

Jo hocha la tête. Qu'avait donc pensé Ed de cette grossesse inattendue chez un couple où l'homme était affligé d'un sperme pauvre ? Leur exemple le convaincrait-il que c'était possible ?

Ce soir-là, après avoir dîné et aidé Laura à faire ses devoirs, elle annonça à sa mère qu'elle avait une visite à faire — sans préciser qu'il ne s'agissait pas d'une patiente.

Quand elle arriva devant chez Ed, elle avait la gorge serrée comme dans un étau. Aucun signe de sa présence, pourtant la voiture était là. Elle frappa à la porte et la lumière jaillit à l'intérieur. Quelques secondes plus tard, la porte s'ouvrait brusquement.

— Que fais-tu là ? demanda-t-il d'un ton hostile.

— Je voudrais te parler.

— Je n'ai rien à te dire.

— Moi si.

Il allait refermer la porte, mais elle la bloqua et réussit à entrer.

Il s'éloigna et elle le suivit dans la seule pièce qui fût éclairée, une petite cuisine aux murs tristes. Des fils électriques pendaient çà et là, et un tréteau supportait l'évier.

— Que veux-tu ? Je suis occupé.

Avec un soupir, elle épousseta une chaise recouverte de poussière de plâtre et s'assit.

— Mme Reynolds est venue me voir aujourd'hui.

— Ah oui, l'immaculée conception. Décidément !...

— Que veux-tu dire ?

— Toutes les femmes de Yoxburgh trompent-elles leur partenaire ? demanda-t-il avec un sourire dépourvu d'humour.

— Tu n'as confiance en personne, n'est-ce pas ? Pourquoi, Ed ?

Avec un marteau, il cogna sur le mur et une plaque de plâtre s'effondra à ses pieds, soulevant un nuage de poussière.

— Pourquoi devrais-je avoir confiance ? Je sais bien que tu mens.

— Et si tu demandais un spermogramme?

Il y eut un bruit violent. Le marteau avait valsé à l'autre bout de la pièce.

— Ce serait vraiment une perte de temps, tu ne penses pas?

— Tout à fait. Mais puisque tu ne me crois pas, il faut bien produire une preuve.

Il ramassa le marteau et s'attaqua de nouveau au mur.

— Sinon, accepterais-tu de passer un test d'ADN une fois que le bébé sera né? Ça prouvera ta paternité.

Le marteau lui retomba sur le pouce et il laissa échapper un juron.

— Va-t'en! s'écria-t-il. Trouve un autre imbécile pour élever ton enfant. Moi, ça ne m'intéresse pas. Laisse-moi tranquille!...

Sa voix se brisa et il s'adossa au mur, haletant.

— Ed, murmura-t-elle en se levant pour s'approcher de lui.

— Ne me touche pas! Pars, Jo. Arrête de me torturer.

— C'est toi qui te tortures tout seul. Si seulement tu voulais m'écouter... Mais tu es bien trop entêté! Tu veux que je te laisse tranquille? Parfait. Reste tout seul. J'espère que tu finiras par crever de solitude. C'est tout ce que tu mérites!

Elle sortit de la pièce en trébuchant sur les morceaux de plâtre et courut jusqu'à sa voiture. Une fois au volant, elle eut du mal à distinguer la route et, quand elle mit les essuie-glaces, ce ne fut pas mieux.

— Je suis content que vous ayez trouvé le temps de venir me voir, dit Maurice sans préambule. J'ai parlé à Jo.

Ed serra les lèvres. Non, pas lui!

— Cela ne regarde que nous, répondit-il. Laissez tomber.

— Non, répliqua le vieux médecin d'un ton ferme. Il y a des choses dont il faut parler et je suis sans doute le mieux placé. Je connais Jo depuis sa naissance. J'ai été son médecin pendant les trente ans de son existence et j'estime que je la connais bien.

— Où voulez-vous en venir?

— Il y a douze ans, elle a été traumatisée quand elle a appris qu'elle était enceinte et que le père n'en avait cure. Il lui a fallu douze longues années pour recouvrer le courage de recommencer. Et maintenant, à cause de votre arrogance, parce que vous ne pouvez imaginer avoir tort, elle va devoir élever un autre enfant toute seule.

Des larmes brillèrent dans les yeux gris-bleu.

— Ce n'est pas de l'arrogance, Maurice. Je sais que cet enfant ne peut pas être le mien...

— Vraiment? Quand avez-vous passé votre dernier spermogramme? Il y a douze ans, à vingt et quelques années? A une époque de votre vie où vous portiez des jeans serrés, où, en dehors de vos études, vous passiez votre temps à boire, à fumer et à coucher avec toutes les filles disponibles, c'est ça? On est tous passés par là, Ed. Et il n'est pas impossible que cela ait affecté votre fertilité.

C'était vrai, bien sûr, il ne pouvait le nier. Et il n'était pas impossible qu'au bout de tant d'années, ses cellules se soient en partie reconstituées.

Peu probable, mais pas impossible.

— Faites faire cette analyse, Ed. Cet enfant est le vôtre. Je le sais comme je sais que le soleil va se lever demain. Il faut que vous le sachiez vous aussi.

Maurice pressa brièvement l'épaule de son jeune confrère avant de l'abandonner à ses réflexions.

« Il faut que vous le sachiez vous aussi... »

Ed décrocha le téléphone et composa le numéro.

— Ton patient aurait donc un sperme pauvre? demanda Max, penché sur son microscope.

Ed se trouvait dans le laboratoire de son confrère et ancien camarade de faculté.

147

— Oui, répondit-il.

— Et ils ont du mal à avoir un enfant?

— Euh... En fait, ils attendent un enfant, enfin elle. Mais lui estime qu'il ne peut pas en être le père.

Max se redressa.

— Eh bien, il a tort. Ça pourrait parfaitement être le cas. Regarde.

Ed se pencha à son tour. Une poignée de petits têtards s'agitaient dans la lumière, se tortillant avec vigueur.

— Y en a-t-il assez pour que ça marche? demanda-t-il d'un ton incertain.

— Bien sûr. Pour ce qui est de la quantité, j'ai vu mieux, mais ils ont l'air en forme, répondit Max avec humour.

— Donc, dans de bonnes conditions...

— Avec une bonne pente et un vent favorable, oui. Pourquoi pas? Chaque semaine, il y a des gens qui jouent à la loterie avec beaucoup moins de chance à la clé. Si j'avais autant de chance que ce gars-là, j'achèterais mon billet *illico*. Et je ne suis pas joueur.

Ed observa encore un moment l'échantillon au microscope. Puis il se redressa et croisa le regard pénétrant de Max.

— Merci, marmonna-t-il.

— Qui est-ce?

Il était inutile de continuer à lui raconter des histoires.

— Elle s'appelle Jo, dit-il seulement.

— Et tu l'aimes, n'est-ce pas?

Bouleversé, Ed fit un signe d'assentiment et baissa les yeux.

— Mais j'ai peur d'avoir gâché toutes mes chances.

— Autant essayer de savoir tout de suite, conclut Max.

La porte du cottage s'ouvrit et Jo parut en haut des marches.

— Maman?

148

Il n'y eut pas de réponse. Elle se pencha et découvrit Ed, au pied de l'escalier. Il avait un drôle d'air.

— Pourrais-je te parler? demanda-t-il.

— Non, je suis occupée. Nous avons des invités demain et j'ai les lits à faire.

— Ça ne peut pas attendre?

Jo lui jeta un regard méfiant et finit par céder.

— Allons dans la maison.

— Non, ici. Il n'y a personne, n'est-ce pas?

— Non, répondit-elle en s'asseyant sur une marche.

Il monta s'asseoir à côté d'elle. Maurice n'avait pas exagéré. Il avait une mine épouvantable.

— Je suis allé voir un ami qui a un laboratoire, commença-t-il.

— Et alors?

— Je te dois des excuses. Tu avais raison. Mes spermatozoïdes ont commencé à se reconstituer. Rien d'extraordinaire, mais assez pour...

Jo eut l'impression de recevoir un coup au cœur et sa colère fusa.

— Donc, parce qu'un ami t'a dit que c'était possible, tu me crois maintenant?

— J'ai toujours voulu te croire... Le jour où tu m'as annoncé la nouvelle, j'ai failli te croire, mais... Victoria, avec laquelle j'ai vécu deux ans, n'est pas tombée enceinte et, pourtant, nous ne prenions aucune précaution. Je me disais que, si c'était possible, cela aurait déjà dû m'arriver.

— Peut-être que nous avons eu de la chance, si je puis dire, répondit Jo avec amertume. Je venais d'ovuler, je le sais parce que je ressens une petite douleur parfois. Nous avons fait ça au bon moment.

— Avec une bonne pente et un vent favorable, marmonna-t-il.

Elle le regarda sans comprendre.

— Enfin, le problème n'est plus là... Ce qui compte, c'est que tu ne m'as pas fait confiance. Sais-tu à quel point ça fait mal?

149

Sa voix se brisa. Elle sentit Ed hésiter, puis son bras vint se poser sur ses épaules. Avec un gémissement, il l'attira contre lui.

— Non, ne dis pas ça. Je n'ai jamais voulu te faire du mal. Je préférerais mourir plutôt que de...

— Tu as été cruel, oui !

— Je sais. Mais à la pensée qu'un autre homme avait pu te toucher et t'aimer comme moi, je suis devenu fou. Ça m'a fait si mal que j'ai dit n'importe quoi...

Il s'écarta d'elle pour plonger son regard dans le sien.

— Pardonne-moi, Jo, je t'en supplie. Recommençons depuis le début.

La jeune femme sentit son cœur fondre. Certes, il l'avait fait souffrir, mais seulement parce qu'il avait souffert lui-même autrefois. Elle se mit debout et lui tendit la main.

— Est-ce possible ? chuchota-t-elle. Tu m'as tant manqué.

Le regard gris-bleu se fit tour à tour scrutateur et incrédule, et quand il comprit qu'elle lui pardonnait, il la serra contre lui à l'étouffer.

— Moi aussi, tu m'as tellement manqué. La pensée que j'allais passer le reste de ma vie sans toi m'était insupportable.

Il pressa ses lèvres sur celles de la jeune femme et l'embrassa avec tendresse, presque avec vénération.

— Je t'aime, murmura-t-il à son oreille. Epouse-moi.

Elle rejeta la tête en arrière et sourit.

— Ce serait un honneur pour moi, répondit-elle en levant vers lui un visage rayonnant de bonheur.

Épilogue

— Il est superbe !

Le sourire aux lèvres, Jo baissa les yeux sur le bébé blotti dans ses bras.

— Exactement comme son père.

Sue posa les avant-bras sur le bord du berceau et se mit à rire doucement.

— Tu es mal placée pour en juger.

Le petit Thomas dormait à présent, sa bouche en bouton de rose contre le sein de sa mère. Avec délicatesse, Jo le confia à Sue pour refermer son chemisier. Mais il commença à geindre et elle le reprit aussitôt.

— Descendons. Je ne peux pas abandonner comme ça mes invités.

— Quel beau baptême ! s'écria Sue dans l'escalier. Et quelle bonne idée de pendre la crémaillère en même temps !

— Ça a été l'enfer ! Tu te rends compte, on a fini les travaux seulement hier.

En arrivant dans le hall, Sue jeta un coup d'œil circulaire.

— En tout cas, c'est réussi.

— N'est-ce pas ? renchérit Maurice en regardant la salle de séjour de son ancienne maison. J'ai du mal à m'y reconnaître. Tu as fait des merveilles, Jo !

— C'est Andy qu'il faut féliciter. Il a été formidable.

151

— Et Mel aussi, ajouta ce dernier. C'est elle qui a fabriqué les rideaux.

— A présent, nous allons nous occuper de notre maison, dit Mel.

Ed eut un sourire contrit.

— Désolé. C'était un peu rude de ma part de vous vendre le cottage dans cet état et de vous demander de rénover notre maison d'abord.

— Sans rancune. Faites-nous de la publicité, c'est tout, répliqua Andy en souriant.

Il passa sa petite fille d'un bras sur l'autre et l'enfant tendit sa main pour toucher la tête de Thomas.

— C'est mon petit frère, déclara Laura, toute fière. Je voulais une petite sœur, mais il est si gentil que je l'adore. Quand tu seras grand, on jouera au football, hein ?

— Ne sois pas trop pressée, dit Jo en échangeant un regard amusé avec sa mère.

— Maurice, dit Rebecca, je voudrais te montrer l'agencement de la cuisine. Nous pourrions faire la même chose chez nous.

Ed et Jo s'occupèrent de leurs invités, échangeant un mot avec chacun, jusqu'au moment où, comme par miracle, ils se retrouvèrent seuls dans la serre où les géraniums fleurissaient déjà.

— Ça va ? demanda-t-il avec tendresse. Pas trop fatiguée ?

— Non. Et toi ?

— Je pense à la chance que j'ai ! Ma vie a basculé en l'espace d'un an. Quand je t'ai rencontrée, je me suis très vite dit que ce serait merveilleux si tu acceptais de m'épouser. Et puis Thomas a fait son apparition.

— Un peu trop tôt peut-être.

— Non. Je n'ai qu'un regret et tu sais lequel.

— Je t'ai pardonné, Ed.

— Moi, je ne me pardonnerai jamais.

— Oublie ces mauvais moments, Ed. Je t'aime.

— Moi aussi, je t'aime. Vivre avec toi aurait suffi à mon bonheur. Avoir en plus Laura et Thomas, c'est un cadeau inattendu.

— Et qui sait? Peut-être n'est-ce pas le dernier.

— Que veux-tu dire?

— Eh bien, je crois qu'une autre surprise se prépare. Félicitations, docteur Latimer!

Eberlué, il écarquilla les yeux et Jo eut un petit sourire malicieux.

— Avec une bonne pente et un vent favorable...

Il l'attira dans ses bras.

— Heureusement que nous avons acheté la grande maison de Maurice. Nous allons avoir besoin de place!

— A ce rythme, nous formerons bientôt une troupe à nous tout seuls pour le prochain spectacle.

— Tant que nous ne donnons pas *Ali Baba et les quarante voleurs*!

MARGARET O'NEILL

Coup de foudre
aux urgences

COLLECTION BLANCHE

*Cet ouvrage a été publié en langue anglaise
sous le titre :*
THE PATIENT MAN

Traduction française de
I. ROME

1.

Harry Paradine tâta d'une main experte les bras maigres du vagabond étendu sur le lit d'examen.

— Aucune veine apparente, marmonna le patron des urgences d'un ton laconique. Il souffre d'hypothermie, de déshydratation et d'une commotion sévère. Il faut que j'incise si nous voulons le mettre sous perfusion.

Anticipant sa requête, Emily Prince lui tendit un scalpel et il lui adressa un bref sourire qui éclaira ses beaux yeux bruns.

— Merci.

Puis, penché au-dessus du patient, il nettoya, à l'aide d'un coton imprégné d'alcool, la peau flétrie à l'intérieur du coude et pratiqua une minuscule incision. Une fois la veine exposée, il inséra délicatement la canule préparée par Emily, préleva un échantillon de sang, clampa le cathéter dans la veine et remit la seringue pleine à la jeune femme, qui la plaça sur le chariot dans l'attente d'une numération globulaire.

— Je vais lui faire deux points de suture avant que nous branchions l'intraveineuse.

Emily lui présenta une aiguille ultra-fine.

— Quelle posologie ?

— Cinq pour cent de dextrose dans trois cents centimètres cubes de solution saline.

D'un geste précis, le médecin referma l'incision, fixa

157

la canule à l'aide de deux bandes de sparadrap posées en croix, et immobilisa le bras dans l'axe de l'articulation.

Emily sortit une poche de solution saline du tiroir situé sous l'étagère inférieure du chariot et l'accrocha au sommet de la perche métallique.

La remerciant d'un signe de tête, Harry ajusta le tube flexible du cathéter et régla le débit.

Avec un automatisme issu d'une longue pratique, la jeune femme se plaça à l'autre extrémité du lit, qu'elle remonta d'une vingtaine de degrés pour faciliter l'irrigation des organes vitaux. Puis elle enveloppa le corps inerte du vagabond dans une couverture thermique.

Le consultant lui sourit, révélant des dents d'un blanc étincelant, auxquelles un léger défaut dans l'alignement entre les deux incisives supérieures conférait un charme supplémentaire.

— Parfait. Occupons-nous des poumons.

Emily replia le haut de la couverture, exposant à la lumière crue des néons une cage thoracique qui montait et descendait au rythme d'une respiration affaiblie.

Harry fit courir son stéthoscope de long en large sur la partie supérieure de l'abdomen.

— Aucun signe de détresse... Vérifions la pression artérielle.

Il attacha le brassard autour du bras décharné et pressa un bouton sur le cadran électronique du sphygmomanomètre.

— Basse, mais mieux que ce que j'espérais.

Surprenant une lueur d'inquiétude dans les yeux de son infirmière, il lui adressa un sourire d'une gentillesse étonnante.

— Tranquillisez-vous, nous avons affaire à un solide gaillard. Il va reprendre conscience d'une seconde à l'autre.

— Oh, vous le connaissez ?

— Et comment ! Il vient ici avec une régularité déses-

158

pérante. La police l'a trouvé à maintes reprises évanoui sous une porte cochère. Et il atterrit chaque fois chez nous.

— Au City Central, nous avions, nous aussi, nos habitués.

A cet instant, le vagabond battit des cils et souleva les paupières. Son regard vide s'emplit de frayeur en se posant sur le chef de clinique. Celui-ci lui tapota l'épaule avec bonhomie.

— Bonjour, Ed. Tout va bien, vous êtes aux urgences de l'hôpital St. Luke.

Un éclair d'intelligence traversa les yeux chassieux.

— Doc !

Le vieil homme se rembrunit en découvrant que son interlocuteur n'était pas seul.

— Je vous présente l'infirmière Prince. La petite nouvelle du service...

Le froncement de sourcils disparut.

— Nom d'une pipe, j'ai le gosier à sec ! marmonna Ed en humectant ses lèvres sèches. J'peux boire quelque chose, doc ?

— Bien sûr. Vous resterez ici quelques jours, le temps d'une cure d'antibiotiques. La routine, en somme. Que préconisez-vous, Emily ?

La jeune femme devina sans la moindre hésitation l'arrière-pensée du consultant.

— Du thé. Chaud et sucré.

— C'est bien ma veine, bougonna le malade en fermant les yeux.

Alors qu'elle se glissait hors de la pièce, Harry Paradine lui emboîta le pas.

— J'appelle le bureau des admissions pour qu'ils préparent le formulaire de prise en charge. Gardez un œil sur ce vieux brigand jusqu'à son transfert en salle commune.

Marquant un temps d'arrêt, il lui prit le bras.

— J'ai beaucoup apprécié votre aide. C'est très

159

agréable d'être compris à demi-mot. On ne croirait jamais que nous travaillons ensemble pour la première fois.

Emily baissa les yeux, considérant la main qui la retenait, et fit un pas en arrière. Harry s'écarta à son tour. Pourquoi ce mouvement de défense ? se demanda-t-il, perplexe.

— N'importe quelle infirmière compétente aurait fait la même chose, dit la jeune femme avec un soupçon de froideur.

Le médecin scruta le joli visage et lut... Quoi, au fait ? De la contrariété ? De la tristesse ? De la vulnérabilité ?

Sa nouvelle infirmière arborait une expression placide difficile à déchiffrer. Lors de l'entretien d'embauche, il avait déjà remarqué ce curieux mélange d'incertitude et de détachement. Un trait de caractère qui l'avait incité...

Il interrompit ses conjectures.

— Je me félicite de vous avoir engagée...

Les joues d'Emily rosirent.

— Merci, monsieur Paradine. Je suis sûre que je vais me plaire à St. Luke.

Elle esquissa un mouvement en direction de la salle d'attente, déjà à moitié pleine à 10 heures du matin.

— Je ferais mieux d'apporter du thé à Ed et me rendre utile ailleurs.

Un pli barra le front du chef de clinique.

— La journée s'annonce chargée. Comme d'habitude.

Alors qu'il s'apprêtait à tourner les talons, il se ravisa :

— A propos, appelez-moi Harry. Ici, nous utilisons les prénoms. C'est beaucoup plus convivial. Et je suis « docteur » et non « monsieur » pour la plupart des patients. Les subtilités hiérarchiques échappent aux personnes en détresse. En réalité, les titres ronflants les effrayent. Ils préfèrent être soignés par un simple médecin ou une infirmière. Vous vous habituerez vite à nos petites manies.

Sur un dernier sourire, il prit la direction de son bureau.

160

1, 2, 3... Soleil

Des livres gratuits
et un superbe cadeau
pour votre été

1, 2, 3... Soleil

Découvrez
ce que nous vous offrons !

1 Avec une pièce de monnaie, grattez les 3 cases dorées ci-contre et découvrez vite ce que vous pouvez recevoir... <u>des livres gratuits ?</u> et peut-être un <u>cadeau supplémentaire ?</u> Pour cela, il suffit simplement que la combinaison que vous découvrirez soit la même que celle proposée

2 En retournant la carte ci-contre, vous recevrez des romans gratuits correspondant à la combinaison découverte ainsi qu'une <u>ravissante paire de lunettes de soleil</u>.

3 En restant parmi nous, vous découvrirez dès le mois prochain le Cercle des Lectrices Harlequin et tous ses privilèges.

4 Vous recevrez chaque mois 3 volumes doubles de la collection Blanche au prix exceptionnel de 28,40 F au lieu de 29,90 F le volume double de 320 pages.

5 Vous allez adorer recevoir vos romans chez vous, comme un rendez-vous régulier. Ils vous parviendront <u>en avant-première</u>, aussi longtemps que vous le souhaiterez. Pour vous, les frais de port seront <u>GRATUITS</u>.

♥ VOS AVANTAGES EXCLUSIFS ♥ :

• *Vos romans sont livrés chez vous, en avant-première, avant même leur sortie en librairie.*

• *Vous bénéficiez d'une réduction de 5% sur le prix de chaque volume.*

• *Vous pouvez annuler les envois à tout moment.*

• *Vous pouvez profiter de toutes les promotions, jeux et concours réservés aux abonnées.*

Recevez aussi un superbe CADEAU :

Un cadeau en plus des romans gratuits ?
Il suffit de découvrir la bonne combinaison
et cette superbe paire de lunettes de soleil
vous sera offerte GRATUITEMENT !

Lunettes : 14 cm
(photo non contractuelle)

Découvrez la combinaison mystère :

Grattez ces 3 cases dorées avec une pièce de monnaie.

OUI ! j'ai découvert une combinaison de 3 soleils. Je vous adresse cette carte réponse complétée. En la renvoyant, je recevrai 2 livres gratuits «hors-série» et les lunettes en cadeau, puis un mois plus tard, et les mois suivants, des livres inédits de la collection BLANCHE, proposés à tarif préférentiel. Soit 3 volumes doubles par mois au prix de 28,40 F l'un. La participation aux frais de port est GRATUITE. Je suis libre d'interrompre les envois mensuels, à tout moment, par simple lettre ou par téléphone.

Mme ☐   Mlle ☐   **B9FE01 / 1603**

Prénom _____

NOM _____

Adresse _____

Code postal | _ | _ | _ | _ | _ |

Ville _____

Postez cette carte dès aujourd'hui ! (sans l'affranchir)

 Je reçois un livre gratuit

 Je reçois deux livres gratuits

3 soleils hourra ! je reçois deux livres gratuits et une paire de lunettes de soleil en cadeau !

Bravo !
Vous avez
3 soleils !

Le Service Lectrices est à votre écoute du lundi au jeudi de 9h à 18 h et le vendredi de 9h à 17 h, au 03 44 58 44 60

À utiliser seulement
en France métropolitaine
et dans les départements
d'Outre-Mer

Valable du : 02 / 11 / 98
au : 01 / 11 / 99

20 g

HARLEQUIN

ECOPLI

HARLEQUIN
Service Lectrices
AUTORISATION 20541
60985 CREIL CEDEX 9

Emily regarda s'éloigner la haute silhouette et alla chercher dans la cuisine une tasse de thé.

Les paroles de Harry Paradine lui revinrent plusieurs fois à l'esprit au fil de la journée. Sous une apparente décontraction, son nouveau patron régnait en maître sur le service des urgences. Une main de fer dans un gant de velours...

L'effervescence se prolongea jusqu'au soir et, quand Emily franchit l'enceinte de l'hôpital au volant de sa Mini, elle ne comptait plus les cas qu'elle avait traités au cours de la journée : une triade variqueuse, deux fractures des membres inférieurs, des troubles gastro-intestinaux, des coupures de toute nature et une crise cardiaque jugulée en salle de réanimation par l'administration d'une dose d'activateur plasminogène pour dissoudre les caillots présents dans les artères, avant le transfert du malade stabilisé aux soins intensifs.

Par bonheur, elle avait connu quelques instants de répit, mais, dans l'ensemble, l'équipe soignante avait mis les bouchées doubles.

Celle-ci l'avait accueillie chaleureusement : Jane Porter, la surveillante qu'elle avait rencontrée lors de l'entretien préliminaire ; Jonathan Jones, le jeune et fougueux interne ; Beth Campbell, une infirmière zélée, et ses autres collègues dont les noms et les visages restaient encore flous dans sa mémoire.

— Vous ne regrettez pas les urgences de votre hôpital londonien de réputation internationale ? lui avait demandé Jane d'un air anxieux, durant un déjeuner tardif à la cafétéria.

Emily s'était mise à rire.

— Pas du tout. St. Luke est d'une taille plus modeste, mais tout aussi survolté, d'après mes premières constatations. Il n'y a pas de temps mort et on doit accomplir des prouesses...

— Un phénomène qui touche de nos jours tous les services d'urgence, avait coupé la surveillante d'un ton sec. Nous avons dû mendier une rallonge budgétaire pour vous engager, alors que je réclame une assistante depuis des lustres. J'ignore à quoi vous vous attendiez...

— Oh, je ne critique pas, avait-elle protesté avec feu. Au contraire, j'admire la manière dont vous dirigez le service. En dépit d'un manque de personnel, le moral des troupes est au zénith, un atout que vous envierait le City Central.

La figure ronde de Jane avait rougi de plaisir.

— Votre compliment me flatte, mais le mérite ne me revient pas exclusivement. Harry est un patron fabuleux. Il insuffle à l'équipe un formidable dynamisme. Un vrai roc... Tout repose sur ses épaules. Il ne se décharge jamais de ses responsabilités sur autrui.

— Oui, je l'avais remarqué.

Tandis qu'elle ralentissait pour négocier le dernier rond-point à la lisière de la ville, Emily eut une soudaine vision très nette du Dr Paradine, penché au-dessus du vagabond, les épaules inclinées, le visage viril tendu par la concentration.

Quel homme affable ! Il avait pris la peine de rassurer le vieil homme désemparé. Une vertu cardinale chez lui, semblait-il, car il avait fait de même avec les autres patients tout au long de la journée.

Les infirmières et les brancardiers lui vouaient une admiration et un respect sans bornes. Elle aussi était prête à le porter aux nues. Tant qu'il garderait ses distances.

L'image de sa main sur son bras lui revint à la mémoire. Pendant un instant, elle avait ressenti un étrange réconfort. Un simple geste amical... Rétrospectivement, son mouvement de recul, qui relevait plus du réflexe que de la volonté, lui paraissait stupide.

Difficile de changer un automatisme. En ce qui la concernait, les hommes avaient toujours été synonymes de vicissitudes. Mieux valait donc les éviter quelles que soient les circonstances.

Une généralisation pas très rationnelle, elle en avait conscience. Néanmoins, elle ressentait le besoin impérieux de se tenir sur ses gardes après des mois de souffrance... ou les années de chagrin, si elle incluait dans la liste des travers masculins le fâcheux comportement de son père.

Au plus profond d'elle-même, elle souffrait de cette inhibition : elle aurait aimé effacer toute trace d'amertume et jouir de la compagnie du sexe dit fort comme autrefois, quand aucun nuage n'assombrissait son existence.

Vaillamment, elle tenta de songer à quelque chose de plus gai. En vain. Une fois lancées, il était difficile d'interrompre ses propres pensées. Les souvenirs enfouis dans les limbes du passé avaient été exhumés à la faveur de son entrée en fonctions, de la rencontre de visages nouveaux, de la courtoisie amicale, presque avunculaire, de Harry Paradine. Non, pas avunculaire.

Ce qualificatif ne convenait pas à un homme frisant la quarantaine. Rassurant était plus approprié. Tout, en lui, exprimait la solidité, la sécurité, la compréhension.

Absurde !

Elle émit un petit rire d'autodérision. La vie lui avait appris qu'on ne doit jamais faire confiance à un homme. Pas même à tous les Harry Paradine du monde entier !

Au prix d'un effort, elle repoussa l'image du beau consultant. Elle finit par y parvenir en concentrant son esprit sur le dîner qu'elle préparerait pour Tim.

Harry quitta l'hôpital peu après Emily. Comme elle, il entreprit de dresser un bilan de la journée : l'analyse des cas cliniques auxquels il avait été confrontés, l'évaluation des performances du personnel, et une meilleure utilisation de chaque paire de mains constituaient pour lui un exercice familier.

Chaque paire de mains !

Celles d'Emily Prince le fascinaient tout particulièrement : petites, fines, précises, avec des ongles brillants, manucurés et polis à la perfection.

En fait, elle était l'archétype de la femme idéale. Depuis sa chevelure de jais coupée au carré à la hauteur du menton, soulignant le délicieux modelé du visage, jusqu'à ses chevilles minces et sa démarche gracieuse. Il se dégageait d'elle une assurance paisible que rien ne semblait pouvoir entamer. Il l'avait vue dompter deux petites « terreurs », calmer les parents hystériques d'un bébé sous assistance respiratoire et réduire au silence la bruyante famille d'une belle Indienne enceinte de huit mois qui s'était luxé le genou lors d'une chute malencontreuse.

Rien ne la prenait au dépourvu. En quelques heures et sans effort apparent, elle s'était glissée dans le rôle de l'assistante de Jane. Sans même provoquer un murmure de protestation de la part des collègues.

Un exploit ! Ces prémices auguraient bien de ses compétences. Un précieux atout pour son service.

Désormais, elle faisait partie de son univers... Il la verrait presque tous les jours !

Son cœur avait bondi dans sa poitrine à la minute même où il avait fait sa connaissance, une semaine plus tôt. Instantanément, il avait su qu'elle était spéciale, unique. Un violent frisson avait parcouru sa nuque. Tout en elle le bouleversait.

Le vrai coup de foudre...

Au premier coup d'œil, Emily Prince lui était apparue comme la femme qu'il avait attendue toute sa vie...

Il s'était ensuite morigéné. L'amour ne vous transperçait pas avec cette fulgurante soudaineté. Pas à son âge. Pas à trente-huit ans. Bing, boum, et la flèche de Cupidon vous avait atteint !

Pourtant, ça s'était passé ainsi. Dès le premier regard,

il s'était livré en aveugle au bonheur d'aimer. Un miracle...

Il n'en avait pas moins gardé son flegme pendant la durée de l'entrevue. Il l'avait même soumise à un feu roulant de questions ardues, imité par Jane Porter et Miriam Armstrong, responsable des infirmières, au bureau du personnel.

Evitant les pièges, Emily avait répondu avec intelligence, un sourire voltigeant de ses lèvres à ses yeux bleu saphir.

Néanmoins, Harry avait décelé derrière sa vivacité une indicible tristesse, une blessure secrète. Et il aurait donné tout l'or du monde pour savoir ce qui l'avait meurtrie.

La réponse était venue quelques minutes plus tard, quand Miriam lui avait demandé pourquoi elle quittait un C.H.U. prestigieux au profit d'un humble hôpital de province.

Une douleur fugitive avait traversé le joli visage. Pendant une minute, Emily avait été frappée de mutisme. Puis elle avait recouvré son sang-froid et raconté en quelques mots le drame qui avait détruit son existence : sa mère morte dans un accident de voiture et son frère, gravement blessé. N'écoutant que son cœur, elle était revenue vivre auprès de lui dans sa ville natale, plutôt que lui imposer un déracinement. A ce stade de sa scolarité, une coupure brutale avec son environnement naturel aurait accru son traumatisme.

— Après tout ce qu'il a enduré, je ne pouvais pas faire ça, avait-elle conclu d'un ton sobre.

Harry aurait voulu la serrer dans ses bras... De toute son âme, il espérait que son frère appréciait son sacrifice.

— Quel âge a-t-il? avait demandé Jane.

— Quinze ans... Mais mon travail ne pâtira pas des responsabilités qui m'incombent vis-à-vis de lui. Il a repris ses cours et il se débrouille tout seul quand je suis de service. En outre, nous avons une grand-tante qui

165

habite dans les environs et qui peut me dépanner en cas de besoin.

Tous les trois avaient été satisfaits par ses explications. L'entretien s'était soldé sur la promesse qu'ils lui adresseraient bientôt une réponse à sa candidature.

Après son départ, Jane n'avait pas déguisé ses sentiments.

— Il faut du cran pour renoncer à une brillante carrière au City Central ! Peu de femmes ont un sens de la famille aussi prononcé. Cette jeune femme me plaît. Je suis certaine de bien m'entendre avec elle. Elle est la personne qu'il nous faut. Je vote en sa faveur.

Miriam avait approuvé ce choix.

— Je partage votre avis. Elle est hautement qualifiée. Modeste par-dessus le marché. Elle n'a même pas demandé une promotion. Elle accepte le poste et le salaire que nous lui offrons, ce qui plaira aux administrateurs qui tiennent les cordons de la bourse... Harry, qu'en pensez-vous ?

Celui-ci exultait : Emily remportait tous les suffrages !

Il aurait aimé lever le pouce en signe de victoire, mais la bienséance lui interdisait un enthousiasme de collégien.

— Donnons-lui sa chance. Je crois qu'elle s'intégrera très bien à l'équipe.

Tandis qu'il se remémorait la scène en traversant les quartiers nord de la ville, il se demanda ce que Jane et Miriam auraient pensé si elles avaient su qu'il était tombé amoureux fou.

Probablement qu'il avait perdu la tête, quoique la nouvelle eût enchanté Jane qui cherchait à tout prix à le marier.

— Vous êtes trop séduisant pour finir vieux garçon, avait-elle déclaré un jour quand il avait éconduit poliment sa dernière « trouvaille ».

— Ce n'est pas mon intention. Mais je n'ai pas encore rencontré la femme de ma vie. Quand cela arrivera, vous serez la première dans la confidence.

166

Abandonnant momentanément sa méditation, il se gara devant son domicile.

« Voilà qui est fait », songea-t-il, lorsqu'il entra dans l'immeuble moderne où il habitait depuis trois ans.

Son appartement, situé au quatrième étage, se composait de quatre pièces insipides, égayées par d'immenses bibliothèques, quelques toiles de bonne facture et une vue panoramique sur Chellminster.

A peine arrivé, il se versa un whisky pur malt, un luxe qu'il s'octroyait quand il n'était pas de garde. Il savoura une gorgée en connaisseur, planté devant la fenêtre, le regard perdu dans le vague, le visage mélancolique d'Emily se détachant en surimpression du ciel laiteux.

Pas étonnant qu'elle éprouve de la tristesse après la perte de sa mère et l'accident de son frère.

Mais d'où lui venait cette certitude qu'il y avait autre chose ? Une autre blessure. Une blessure à vif... La disparition tragique d'un être cher suffisait à endeuiller le cœur de n'importe qui. Néanmoins, ça n'expliquait pas l'impression de vulnérabilité. Une vulnérabilité qui la mettait sur la défensive. Il l'avait lu dans ses yeux, aujourd'hui comme la semaine précédente.

Une invention de son imagination ?

Non ! Elle n'arborait pas cette expression avec Jane ou avec Miriam. En revanche, quand il lui avait touché le bras, elle avait braqué sur lui un regard circonspect.

Embarrassé par cette réminiscence et par la façon dont il avait cédé à l'injonction silencieuse qu'elle lui avait lancée, il but une seconde gorgée de whisky.

Diable, que lui arrivait-il ? Il était un adulte responsable, doté d'une solide réputation dans le milieu médical. Pas un jouvenceau immature.

En dehors de l'hôpital, il avait acquis l'image d'un célibataire affable, ouvert, sociable. Certains de ses collègues mariés lui enviaient même sa liberté. A aucun titre, il n'était homme à perdre les pédales à cause d'une jolie femme.

D'un air méditatif, il fit tourner dans son verre le liquide ambré.

En réalité, Emily Prince avait pourtant réussi à conquérir son cœur, à le transformer, lui, en adolescent romantique.

Pour la première fois de sa vie il était amoureux dans le vrai sens du terme et il n'en avait pas honte. Il était même heureux qu'Emily ait surgi à l'improviste pour transformer de fond en comble son existence studieuse et monotone.

Maintenant, pour reprendre l'expression consacrée, il n'avait plus qu'à lui rendre la monnaie de sa pièce. Rien de plus simple.

Simple ? Quel manque de réalisme ! L'opération, en fait, s'annonçait très complexe. Il était clair comme de l'eau de roche que la jeune femme dont il était épris entretenait des rapports hostiles avec la gent masculine.

Et si son hypothèse se confirmait, cette situation le plaçait dans une position désavantageuse.

Le temps de dépasser le panonceau « Bienvenue à Shalford, vitesse limitée », Emily avait choisi le menu du dîner : des brochettes — poivrons, saucisses, tomates, champignons et viande de mouton — accompagnées d'un risotto.

Au diable les calories et le cholestérol !

De temps à autre, il n'était mauvais d'enfreindre les règles de la diététique. Tim, maintenant qu'il avait plus ou moins recouvré l'appétit d'un adolescent en pleine croissance, ne bouderait pas son assiette. A moins qu'il ne préfère des chips ?

Elle poussa un soupir. Elle ne savait jamais à l'avance dans quelle disposition d'esprit il rentrerait du lycée. Depuis l'accident, il était d'humeur versatile — tantôt furieux, tantôt maussade, tantôt allègre comme jadis.

— Montrez-vous patiente avec lui, avait déclaré le psychiatre, lorsque Tim était sorti de l'hôpital. Il souffre d'un traumatisme physique et émotionnel et il doit accepter non seulement la perte de sa mère, mais un pied gauche tordu. Ce n'est pas commode à un âge où il faut se battre pour s'imposer auprès de ses camarades.

— Surtout lui, un athlète accompli... Football, cricket, judo, tennis, Tim excellait dans toutes les disciplines, mais maintenant...

— Avec la physiothérapie, son pied recouvrera un certain aplomb. Dans l'intervalle, il aura besoin de votre appui pour accepter son handicap.

— Il y arrivera, avait promis Emily. Nous lutterons ensemble.

Elle se sentait très optimiste, alors. Mais, au fil des mois, le moral en dents de scie de Tim, son refus farouche de faire sa physiothérapie sous prétexte que les exercices étaient douloureux et ne servaient à rien — un défaitisme étonnant pour un garçon rompu à la discipline du sport — avaient dissous une bonne partie de son assurance.

Ses mains serrèrent le volant, tandis qu'elle ralentissait pour franchir le vieux pont en dos d'âne qui enjambait la rivière.

Si seulement elle pouvait parler à quelqu'un d'expérience. Les lycéens entrent toujours en rébellion à l'époque de la puberté. Peut-être que ces manifestations d'opposition étaient dues davantage au passage difficile de l'adolescence qu'aux conséquences de l'accident.

Un homme pourrait aider Tim. Un homme qui s'entende avec lui. Un homme capable de comprendre qu'avoir quinze ans avec un pied en morceaux n'est pas une sinécure. Si seulement Mark...

Elle émit un sifflement sarcastique.

Mark ! Sympathiser avec son frère !

Ma parole, elle divaguait ! Il avait rompu avec elle à

cause de lui. Il ne voulait pas d'un « gêneur », handicapé ou non. Il le lui avait dit sans détour le jour de leur séparation.

D'un geste rageur, elle essuya les larmes qui perlaient à ses paupières.

— Les gamins ne m'intéressent pas, avait-il jeté. Ils ne vous attirent que des ennuis et, sur ce plan-là, les adolescents remportent la palme.

— Tu parles d'expérience ? avait-elle riposté, rouge de colère. Toi aussi, tu as dû donner du fil à retordre.

Piqué au vif, Mark avait levé un sourcil hautain. Puis un sourire suffisant avait détendu son visage d'adonis.

— J'étais l'exception qui confirme la règle.

Leurs fiançailles remontaient à trois mois lorsqu'elle avait pris conscience de son égoïsme monumental...

— L'imbécile..., marmonna-t-elle en bifurquant dans Old School Lane.

Pourquoi avait-elle mis si longtemps à regarder la vérité en face ? Et pourquoi cet échec demeurait-il si douloureux ?

Mille fois, elle s'était posé la question et la réponse tenait dans un seul mot : l'amour.

Un amour du style fleur bleue, sans réciprocité. Elle était tombée dans le piège de ses faux airs angéliques et de son charme superficiel. Résultat : elle avait traduit ses défauts par des vertus, sa sécheresse de cœur par un détachement professionnel et son caractère despotique par une marque d'autorité.

Néanmoins, la lucidité ne l'avait pas empêchée de souffrir, ni d'enterrer dans les larmes ses illusions perdues.

« Absurde. Il n'y a pas de quoi gémir ! Dieu merci, ce chapitre est clos. Cesse donc de pleurer sur ton sort, ma fille. Recommence à vivre. C'est capital. Pour toi comme pour Tim. »

Elle esquissa un sourire lugubre. Combien de fois

170

s'était-elle répété la même litanie, sans parvenir à se convaincre de tirer un trait sur cet épisode lamentable ?

Ce moment de tourner la page était venu : Tim avait repris le lycée, elle venait de décrocher un travail passionnant dans sa ville natale. Une vie nouvelle l'attendait au coin de la rue...

Son cœur s'emplit de joie comme chaque fois qu'elle s'engageait dans l'allée du 1, Lavender Street. Sa chère maison !

Elle avait eu raison de troquer la vaste demeure de Chellminster, trop chargée de souvenirs, contre un joli cottage à la lisière de Shalford. Tim avait applaudi son initiative. Plusieurs de ses camarades habitaient le village, desservi aussi bien par les autobus réguliers que par le car de ramassage scolaire.

Trois cottages bâtis en brique rose, coiffés d'une toiture en ardoise et agrémentés de bow-windows, se dressaient en retrait de la route, au bout d'une vaste pelouse en pente douce couronnée de parterres de fleurs.

Le numéro 2, réuni au numéro 3 et deux fois plus grand, était inhabité quand Emily et Tim avaient pris possession de leur nouveau domicile.

Une semaine plus tôt, le calme avait cédé la place à une brusque agitation. Un panneau « Vendu » avait été placardé sur le portail et un bataillon d'artisans avaient investi la place, armés d'un volumineux matériel.

— On repeint la maison de A à Z, avait confié le chef de chantier à Emily, tandis que celle-ci marcottait un magnolia sous un soleil printanier.

Les ouvriers rangeaient leurs outils dans leurs camionnettes quand Emily coupa le moteur. A en juger par leur nombre, le nouveau propriétaire ne reculait pas devant la dépense.

Après leur départ, Emily s'attarda dans l'allée, admirant le blanc étincelant et le vert mousse qui décoraient les huisseries. Les futurs occupants, quels qu'il soient, ne manquaient pas de goût. Pourvu que ce soit une famille avec des garçons de l'âge de Tim...

Mieux valait ne pas bâtir des plans sur la comète. Tout reposait entre les mains de la providence, songea-t-elle en gravissant le perron.

L'avenir le lui dirait bientôt.

Tim arriva vingt minutes plus tard, au moment où elle dressait la table pour le dîner. Tandis qu'il remontait l'allée, elle remarqua du premier coup d'œil, à travers la fenêtre ouvrant sur le jardin, son allure conquérante.

Un profond soulagement l'envahit. Bien qu'il tirât la jambe, comme à l'ordinaire, il avançait d'un pas allègre, les épaules bien droites.

Un instant plus tard, il pénétrait dans le minuscule vestibule et déposait son cartable au pied de l'escalier.

— Alors ? demanda-t-elle dès qu'il parut sur le seuil du salon.

Il la gratifia d'un large sourire. Ses yeux d'un bleu soutenu, pareils aux siens, pétillèrent.

— On a gagné ! Quatre contre deux.

— Bravo !

Elle était si heureuse de le voir détendu et souriant. Y avait-il une chance qu'il se rappelle qu'elle avait inauguré son nouveau poste à l'hôpital ou était-ce trop lui demander ?

Contre toute attente, il posa une boîte colorée sur la table avec un air confus.

— Un petit présent pour toi, Em... Trois fois rien. Quelques chocolats... Pour fêter ton nouveau job. Ça s'est bien passé ?

Elle contempla le cadeau, émue jusqu'aux larmes. Elle l'aurait pris dans ses bras sans sa crainte de l'embarrasser.

— Quel amour... Merci mille fois. Tout a bien marché.

L'accueil a été amical et la journée, chargée ; mais aux urgences, c'est presque un pléonasme.

Elle s'arrêta net.

« Stop ! Tu vas l'ennuyer à mourir avec tes histoires d'hôpital », lui souffla la voix de la raison.

— On dîne quand tu veux, reprit-elle.

— Ça sent bon.

— J'ai préparé des brochettes.

— Fantastique ! Je meurs de faim.

Quelle merveilleuse soirée ! Avec un soupir de satisfaction, Emily s'enfonça sous sa couette. En avril, la température chutait de plusieurs degrés, une fois la nuit tombée.

Pendant tout le repas, Tim avait bavardé, presque comme autrefois. Enthousiasmé par la victoire remportée par l'équipe du lycée, il lui avait raconté point par point le déroulement du match. De temps à autre, elle avait glissé une remarque qu'elle espérait intelligente pour relancer la conversation.

Puis, ses devoirs finis, il lui avait proposé de regarder *Le Pont de la rivière Kwaï*, en croquant des chocolats — en s'octroyant la part du lion.

Si seulement ça pouvait être aussi idyllique tous les jours, elle n'aurait besoin ni d'aide ni de conseils...

Sur cette pensée réconfortante, elle s'endormit et rêva de Harry Paradine dans un décor de carte postale.

Vêtu d'une casaque stérile, ses traits anguleux dissimulés derrière un masque chirurgical, son patron était adossé contre un palmier sur une plage de sable blanc. Des vaguelettes d'un bleu d'azur léchaient ses pieds nus et une enseigne avec « psychologue » écrit en lettres de néon clignotait au-dessus de sa tête.

Assis en lotus en face de lui, juste au bord de l'eau, Tim et elle l'écoutaient avec passion, leurs regards rivés au sien...

2.

La voix de Tim la tira d'un délicieux néant.

— Em, il est presque 7 heures ! Ton réveil ne sonne plus depuis belle lurette.

Emily grogna un vague remerciement, s'arracha à son lit douillet et se rua vers la salle de bains.

Flûte, elle ne pouvait pas arriver en retard le deuxième jour. Quel curieux concours de circonstances ! Elle n'avait pas dormi aussi bien depuis des mois.

La réponse coulait de source : elle était heureuse lorsqu'elle s'était mise au lit. Tim l'avait régalée d'une description pittoresque du match de foot ; l'ambiance cordiale de St. Luke l'avait ragaillardie. Jane et Harry...

Harry Paradine !

Ses joues s'empourprèrent au souvenir de son rêve. Comment son subconscient avait-il pu forger un tableau aussi saugrenu ? Pourquoi s'asseoir à ses pieds comme... comme une suppliante ?

Pas de panique ! Ce n'était qu'un songe... Personne — son patron en premier — n'en saurait jamais rien.

Elle actionna le robinet d'eau froide et tendit son visage vers les millions d'aiguilles glacées qui lui mordirent la peau. Après quelques minutes de cette torture, elle se sécha, enfila un jean et un T-shirt, brossa sa chevelure humide et descendit quatre à quatre dans la cuisine.

— Tiens, voilà ton orange pressée, dit Tim en lui tendant un verre. Ne t'affole pas, j'ai connu pire.

— Merci, mon ange. Tu as de l'argent pour la cantine ?

— Oui, j'ai payé hier. Allez, file.

L'espace d'une seconde, elle songea à l'embrasser sur la joue, comme l'aurait fait leur mère, mais elle se borna à lui tapoter l'épaule en passant.

— Travaille bien.

— Toi aussi. A ce soir.

Sur la route de l'hôpital, elle adressa une prière à sa bonne étoile pour ne pas tomber dès son arrivée sur son patron.

Son vœu fut comblé. Des giboulées avaient transformé les routes en patinoire, à l'heure où la circulation devenait la plus intense, et les ambulances dépêchées par le Samu avaient conduit aux urgences les conducteurs imprudents ou malchanceux. Par bonheur, la plupart souffraient de blessures mineures qui réclamaient néanmoins des soins appropriés.

Il était inévitable, bien sûr, qu'elle croise Harry, et la rencontre eut lieu dans la matinée. De fait, elle l'aperçut au moment même où une jeune femme livide avançait en zigzag dans la réception, un mouchoir trempé de sang plaqué sur son œil droit.

— Allons dans une salle d'examen, dit Harry en la soutenant par le bras, tandis qu'Emily saisissait l'autre.

— La deux est libre. Madame, comment vous appelez-vous ?

— Nancy... Nancy Gibbon, bredouilla la blessée.

Harry l'aida à s'étendre sur le lit dont Emily redressa les deux extrémités. Puis ils troquèrent le jean et le chemisier maculé de sang contre une chemise de nuit réglementaire.

Avec une délicatesse infinie, Harry détacha la main cramponnée au pansement de fortune. Le sang coulait de l'arcade sourcilière et de la paupière inférieure, masquant l'œil d'un voile pourpre. Des éclats de verre micro-

176

scopiques étaient incrustés dans les plaies, sans qu'on puisse déterminer si le globe oculaire avait été atteint.

— J'ai mal, gémit Nancy.

— Nous allons vous injecter un analgésique, dit Harry.

D'un mouvement preste, Emily déchira l'emballage qui enveloppait une seringue stérile et ouvrit le tiroir où étaient rangées les ampoules.

— Codéine, péthidine ?

— Codéine. Sortez ensuite un anesthésiant local et appliquez-le sur la zone à traiter. Après, on nettoiera les coupures, sans toucher aux fragments de verre, et j'injecterai de l'améthocaïne à zéro vingt-cinq pour cent directement dans l'œil.

— Nancy, je vais vous faire une piqûre dans le côté gauche, dit Emily en s'emparant d'un coton. Voulez-vous vous tourner sur le côté ? Vous ne sentirez presque rien.

— La douleur s'estompera bientôt, renchérit Harry. Quand le médicament aura agi, je retirerai les éclats de verre qui ont dû se nicher à l'intérieur des lacérations. Pouvez-vous me raconter en quelques mots ce qui vous est arrivé ?

Nancy relata ses malheurs d'une voix entrecoupée de sanglots. Apparemment, elle avait eu une scène avec son fiancé. Fou de rage, ce dernier l'avait frappée avec le goulot d'une bouteille brisée, ce qui expliquait les entailles en forme de cercle.

— Espérons que l'œil est indemne, conclut Harry, tandis qu'Emily épongeait le sang qui collait aux paupières de la patiente avec un tampon de gaze imprégné d'antiseptique. Avez-vous l'impression qu'il y a des éclats de verre dedans ?

— Non, mais il me fait très mal.

— Vous avez reçu un coup violent à l'arcade. Les gouttes vont diminuer la douleur. En attendant, gardez votre œil bien ouvert pendant que je vérifie l'absence de lésions.

A l'aide d'un ophtalmoscope, il procéda à un examen minutieux de la pupille et de la cornée. Puis il se redressa en poussant un soupir satisfait.

— Apparemment, il n'y a rien... Mais l'ophtalmologiste va venir vous ausculter. A présent, mettons-nous au travail.

Du doigt, il toucha le sourcil puis la pommette de Nancy pour vérifier l'action de l'anesthésie locale.

— Vous sentez mes doigts ?

— A peine.

— A la bonne heure ! Nous allons nous attaquer aux éclats de verre et poser çà et là quelques points de suture. Par chance, la plupart des plaies sont très nettes.

Une lueur d'effroi traversa les prunelles de Nancy.

— C'est grave, docteur ?

— Non, vos coupures sont superficielles et réclament juste un sparadrap ou quelques minuscules points de suture qui ne se verront plus dans quelques mois. N'est-ce pas, mademoiselle Prince ?

Emily leva les yeux de la fiche de soins qu'elle remplissait et se retrouva sous le pouvoir de deux yeux d'un brun velouté. En un éclair, elle fut projetée dans son rêve de la nuit précédente, quand, dans un décor de conte de fées, elle fixait le regard intense au-dessus du masque chirurgical.

A ce souvenir, elle rougit, puis devint toute pâle, consciente du regard étonné de son vis-à-vis.

— Le Dr Paradine a raison. Vos blessures vont se cicatriser totalement.

« Vos blessures physiques, pas morales, ajouta-t-elle en son for intérieur. Vous n'oublierez jamais le geste assassin de votre petit ami. »

— Bon, on peut commencer. Vous sentirez quelques tiraillements désagréables, mais ça ne fera pas mal. Gardez votre tête immobile, fermez vos yeux et détendez-vous.

Méticuleux à l'extrême, Harry mit presque une heure à extraire les éclats de verre avant de permettre à Emily de nettoyer chaque plaie avec une solution saline et les saupoudrer d'antibiotiques.

Malgré elle, la jeune femme admira les gestes adroits des longs doigts recouverts d'une fine pellicule de latex.

Les mains du médecin étaient larges, à l'image de sa carrure, et le bout des doigts, bien ronds, contrairement à ceux de certains chirurgiens. Il les utilisait cependant de manière que les pinces ultra-fines deviennent comme une extension de lui-même, explorant chaque entaille avec une précision diabolique.

Ils n'échangèrent pas une parole pendant l'opération. Elles étaient superflues. Ils travaillaient en symbiose, dans la même harmonie que la veille.

Une fois les pansements terminés, Harry massa sa nuque raide. Ses muscles puissants saillaient sous sa blouse blanche et ses manches roulées jusqu'aux coudes dévoilaient une peau hâlée.

— Le supplice est terminé, Nancy; je vous confie aux bons soins de Mlle Prince.

Il sourit à Emily qui, en retour, lui décocha un sourire radieux qui le transporta au septième ciel.

— L'ophtalmologiste va descendre vous ausculter, mais je veux que vous vous reposiez une heure minimum avant de rentrer chez vous.

Après son départ, la jeune femme jeta les tampons et les seringues usagés, stérilisa les instruments et regarnit le chariot. Puis elle soigna d'autres patients, retournant entre chaque intervention dans la salle de soins pour jeter un coup d'œil sur sa patiente.

A 13 heures, après la visite de l'interne en ophtalmologie, Nancy, encore un peu groggy, quitta l'hôpital.

— Où allez-vous? demanda Emily en l'aidant à monter dans un taxi.

— A la maison.

— Là où habite votre petit ami ?

— Oui, c'est là que je vis.

— Mais il a failli vous rendre aveugle. Vous n'avez pas une amie ou un parent chez qui vous réfugier ?

— Non. D'ailleurs, il n'a pas voulu me blesser. Il a agi sous l'empire de l'alcool.

« Combien de fois ai-je entendu ce refrain ? » songea Emily, traversée par une colère impuissante.

Immobile sur l'esplanade goudronnée qui entourait les urgences, elle fut soudain assaillie par des images cruelles. Chancelante, elle s'adossa contre le mur de brique du bâtiment, tâchant de puiser du réconfort dans la chaleur que dispensait le soleil d'avril.

— Est-ce que ça va ? Vous êtes toute blanche.

La voix profonde était reconnaissable entre mille.

Elle tourna la tête et croisa le regard soucieux de Harry Paradine.

— Oui, je vous remercie.

Elle émit un petit rire qui sonna faux même à ses propres oreilles.

— Vous me surveillez, monsieur ?

— Harry, corrigea ce dernier, ignorant l'impertinence. Avez-vous déjeuné ?

— Non, je suis en route pour le réfectoire.

— Vers une salade flétrie et une pomme pâteuse ?

Elle rit, de bon cœur cette fois.

— Sûrement, si la cuisine de St. Luke ressemble à celle du City Central.

— Elles doivent se valoir. Je vous suggère plutôt le Peacock dans Minster Street, à quelques pâtés de maison d'ici. Les plats du jour sont savoureux.

Fidèle à son principe d'entretenir avec ses collègues masculins des rapports strictement professionnels, elle s'apprêtait à se soustraire à l'invitation quand elle se ravisa. Son patron ne lui proposait pas un rendez-vous galant. Il s'inquiétait juste de sa mauvaise mine. Une attention à laquelle elle était sensible tant qu'il respecterait sa vie privée.

— Avec plaisir.

Harry chanta victoire intérieurement. Il n'avait nullement l'intention de jouer les inquisiteurs. Il gardait à l'esprit le mouvement de recul qu'elle avait eu quand il lui avait touché le bras et il était résolu à ne pas aborder de sujets personnels.

Tout en bavardant, ils se frayèrent un chemin parmi la foule d'employés et de ménagères qui profitaient du soleil éclatant pour courir les magasins et pénétrèrent à l'intérieur du Peacock lambrissé de chêne patiné par les ans.

Après un salut amical au patron, Harry conduisit la jeune femme vers une petite table dans l'encoignure d'une fenêtre sur laquelle était posé un carton de réservation.

— Le propriétaire me garde tous les jours une table jusqu'à 13 h 30. Depuis que j'ai guéri son petit garçon, il m'accorde de multiples privilèges.

— Racontez-moi.

— Commandons d'abord un verre. Que voulez-vous boire ?

— De l'eau pétillante avec un doigt de vin blanc.

— Moi aussi.

Emily le regarda fendre la foule jusqu'au bar en échangeant au passage des plaisanteries avec quelques clients — des médecins ou des internes de St. Luke, sans doute — attablés devant des mets appétissants.

Force lui était d'admettre qu'il possédait une personnalité hors du commun. Il se dégageait de lui une aura indéfinissable qui le différenciait des autres praticiens avec lesquels elle avait travaillé. La plupart d'entre eux étaient compétents, à des degrés divers ; certains, brillants dans leur spécialité, mais aucun témoignait du même charisme.

Stop ! Elle avait perdu la raison. Dresser une couronne

de lauriers à un homme... non à un médecin, rectifia-t-elle mentalement.

D'accord, il sortait de l'ordinaire. Mais un bon patron des urgences se devait d'être polyvalent : généraliste, chirurgien, spécialiste en traumatologie, et gestionnaire avisé. Avec, de surcroît, un esprit vif et un jugement sûr.

A première vue, Harry possédait toutes ces qualités. L'homme idéal. A moins que ce ne fût trop beau pour être vrai.

Alors qu'il revenait vers elle avec leurs consommations, elle se reprocha son cynisme envers la gent masculine. Si seulement elle pouvait remonter les aiguilles du temps, revenir à l'époque de sa petite enfance, avant les violences de son père et la désertion de Mark. Si seulement...

Son hôte posa un verre devant elle et lui tendit le menu. Un rayon de soleil filtra à travers les vitres et caressa d'un reflet roux ses cheveux noisette.

— Vous étiez à des années-lumière, dit-il en s'asseyant sur le siège opposé.

Au moins, il avait le tact de ne pas l'interroger sur le motif de sa distraction.

— Je pensais à Nancy Gibbon.

Du moins, indirectement... La triste mésaventure de leur patiente lui avait rappelé le calvaire de sa mère.

— Elle est retournée auprès du sauvage qui a failli la défigurer. C'est classique, mais chaque fois, je tombe des nues.

— Je sais. C'est désolant de voir les femmes prêtes à excuser l'agressivité de leur partenaire. Les brutes prospèrent dans toutes les classes sociales, pas seulement dans les milieux les plus pauvres ou les plus mal logés. Hélas, on ne peut pas faire grand-chose, hormis réparer les dommages.

Les doigts d'Emily se crispèrent sur le menu. A croire qu'il connaissait son secret...

Absurde ! Il ne pouvait pas savoir.

— Dites-moi pourquoi le propriétaire vous traite comme un pacha.

— Dès que nous aurons commandé.

Ils choisirent tous les deux un sauté de veau aux pâtes fraîches ; mais quand Harry revint du bar avec une assiette de pistaches offerte par la maison, elle insista pour qu'il tienne sa promesse.

— Ne prolongez pas le suspense !

Il s'exécuta de bonne grâce.

— Il y a environ un an, le fils de Bob âgé de trois ans, a avalé une capsule de bouteille d'eau minérale en jouant dans la cour où son père avait disposé quelques tables. Le temps de conduire Ryan à St. Luke, la situation était devenue critique : l'objet s'était logé en travers de la gorge et il ne respirait quasiment plus. Je lui ai fait alors une trachéotomie et je l'ai ballonné jusqu'à ce qu'il reprenne des couleurs.

— Je déteste les trachéotomies.

— Vous n'êtes pas la seule. On tente l'opération de la dernière chance avec le sentiment qu'on joue son va-tout. Dieu merci, ça marche dans la plupart des cas.

— Cela a sauvé Ryan.

— Oui. Bien que je lui aie dit que n'importe quel médecin en aurait fait autant, Bob ne tarie pas d'éloges sur mon compte.

— Cela ne m'étonne pas. Les effets de l'asphyxie sont terribles : visage bleu, respiration inexistante, puis, soudain, le patient revient à la vie. Un spectacle poignant quand il s'agit d'un enfant.

— C'est exact. Les enfants en danger nous bouleversent toujours, n'est-ce pas ? Ils semblent si innocents, si fragiles. Même s'ils sont loin d'être des anges. J'ai déjà eu affaire à de petits démons qui ont mis ma patience à rude épreuve.

Emily tâcha d'ignorer l'exquise sensation que lui procurait le regard de son interlocuteur.

— Moi aussi. Je plains leurs parents, bien que ceux-ci les gâtent sûrement beaucoup trop.

Tout en rêvant de passer un doigt sur les lèvres pleines si attirantes, Harry tâcha de prendre un ton naturel :

— Tandis que d'autres les négligent ou les maltraitent. Elever des enfants est un dur métier. Du moins, je le crois, car je n'ai pas d'expérience dans ce domaine.

Tout en parlant, il lui vint à l'esprit qu'Emily se retrouvait dans cette situation puisqu'elle prenait soin de son jeune frère. Trouvait-elle la tâche ardue ? L'adolescence n'était pas l'âge le plus facile, surtout pour une jeune femme seule. A en juger par l'aisance avec laquelle elle avait dompté les deux « terreurs » de la veille, elle ne manquait pas de finesse et de diplomatie.

La vulnérabilité qu'il avait perçue était-elle alors le fruit de son imagination ? Non, il existait en elle une fracture secrète. Et s'il faisait fausse route ? Il prenait peut-être ses désirs pour des réalités sous l'influence d'un machisme typiquement masculin. Non que ce fût son défaut majeur. Il respectait trop les femmes pour afficher des airs de supériorité. Encore moins pour les considérer comme le sexe faible, sauf circonstances rarissimes où la force physique à l'état brut s'avérait un atout.

D'ailleurs, homme ou femme, tout le monde avait ses faiblesses. En tant que médecin, il était bien payé pour le savoir.

En buvant une gorgée de vin, il étudia en coulisse le visage d'Emily, brûlant de découvrir la raison de la mélancolie qui voilait son regard quand elle ne se croyait pas observée.

A cent lieues de là, la jeune femme s'interrogeait sur son rôle d'éducatrice. Etait-elle trop indulgente vis-à-vis de Tim traumatisé par le drame qu'il venait de vivre ? Pouvait-on gâcher le caractère d'un garçon de quinze ans, naguère si affectueux, si expansif ? La veille et ce matin, il avait été adorable. A l'opposé de l'adolescent capricieux.

184

Non, elle ne pouvait pas se tromper à ce point.

Elle soupira machinalement et se rendit compte trop tard de son manque de discrétion.

— Un soupir à fendre l'âme..., dit Harry avec une pointe de malice.

L'espace d'une seconde, elle envisagea de lui exprimer ses doutes, puis elle repoussa cette idée. Pas question de se confier à un homme doué d'un tel charisme. Elle réglerait à sa manière ses problèmes avec Tim, comme elle l'avait fait depuis la mort de sa mère.

— J'étais en train de penser combien vous aviez raison. S'occuper d'un enfant est un parcours sur une corde raide.

L'arrivée du sauté de veau garni de pâtes fraîches la sauva d'une explication embarrassante.

— Mmm, ça sent bon !

— Ils n'utilisent que des produits frais, dit Harry, conscient du soulagement d'Emily. Mangeons. Vous devez être affamée après une matinée exténuante.

— Oui, je l'avoue. Je vous remercie de ce déjeuner délicieux. Le jour et la nuit avec la cantine...

— Un plaisir pour moi, murmura-t-il en se demandant si elle soupçonnait combien il était ravi d'être assis en face d'elle.

Ils terminaient leurs assiettes quand le bourdonnement du téléphone portable couvrit le bruit de leur conversation.

Harry sortit l'appareil du fond de la poche de sa veste de tweed.

— Excusez-moi.

— Je vous en prie...

Appuyant sur la touche de connexion, il plaqua le combiné contre son oreille.

— Allô...

Il écouta son correspondant pendant une minute et répondit d'un ton bref :

— Entendu. Attendez jusqu'à ce que nous soyons quatre pour le bouger. J'arrive.

Il se leva de son siège.

— Pas de café, je le crains. Tout le monde sur le pont. Jane m'informe de l'arrivée d'un blessé avec une suspicion de lésion à la moelle épinière : un maçon, tombé d'un échafaudage. Un grand gaillard, d'après les brancardiers.

Six minutes plus tard, l'ambulance se garait devant l'entrée des urgences dans un hurlement de sirènes. Les brancardiers, avec l'aide de Harry et de Jonathan, l'interne de service, sortirent la civière de l'arrière du véhicule et la placèrent sur un chariot qu'ils roulèrent jusqu'à la salle de traumatologie.

Emily leur emboîta le pas, le bras levé pour tenir en hauteur la poche de perfusion, tandis que Jane s'occupait du masque et du ballon d'oxygène.

Ainsi que l'avait prédit Harry, toute l'équipe dut joindre ses forces pour soulever Kevin Strange à demi conscient et l'étendre sur la table d'examen, la tête et la colonne vertébrale dans un alignement parfait pour éviter des dommages irréversibles. Une minerve contribuait à prévenir un déplacement des cervicales, mais Sally Lyons, une autre infirmière, fut désignée pour lui tenir la tête durant l'opération tandis que Beth lui maintenait les jambes parallèles.

Jane remercia ensuite Beth et Sally et resta avec Emily pour assister les deux médecins.

Harry expédia Jonathan au service d'orthopédie.

— Allez me chercher Julian Knight. Faites vite. S'il est occupé, ramenez-moi son adjoint. Dites aussi à la surveillante de préparer un lit et prévenez la radiologie.

Tandis que l'interne se précipitait vers un téléphone, Emily et Jane coupèrent le bleu de travail, permettant ainsi à Harry d'introduire un cathéter de Swan-Ganz pour réguler la tension artérielle. Le pouls était encore très

186

faible, mais la respiration, sous ventilation, régulière. Certains muscles réagissaient, mais aucun à partir de la taille.

Le médecin se pencha sur le patient léthargique.

— Je vais introduire un tube nasogastrique et le faire descendre jusqu'à votre estomac pour empêcher un grossissement des intestins.

— Vous voulez dire qu'ils se paralysent, murmura Kevin d'une voix à peine audible. Comme mes jambes.

— Plus ou moins. Mais ils émettent des bruits, ce qui est bon signe.

Tandis qu'il insérait un tube flexible dans la paroi nasale puis la sonde, Emily brancha le moniteur cardiaque et consigna les chiffres des fonctions vitales sur la fiche de soins.

Indifférents au monde extérieur, tous les trois travaillaient avec célérité, coordonnant leurs mouvements comme s'ils exécutaient un ballet orchestré de longue date.

Beth passa soudain la tête dans l'entrebâillement de la porte.

— Quelqu'un est-il disponible? Il y a affluence et on ne sait plus où donner de la tête.

— J'y vais, dit la surveillante en levant les bras au ciel. Emily, restez avec Harry.

Jonathan surgit quelques minutes plus tard.

— Désolé d'avoir été si long. M. Knight vient de sortir du bloc avec son assistant et il descend dans dix minutes. Le dragon qui gère la section des soins intensifs se débrouille pour nous trouver un lit, mais elle vous implore de ne plus lui envoyer de patients.

— La pauvre..., dit Harry, compatissant. Occupez-vous des autres urgences. Je peux me débrouiller avec Emily.

Trente minutes plus tard, Kevin Strange était transféré en radiologie. Julian Knight en personne l'avait ausculté et prescrit une batterie de tests pour déterminer les dommages éventuels subis par la colonne vertébrale.

— L'absence de réaction musculaire peut être due au choc, expliqua celui-ci au jeune maçon avec la prudence habituelle. Tant que nous n'aurons pas les clichés des radios et les images du scanner, il est impossible de se prononcer. Si on constate des lésions, nous interviendrons sur-le-champ pour en limiter les conséquences.

Harry accompagna son confrère jusqu'à la porte.

— Merci d'être venu si vite, Julian.

Le chirurgien ébaucha un sourire.

— De rien. Je prends toujours au sérieux tes appels.

Peu après le départ de l'orthopédiste, les brancardiers entrèrent avec un chariot vide.

— Restez confiant, dit Harry en pressant l'épaule de Kevin, vous êtes en de bonnes mains. M. Knight, qui dirige le service d'orthopédie, ne compte plus ses succès.

Le jeune maçon était l'image même de la désolation. Le carcan rigide des blocs de maintien qui entouraient son visage livide le rendait pathétique.

— Si vous le dites, doc, murmura-t-il d'une voix vibrante d'anxiété. Que vais-je devenir sans l'usage de mes jambes ? Sont-elles, oui non, paralysées ?

— Pour l'instant, elles ne réagissent pas, mais nous ne savons pas si c'est un état définitif ou une phase temporaire consécutive à la chute. De nos jours, la médecine dispose d'une série de traitements ou d'interventions sophistiquées pour soigner les blessures de la colonne vertébrale. En outre, le fait que vous soyez pris en charge par un des meilleurs spécialistes du pays représente un atout supplémentaire. Tenez bon. Quel que soit le résultat des radios, accrochez-vous. Vous êtes jeune, en excellente condition physique. Ne perdez pas espoir. Battez-vous.

— A quoi vais-je servir ? Pauvre Mary... autant mourir, murmura Kevin, tandis que les brancardiers poussaient le chariot dans le corridor.

188

Harry jura à voix basse.

— Que dire à un patient dépressif? Faut-il lui remonter le moral, au risque de déformer la vérité, ou l'informer sans détour de la situation, à la manière de Julian?

Emily, occupée à ranger la pièce, interrompit sa besogne, croisa le regard rongé par le doute et secoua la tête, sans parvenir à trouver des mots réconfortants.

— Je l'ignore. Après plusieurs années aux urgences, je ne connais toujours pas la réponse. Je pense qu'on doit se fier à son intuition. En ce qui concerne le cas qui nous occupe, vous avez trouvé le juste équilibre.

— Malgré ses propos morbides?

— Oui. Pour l'instant, le fardeau lui semble écrasant, mais il se rappellera plus tard vos paroles et son instinct combatif reprendra le dessus.

— Vous le pensez?

— Oui, sincèrement.

Un large sourire adoucit le visage crispé.

— Merci. Votre soutien me réchauffe le cœur. A propos...

La voix de Harry mourut, tandis que Jane se profilait dans l'encadrement de la porte.

— Navrée de vous interrompre, mais pouvez-vous vous entretenir avec la femme de Kevin? Nous l'avons interceptée à la réception et conduite dans votre bureau. A moins que vous préfériez qu'elle se rende directement en orthopédie?

— Non. Je vais la voir.

Il poussa un profond soupir.

— L'annonce des mauvaises nouvelles est la partie la plus désagréable du métier. Nom d'une pipe, je pense parfois que je me suis trompé de vocation! Pourquoi ne suis-je pas avocat ou architecte?

« Parce que vous vous souciez des autres », se dit Emily en le regardant disparaître dans le corridor.

**

Elle ne revit pas Harry ce jour-là, ni le lendemain.

— Il fait une communication au congrès de traumatologie de Newcastle, lui annonça Jane. Ensuite, il prend quelques jours de congés. Il faudra donc qu'on se débrouille la semaine prochaine avec Jonathan et le Dr Manning.

Une vague de déception traversa Emily. Pourquoi ne l'avait-il pas avertie de son absence? Peut-être était-il sur le point de le faire quand la surveillante l'avait appelé à la rescousse?

Quelle importance? Il n'avait pas de comptes à lui rendre. Elle n'était qu'un membre de son équipe. La petite nouvelle, par-dessus le marché.

— Je me réjouis de rencontrer le Dr Manning, dit-elle en simulant l'enthousiasme.

— Il sera là d'une seconde à l'autre.

— Comment est-il?

— La quarantaine, d'un caractère égal et heureux en ménage. Ce n'est pas un foudre de guerre, mais il est sérieux et compétent. En un mot, le parfait adjoint. Il ne possède pas le flair du Dr Paradine ou son savoir-faire — de toute façon, peu de médecins des urgences soutiennent la comparaison avec lui. Mais ils forment un bon tandem et il semble satisfait de son sort.

Les dix jours suivants, le rythme de travail fluctua entre la bousculade et le calme plat. Aux urgences, toute prévision se révélait inutile. De même, il était difficile pour Emily de prédire l'humeur de Tim, tantôt au mieux de sa forme, tantôt enfermé dans un silence morose ou derrière un mur de défiance.

Soucieuse de ne pas envenimer les choses, elle ne bronchait pas : la fin de la saison de football et le début des championnats d'athlétisme avaient rouvert les blessures de son frère en lui rappelant sa vie d'autrefois.

A en juger par son boitillement accru et ses traits tirés, il souffrait de son pied ; pourtant, il refusait de faire sa physiothérapie ou de voir son généraliste.

L'idée de recourir à un psychiatre la titilla de nouveau, mais elle la repoussa, sachant d'avance qu'elle n'obtiendrait pas l'accord de Tim. Cette pensée lui remémora son rêve de palmiers, de sable blanc, et Harry Paradine dans le rôle principal...

Elle se traita de sotte, mais ne parvint pas à le chasser de sa tête. Comme tout le personnel, elle attendait son retour avec une impatience manifeste.

Guy Manning et Jonathan Jones s'en sortaient bien, mais les deux ensemble n'égalaient pas le talent de leur patron à établir le bon diagnostic et à stabiliser un patient en un temps record.

— Dieu merci, il rentre dans quelques jours ! s'écria Jane un après-midi, tandis qu'elle avalait une rapide tasse de thé après une intervention éprouvante, où l'absence du consultant s'était fait singulièrement sentir. Il vous aurait félicité de votre présence d'esprit. Il déteste les changements d'équipe, mais depuis le début, votre professionnalisme l'impressionne.

— J'essaye de donner le meilleur de moi-même, murmura Emily, aux anges.

La surveillante se mit à rire.

— Et vous réussissez à la perfection. J'espère que vous n'allez pas vous lasser de notre sage ville de province et vous languir des fastes de la capitale.

— Aucun danger... Je me plais beaucoup à St. Luke et j'ai la ferme intention de rester à Chellminster.

Jane lui lança un regard aigu.

— Bien sûr, vous avez votre frère à charge. Comment ça se passe avec lui ?

C'était une invite aux confidences. Jane, mère de jumeaux de dix-huit ans étudiants à l'université, devait tout savoir sur la crise de l'adolescence. Bien que tentée,

Emily s'abstint cependant d'évoquer les problèmes de Tim. A ses yeux, cela équivalait à une trahison.

— Bien. Les examens approchent et cela le rend nerveux, comme tous ses camarades de classe.

— Racontez-moi. Dieu soit loué, mes deux garçons sont en première année d'université et bénéficient d'un an de répit.

— A propos de répit, ne devrions-nous pas retourner auprès de nos patients ?

Le lendemain, Emily resta chez elle, en raison des deux jours de garde qu'elle avait effectués le week-end précédent.

Aucun nuage ne troublait le ciel pur et le soleil de la fin avril dispensait une chaleur printanière.

Si seulement le moral de Tim pouvait grimper aussi haut que le baromètre, songea-t-elle en le regardant s'éloigner dans l'allée en tirant la jambe.

Il n'avait pas desserré les dents pendant son petit déjeuner — un verre de Coca et un bout de toast. Il avait émis un vague grognement quand elle lui avait demandé à quelle heure il rentrait. Puis il avait pris son sac bourré de livres et s'était esquivé.

— Bonne journée quand même...

En essuyant des larmes de tristesse et de frustration, elle se morigéna sans complaisance.

« Ma fille, ce qu'il te faut, c'est un bon bol d'oxygène et un dur labeur physique pour stimuler les endorphines du cerveau. Une séance de jardinage me paraît un remède souverain. »

Forte de cette résolution, elle tailla les haies, arracha des tonnes de mauvaises herbes et bêcha les plates-bandes qui longeaient la pelouse. Peu à peu, son désarroi s'estompa, remplacé par de tendres souvenirs de sa mère qui soignait les plantes mieux que personne.

Elle leva les yeux vers le ciel radieux.

Sa mère avait raison. Le jardinage était la thérapie incomparable.

Après une pause sandwich, elle retourna à son paradis champêtre. Elle commença à biner la terre meuble quand un grondement de moteur lui fit tendre l'oreille. Une automobile noire roulait dans l'allée de la propriété adjacente, suivie par un véhicule plus important.

Prudemment, elle se redressa et jeta un coup d'œil furtif par-dessus les buissons de lavande. Un camion de déménagement se garait devant le proche du cottage voisin, dans le sillage de la voiture stationnée un peu plus loin.

Des hommes sautèrent de la cabine. La portière du conducteur de la Range Rover s'ouvrit à son tour.

Amusée par son comportement de vieille dame indiscrète, à l'affût derrière ses rideaux, Emily se recroquevilla derrière la haie.

Un bourdonnement de voix masculines rompit le chant des oiseaux, ponctué par le grincement des portes arrière du camion.

Elle attendit un moment, puis risqua un nouveau coup d'œil entre les branches de lavande, juste à temps pour apercevoir une haute silhouette qui disparaissait à l'intérieur de la maison.

La stupeur lui coupa le souffle.

Pas d'erreur : ces épaules larges, cette épaisse chevelure noisette, cette démarche souple ne pouvaient appartenir qu'à un seul homme...

Harry Paradine !

3.

La stupeur pétrifia Emily. Elle fixa la maison dans laquelle avait disparu son propriétaire.

Aucun doute, elle n'avait pas rêvé : Harry Paradine habitait désormais Lavender Street.

Un curieux frisson de plaisir courut le long de son dos.

Elle maudit aussitôt sa réaction. Elle n'était pas du tout ravie de découvrir que son charismatique patron logerait à deux pas de chez elle. Elle avait misé sur une famille, avec des garçons de l'âge de Tim, et Harry était, selon son propre aveu, un célibataire qui comparait le rôle des parents à un jeu d'équilibriste. Comme s'il se félicitait d'avoir échappé à ce sort funeste et qu'il comptait bien continuer ainsi.

Des milliers de questions se bousculèrent dans sa tête.

Connaissait-il son adresse ? Comment réagirait-il quand il apprendrait qu'elle occupait le cottage voisin ? Et elle ? Comment allait-elle s'habituer à sa présence permanente — à l'hôpital et pendant ses moments de loisirs ? Redoutait-elle que s'instaure malgré elle une intimité embarrassante ? Autant de questions lourdes de signification dont elle n'avait pas les réponses.

Et Tim ? Comment prendrait-il la nouvelle ? Qu'ils le veuillent ou non, ils devraient vivre en bons termes avec le Dr Paradine.

Inutile d'en faire un drame : avec un peu de chance, ils

le verraient peu. Les invitations allaient sans doute pleuvoir dans sa boîte aux lettres. Toutes les jolies femmes de la ville en quête d'un bon parti se disputeraient ses faveurs, séduites par son magnétisme et sa belle prestance.

Comme pour en apporter la preuve, la haute silhouette du médecin se profila dans l'encadrement de la porte, comme s'il discutait avec quelqu'un qui se tenait à un niveau supérieur.

Dieu merci, il n'avait pas encore remarqué sa présence.

Immobile, Emily contempla la scène. Son instinct lui criait de se tapir derrière la haie, mais la bienséance, la fierté et le bon sens l'empêchaient de céder à cette lâcheté puérile. Tôt ou tard, il lui faudrait affronter la situation. En conséquence, mieux valait qu'elle lui fasse dès maintenant bon accueil.

Avec la sensation qu'elle montait les marches de l'échafaud, elle s'avança vers lui en longeant un parterre de fleurs luxuriantes.

Peut-être allait-il lui épargner cette épreuve en se volatilisant dans la maison?

Hélas, non. A peine eut-il fini de converser avec son interlocuteur invisible qu'il sortit sur la terrasse qui courait le long de la façade, pour livrer passage à deux déménageurs chargés d'un grand Chesterfield de cuir noir.

Le cœur battant à tout rompre, Emily ralentit le pas et déglutit. Encore quelques mètres et elle atteindrait les buissons de lavande qui la séparaient de lui... Il lui tournait le dos, mais d'une seconde à l'autre...

Harry pivota. Dès qu'il la vit, il se figea, semblable à une statue de marbre, et la dévisagea en silence.

Emily soutint son regard. Il semblait plus large, plus mince à la fois, comme une publicité vivante pour une marque de vitamines, plus masculin aussi dans sa chemise écossaise et son jean.

196

« Dis quelque chose au lieu de le dévisager sans ver-
gogne, s'ordonna-t-elle, irritée par son inertie. N'importe
quoi. *Bienvenue à Shalford*, par exemple... »

Malheureusement, aucun son ne consentait à sortir de
sa gorge. Du bout de la langue, elle humecta ses lèvres
sèches.

L'apparition de cette petite langue rose fit à Harry
l'effet d'une décharge électrique. Ce geste n'était pas une
invite. Plutôt une innocente expression d'impuissance,
trahissant une vulnérabilité à fleur de peau.

D'un pas rapide, il s'approcha d'elle et tendit la main
par-dessus les massifs touffus.

— Emily, c'est fantastique, incroyable ! Vous êtes
donc ma voisine ?

Son visage n'était que sourire, ses yeux bruns brillaient
de joie.

Recouvrant une certaine présence d'esprit, à défaut de
l'usage de la parole, la jeune femme se faufila entre les
jonquilles aux pétales d'or, les iris mauves et les horten-
sias, dérangeant au passage les abeilles qui butinaient les
fleurs à peine écloses.

Une fois parvenue près de la haie de lavande, elle
glissa la main dans la large paume qui se détachait de la
végétation et dit la première chose qui lui traversa la tête :

— Désolée, j'ai les mains sales. Je ne porte jamais de
gants de protection. J'aime tripoter la terre.

Puis, avec un temps de retard, elle ajouta, confuse de
son oubli :

— Soyez le bienvenu à Shalford.

Harry serra la petite main couverte de terreau.

— Merci.

Son sourire s'élargit.

— Il faudra que vous m'initiiez aux mystères du jardinage. J'ai vécu toute ma vie en appartement.

— Oh, ça ne s'apprend pas. Enfin, pas vraiment... C'est
un don ou une sorte d'instinct. J'ai hérité de ma mère

la passion des plantes et une partie de ses talents, mais cela n'en constitue pas moins une rude besogne.

Des éclairs pétillèrent dans les yeux de velours.

— Retourner le sol et extirper les mauvaises herbes, par exemple ? Cet aspect ne me rebute pas.

Il se moquait d'elle. En réalité, le jardinage ne l'intéressait pas. C'était juste un moyen d'engager la conversation, de flirter ouvertement avec elle. D'ailleurs, il lui tenait toujours la main.

Sous l'effet de la surprise, elle avait laissé tomber sa garde et, résultat, il en profitait pour la ridiculiser. Elle aurait dû pourtant retenir la leçon. Au fond, il ne se distinguait pas des hommes qu'elle avait connus, à part l'intelligence. Son humanité à l'égard de ses patients l'avait induite en erreur...

Toutefois, il ne devait pas se rendre compte à quel point elle était mortifiée par sa déconvenue.

— Excusez-moi, je dois retourner à mon ouvrage, dit-elle avec une pointe d'ironie.

Harry laissa retomber son bras. Pourquoi ce regard soudain dénué de chaleur et cette petite voix dure qu'elle déguisait à peine ? Avait-il commis un impair pour la mettre sur la défensive ? Diable, on avait dû la blesser profondément pour la rendre si circonspecte. A moins qu'il soit en train de se forger un roman...

— Je suis navré.

En croisant les yeux bruns chargés d'inquiétude, Emily conçut quelques doutes. L'avait-elle mal jugé ? D'instinct, elle savait qu'il était un homme réservé, aussi bien qu'un médecin d'une trempe exceptionnelle.

Ses récentes désillusions l'avaient-elles rendue soupçonneuse à l'excès ? Peut-être qu'il ne riait pas d'elle, mais de sa propre ignorance en matière de jardinage. D'ailleurs, pour le meilleur ou pour le pire, ils habitaient les deux maisons voisines. Mieux valait donc effacer les malentendus.

Elle s'éclaircit la gorge.

— Puis-je faire quelque chose ? Vous offrir une tasse de thé ou un rafraîchissement ? Les déménagements donnent toujours soif.

La proposition procura à Harry un vif soulagement. A l'évidence, il avait mal interprété le regard d'Emily. Un regard limpide dont rien n'altérait plus l'éclat.

— C'est très gentil à vous, mais un ami m'a conseillé d'approvisionner les manutentionnaires en café et en jus de fruits, et j'ai tout préparé à l'avance pour m'épargner la peine de chercher la bouilloire dans une montagne de cartons. En fait, je ferais bien de retourner à l'intérieur et de commencer à remplir les verres.

— Quelle organisation !

A sa grande stupeur, elle s'entendit ajouter :

— Venez donc dîner avec nous vers 18 heures. Cela vous évitera de déballer vos instruments de cuisine et vous rencontrerez mon frère Tim.

Compensait-elle un brusque accès de suspicion en jouant les voisines modèles ?

Harry, à l'évidence, ne le pensait pas.

— J'accepte avec plaisir, à condition d'apporter une bouteille. Du blanc ou du rouge ?

— Du rouge. J'ai prévu une poule au pot. Rien de sophistiqué, comme vous voyez. Je ne me range pas dans la catégorie des cordons-bleus.

— Ni moi dans celle des gourmets !

Une fois dans sa cuisine, Emily s'adressa moult reproches. Quelle folie de recevoir chez elle un quasi-étranger. Un parfait inconnu pour Tim par-dessus le marché ! Quelle tête ferait-il quand elle lui annoncerait la nouvelle ? Tout dépendrait de son humeur quand il rentrerait du lycée.

Avec un serrement de cœur, elle se remémora le

mutisme de son frère au petit déjeuner. A la pensée qu'il risquait de s'enfermer dans un silence buté, l'envie lui vint de courir jusqu'au cottage voisin pour annuler l'invitation.

Une chose impossible, bien sûr. Elle pouvait juste prier pour que Tim soit de bonne humeur. S'il ne l'était pas, elle l'exhorterait à se montrer au moins courtois envers leur hôte.

L'autobus local le déposa à 17 h 30 à l'angle de Lavender Street. Etait-il resté au lycée pour assister à un match ?

D'un air anxieux, Emily le regarda remonter l'allée. A première vue, il ne semblait ni fringant ni démoralisé. Son regard juvénile survola les berceaux de fleurs et s'arrêta sur la façade du cottage voisin...

Du coin de l'œil, elle l'épia depuis la fenêtre de la cuisine, les doigts crispés sur la pomme de terre qu'elle épluchait méthodiquement.

La minute de vérité !

Elle entendit le « boum » familier du sac débordant de livres et de cahiers sur la première marche de l'escalier, puis il se matérialisa sur le seuil.

— Bonsoir. Je meurs de soif ! On se croirait en plein été.

Il alla jusqu'au réfrigérateur.

— Je peux prendre un Coca, Em ?

Il parlait ! Ouf...

Elle desserra les doigts du légume qu'elle torturait.

— Si tu ne les as pas tous bus la nuit dernière !

Quand devrait-elle lui parler de leur invité surprise ?

Tim lui tendit la perche. Emergeant du réfrigérateur, une boîte de Coca à la main, il dit en tirant sur la languette :

— On a emménagé dans la maison d'à côté. J'ai remarqué les rideaux aux fenêtres... Tu as vu les occupants ?

Sous prétexte de remuer le contenu de la Cocotte-Minute, Emily lui tourna le dos.

— Oui, pendant que je jardinais... En fait, le nouveau propriétaire ne m'est pas inconnu : c'est Harry Paradine, le consultant qui dirige les urgences de St. Luke. Nous avons échangé quelques mots.

Maintenant qu'elle avait admis qu'elle connaissait leur voisin, il était naturel qu'elle l'invite à dîner.

— Quelle coïncidence ! Cela me rappelle une réplique d'Humphrey Bogart dans *Casablanca* : « De tous les bars de la ville, il a fallu que vous choisissiez le mien », dit Tim en imitant les inflexions sensuelles du célèbre acteur. Cela te gêne que ton patron habite la porte à côté ?

Emily haussa les épaules.

— A quoi bon ? Je n'y peux rien. Il semble d'un commerce agréable, d'après mes premières impressions. Je n'ai travaillé que deux jours après lui car il a pris ensuite une semaine de vacances. Un excellent médecin... aussi je ne vois pas pourquoi on ne s'entendrait pas.

D'un geste énergique, elle attaqua l'épluchage des carottes.

— A propos, je lui ai proposé de dîner avec nous, ce soir, dans le but de cimenter nos relations amicales. J'ai pensé que tu serais content de le rencontrer.

Il y eut un long silence qui lui mit les nerfs à vif. A la fin, Tim déclara d'un ton dégagé :

— Pourquoi pas ? Il faudra bien que je le salue un jour ou l'autre, mais ne compte pas sur moi pour bavarder avec lui après le dîner. J'ai une dissertation à rendre demain. Aussi, je monte dans ma chambre pour fignoler l'introduction. Appelle-moi quand ce sera prêt.

A ces mots, Emily s'interdit de nourrir trop d'espoir. Il ne refusait pas de le voir, c'était déjà un point positif.

— Entendu.

Après un coup d'œil sur la pendule, elle versa les carottes dans la cocotte et prépara une salade de fruits frais. Du moins, en partie — un « compromis », pour reprendre l'expression de sa mère — : des ananas en boîte mélangés à des rondelles de bananes, des pommes coupés en dés et des grains de raisin. Elle servirait ce dessert avec une glace à la vanille, un mélange qui ne choquerait pas le palais d'un non-gastronome et qui comblerait la gourmandise de Tim.

Harry arriva à l'heure dite, porteur d'un vin de Bordeaux.

— Il est à la bonne température, dit-il en lui tendant la bouteille.

Il avait agrémenté sa chemise écossaise d'une cravate unie. Une délicate attention, estima Emily, heureuse d'avoir troqué ses vêtements de jardinage contre une jupe droite en coton marine et un tricot sans manches en jersey de soie bleu vif, qui flattait ses yeux saphir et sa chevelure d'ébène.

Manifestement, Harry partageait cette opinion. L'admiration brillait dans les profondeurs des prunelles sombres.

— La fée des jardins changée en ravissante hôtesse !

Les joues écarlates, Emily eut soudain une conscience aiguë de la façon dont le vêtement moulait les courbes généreuses de ses seins et la finesse de sa taille.

Pourquoi diable avait-elle choisi quelque chose d'aussi... féminin ? Elle lui envoyait ainsi un signal équivoque — en parfaite contradiction avec ses intentions premières. L'invitation à dîner s'inscrivait dans le cadre de relations courtoises. Rien de plus.

« Souviens-t'en, ma fille. »

— Entrez, j'en ai pour une seconde, dit-elle en se glissant dans la cuisine pour poser la bouteille.

Quand elle pénétra dans le salon, Harry se tenait devant la fenêtre, sa haute silhouette sculptée par les rayons pourpres qui embrasaient le crépuscule. Elle marqua une pause, impressionnée malgré elle par sa belle prestance. Il émanait de lui une force, une solidité, une assurance presque contagieuse.

En entendant ses pas, il tourna la tête, un sourire aux lèvres. Pendant une fraction de seconde, le cœur d'Emily cessa de battre. Il avait un si beau sourire. La carte maîtresse de son arsenal de séduction...

— J'admirais votre jardin en me demandant si le mien soutiendra un jour la comparaison. Actuellement, c'est un vrai désastre. Je ne sais pas par quel bout commencer.

— Ma foi, vous avez du pain sur la planche car il est à l'abandon depuis des lustres. L'entretien de la maison était devenu trop lourd pour le couple de retraités qui vivaient là. A votre place, j'engagerai une entreprise de terrassement pour débroussailler cette montagne de ronces et d'orties. Une fois que la terre aura été retournée, vous établirez un plan du paysage futur et vous passerez à la phase pratique. Ce sera la partie la plus amusante. Le reste n'est qu'une question de doigté.

A dessein, elle avait pris un ton impersonnel. Si elle conservait le même détachement pendant toute la soirée, elle ne lui donnerait aucune raison de fantasmer sur le tricot de soie bleue.

Harry accueillit ce programme par une grimace cocasse, mais un regard rieur.

— Bonté divine, vous en parlez comme d'un combat !

— Une lutte perpétuelle contre les gelées, la sécheresse, les mauvaises herbes, les pucerons et autres insectes... La nature réclame des soins quotidiens, sinon elle retourne à l'état sauvage.

— Me conseillerez-vous sur le choix des plantations ?

— N'importe quel pépiniériste en sait davantage que moi.

Il haussa les épaules.

— Croyez-vous ? Ils vont me vanter l'originalité d'espèces exotiques qui ne survivront pas aux premiers frimas de décembre. Je préfère des fleurs et des arbustes faciles à reconnaître et que je n'arracherai pas par erreur. J'aime votre approche artistique. Moi aussi, je souhaite développer mon sens esthétique. Alors, qu'en dites-vous ? Me prendrez-vous comme élève ?

Pourquoi pas ? Il semblait sincère, amusé et implorant à la fois. En outre, la paysagiste qui sommeillait en elle ne demandait qu'à concevoir dans cette jungle un bel univers harmonieux. Le rêve de tout jardinier imaginatif...

— Soit, j'accepte votre proposition, mais n'attendez pas de moi des miracles. Il faut des années pour créer un jardin digne de ce nom. J'ai acquis une bonne formation auprès de ma mère, mais vous allez partir à peu près de zéro et il faudra vous montrer d'une grande patience avant de parvenir à un résultat tangible.

Harry devint tout à coup sérieux.

— J'en ai des trésors en réserve.

Pendant un instant, Emily ne put détacher ses yeux du regard lumineux qui semblait l'envelopper comme si des bras tendres s'étaient refermés sur elle. Seigneur, quelle image saugrenue !

D'un geste négligent — du moins l'espérait-elle —, elle consulta sa montre.

— Il est temps que je retourne à mes fourneaux. Voulez-vous déboucher la bouteille de vin ?

— Volontiers, dit-il en la suivant dans la cuisine.

— Le tire-bouchon se trouve dans le dernier tiroir du buffet.

Il fourragea parmi les ustensiles de cuisine tandis qu'elle égouttait les légumes.

— Je vous verse un verre ?

— Volontiers.

— Pour Tim aussi ?

— Non, il s'en tient à son précieux Coca... A ce propos, il faut que je lui dise de descendre.

— Je me réjouis de faire sa connaissance.

A ces mots, l'estomac d'Emily se contracta.

Si seulement la réciproque était vraie, se dit-elle en appelant son frère. Pourvu qu'il lui fasse honneur. Harry ne devait surtout pas se forger une mauvaise opinion de lui.

Pourquoi l'opinion de son patron revêtait à ses yeux une telle importance ? songea-t-elle, quelques heures plus tard, blottie sous sa couette. Pourquoi son jugement était-il si crucial ? Parce que les hasards de la vie l'obligeaient à nouer avec lui des relations étroites ?

En partie seulement. Sa personnalité, sa rectitude morale, sa finesse d'esprit jouaient un rôle primordial. Il avait tout de suite compris les incertitudes de Tim et procédé avec tact.

A l'opposé de Mark, si imbu de sa personne, il ne considérerait jamais un adolescent en quête de repères comme un fardeau ou un fléau. Il pouvait ne pas vouloir fonder une famille, il avait cependant de la sympathie pour une jeune garçon révolté par les injustices de la vie.

Non que Tim ait été désagréable ou agressif. La soirée s'était déroulée sans heurts.

Il avait échangé avec Harry une solide poignée de main tandis qu'elle faisait les présentations. Au cours du dîner, il s'était joint à la conversation, d'un ton réservé d'abord, puis volubile quand il s'était agi du football.

Elle avait pris un risque en introduisant le sujet. Elle ignorait les sentiments de leur hôte vis-à-vis du ballon rond, mais elle avait parié sur le fait que, supporters d'une équipe ou non, tous les hommes s'y intéressaient plus ou moins.

Par bonheur, Harry s'était révélé un connaisseur et Tim et lui s'étaient lancés dans une discussion animée sur les exploits des clubs de première division.

Mais Emily avait perdu l'appétit quand Harry avait demandé inopinément :

— Tu joues dans l'équipe du lycée ? Tu es taillé pour faire un excellent gardien de but.

Pourquoi avait-il posé cette fâcheuse question ? Il ne pouvait pas toucher une corde plus sensible. Il avait dû remarquer que Tim, en entrant dans le salon, tirait la jambe. Son sixième sens aurait dû lui souffler... lui souffler quoi ? Il ignorait tout du passé de Tim. Il avait pu croire qu'il s'était foulé la cheville. Pourquoi ne l'avait-elle pas informé du handicap de son frère ? Elle lui aurait ainsi évité un impair.

La bouche sèche, elle avait guetté la réponse de Tim. Allait-il sortir de ses gonds ou — ce qui ressemblait davantage à son caractère — quitter la table en la laissant recoller les morceaux ?

Contre toute attente, il s'était borné à hausser les épaules.

— Mon pied a été gravement blessé dans un accident de voiture qui a coûté la vie à maman et je ne peux plus courir. Avant ça, j'étais gardien de but.

Emily n'avait pas été du tout déçue par la repartie de son frère, ni par l'expression de sollicitude qui s'était inscrite aussitôt sur les traits de son invité.

— Une dure épreuve... Je savais par Emily que tu avais eu un accident, mais j'ignorais que tu en avait conservé des séquelles. Tes articulations te font-elles souffrir ?

Harry s'exprimait d'une voix sobre, chargée cependant de sympathie. Une technique qui marchait à merveille avec les patients des urgences.

« Je vous en prie, pas de ton docte, avait-elle prié en son for intérieur. Sinon Tim va perdre son sang-froid. Depuis son passage à l'hôpital, il est devenu allergique aux médecins. »

Il y avait eu un moment de silence pendant lequel elle avait redouté un éclat ou une dérobade, tactique qu'il utilisait souvent pour se soustraire aux questions malvenues.

Mais rien de tel ne s'était produit.

Tim avait levé les yeux de son assiette et planté un regard franc dans celui de Harry.

— Oui.

En les regardant tous les deux, Emily avait eu le sentiment exaltant qu'elle vivait un instant décisif.

— La physio n'atténue pas la douleur ? avait demandé Harry.

— J'y ai renoncé. C'était pire.

— Les massages soulagent.

— Les massages ! Ce n'est pas la même chose que la physio ?

— Non, une technique complémentaire. Le kinésithérapeute manipule les tissus de manière à les rendre plus souples en intensifiant la circulation du sang. Certains clubs sportifs signent des contrats annuels avec des kinésithérapeutes pour qu'ils soignent leurs membres en priorité. Dans mon club, nous en avons un, spécialisé dans les fractures et les déchirures de ligaments. Il s'occupe aussi de quelques clients privés.

Emily fixa les ténèbres de sa chambre. Elle se souvenait encore du raidissement de Tim, la lassitude qui s'était peinte sur ses traits, de sa voix rauque quand il avait objecté :

— Mais ma blessure n'a pas été causée par le sport ; alors, il ne s'intéressera pas à moi.

— Il est avant tout un professionnel. La cause lui importe peu et c'est l'état de ton pied qui retiendra son attention. D'ailleurs, tu es un footballeur, ce qui te qualifie pour bénéficier de son aide.

Les yeux de Tim avaient étincelé. Un léger rose avait coloré ses joues pâles. Puis son élan de joie s'était éteint. Il avait repoussé sa chaise avec un sourire crispé.

— Désolé, il faut que je termine mes devoirs. Je vous remercie de votre suggestion, mais, comme on me l'a dit à l'hôpital, je dois en prendre mon parti.

Harry s'était tourné vers Emily après que Tim eut regagné sa chambre.

— Ils lui ont vraiment dit ça ?

— Pas dans ces termes. Ils lui ont cependant conseillé d'accepter la situation.

— A St. Luke ?

— Non. Dans l'hôpital proche du lieu de l'accident.

Ce retour dans le passé avait réveillé les images atroces de sa mère morte et de Tim aux soins intensifs, bardé de tubes et de capteurs reliés à des écrans de contrôle.

Elle avait inspiré à fond pour masquer son chagrin et puisé une force neuve dans les paroles de Harry.

— Tim doit continuer à se battre. Tâchez de le persuader de voir mon ami kinésithérapeute. Je suis certain qu'on peut améliorer la motricité de son pied.

Emily voulait désespérément y croire.

— J'essaierai, mais il a décidé dans sa tête qu'il resterait toujours handicapé.

— Alors, vous devez le convaincre du contraire. Au moins, nous devons tenter l'impossible avant de déclarer forfait.

Le « nous » recelait quelque chose de réconfortant. Pour la première fois depuis des mois, elle disposait d'un allié. Une merveilleuse sensation de chaleur avait pénétré alors chaque fibre de son être.

Arrivée à ce stade de ses réflexions, elle sentit ses paupières s'alourdir. Il était doublement rassurant de savoir que le cottage voisin était habité non pas par un inconnu, mais par Harry Paradine. Elle lui était très reconnaissante de l'intérêt qu'il témoignait à Tim. Toutefois, elle entendait conserver ses distances. Il était trop... trop...

Sans achever sa pensée, elle glissa dans les bras de Morphée et elle dormit paisiblement jusqu'au matin.

De l'autre côté du mur de séparation, Harry finit, lui aussi, par trouver le sommeil.

Comme Emily, il avait repassé dans sa tête les événements de la journée. Depuis le moment où son cœur avait bondi de joie quand il l'avait aperçue derrière les buissons de lavande, jusqu'au moment où il avait pris congé d'elle pour regagner son logis.

Par un hasard extraordinaire, il avait jeté son dévolu sur Shalford et la chance avait voulu qu'il installe son nid à côté du sien. Sans cette merveilleuse coïncidence, il lui aurait fallu des mois pour aboutir aux rapports amicaux qu'ils avaient noués au cours de la soirée. Des rapports dans lesquels Tim avait joué, à son insu, un rôle essentiel.

Certes, du fait de sa profession, il se serait de toute manière penché sur le cas du jeune garçon. Mais le fait qu'il fût le frère d'Emily avait décuplé son zèle.

Quelles que soient ses relations futures avec Emily, il ferait tout son possible pour guérir le pied de Tim, dût-il y consacrer une bonne partie de ses loisirs. Son sixième sens lui soufflait qu'une barrière, tant physique que morale, empêchait l'adolescent de progresser.

Comme chez sa sœur, il avait décelé en lui une vulnérabilité. Lors de leur bref échange, une ombre avait obscurci son regard à plusieurs reprises.

A lui de découvrir la raison de cette fragilité et d'agir en conséquence. La disparition de sa mère constituait le nœuf de l'affaire. Une piste sérieuse à creuser...

Dans l'intervalle, il avait bien l'intention d'aider le frère et la sœur. Même si son attitude hyperprotectrice le surprenait lui-même.

L'amour qu'il portait à Emily le plongeait dans une aventure exaltante, inattendue. Il en prenait chaque jour un peu plus conscience.

De fait, à la minute où il avait posé les yeux sur Tim, quand il l'avait vu s'avancer vers lui en traînant la jambe pour lui serrer la main, il s'était senti bizarrement attiré par lui.

Peut-être à cause de son air de parenté avec sa sœur : les mêmes cheveux noirs brillants, les mêmes yeux saphir, les mêmes pommettes hautes. La ressemblance s'arrêtait là. Il était déjà grand, bien qu'il n'ait pas achevé sa croissance ; encore dégingandé, mais avec de solides épaules développées par un intense entraînement sportif.

En servant le café, Emily lui avait relaté l'accident. Son visage expressif exprimait une colère irrépressible quand elle avait évoqué le décès de sa mère et les blessures de Tim, causés par un chauffard ivre.

— Les hommes, leurs voitures, leurs maudits excès de vitesse ! s'était-elle exclamée, les yeux flamboyant d'indignation.

Il s'était bien gardé de tempérer son jugement à l'emporte-pièce — tous les hommes ne bichonnent pas leurs véhicules et tous ne conduisent pas en état d'ébriété.

Son instinct lui disait que l'amertume d'Emily ne visait pas exclusivement les conducteurs éméchés. Elle était dirigée contre les hommes en général.

Pourquoi ?

Mystère...

Elle lui avait raconté beaucoup de choses, mais pas tout. Quelle blessure secrète cachait-elle ? Si seulement il le savait...

C'était donc ça le grand amour ? Voler au secours de la femme aimée, partager sa peine, la chérir, la réconforter ?

Tandis que le sommeil le gagnait, sa dernière pensée fut pour celle qui venait de donner un véritable sens à sa vie : il ne devait pas la bousculer. Comme pour les jardins, la patience serait la clé de la réussite.

4.

Le lendemain, Emily prit son service avec dix minutes d'avance pour ne pas retarder Jane qui terminait le sien.

Elle se réjouissait de reprendre son poste. Après les surprises de la veille — le dîner en compagnie de Harry —, elle se trouvait dans une curieuse expectative, comme si le temps s'était suspendu dans l'attente d'un nouveau rebondissement.

Consciente de sa présence dans la maison voisine et écartelée entre le désir de le voir et celui de l'éviter, elle avait résolu son dilemme par un grand nettoyage de printemps.

Un stratagème inutile : tout était calme, affreusement calme, comme si le cottage numéro 2 était redevenu le château de la Belle au bois dormant.

Bizarre... Des bruits auraient dû filtrer à travers le mur mitoyen. De la musique, par exemple. Ne lui avait-il pas dit qu'il avait effectué les branchements de sa chaîne stéréo ? Ce silence profond était déroutant, agaçant...

Où était-il ? S'il était sorti, elle aurait entendu sa voiture...

Ce mystère la tracassa sans qu'elle puisse en déterminer la raison jusqu'à son arrivée à St. Luke. Il avait ouvert une brèche dans son système de défense et elle ne savait plus quoi penser. Le sentiment de sécurité qu'il lui inspirait allait à l'encontre de tout ce qu'elle croyait en ce qui concerne les hommes.

Depuis des mois, elle les tenait à distance et voilà qu'elle s'inquiétait aujourd'hui des allées et venues de son voisin !

Le mutisme de Tim la chiffonnait tout autant. Au petit déjeuner, il lui avait répondu par monosyllabes, plus distrait que maussade. Pensait-il à la kinésithérapie prônée par Harry ? Il avait rejeté cette suggestion, mais l'idée avait peut-être fait son chemin durant la nuit ?

Malgré sa curiosité, elle s'était abstenue de lui poser la question. Cette décision, il devait la prendre tout seul. Elle pouvait juste lui prêter une oreille attentive le moment voulu.

En règle générale, les urgences enregistraient en début d'après-midi un regain d'activités. Sans perdre une minute, elle entra dans le bureau de Jane. Personne. Elle sortit en trombe, en direction du poste des infirmières, et percuta une haute silhouette masculine qui débouchait de l'angle du corridor.

— Désolé ! dit Harry en la soutenant par les épaules pour l'aider à recouvrer son équilibre. Tout va bien ?

— Ainsi, c'est là que vous vous cachiez !

Le médecin parut surpris et... amusé.

— Expliquez-moi, je ne vous suis plus...

Les joues en feu, Emily plaqua sa main sur la bouche. Trop tard. Les mots avaient trahi sa pensée.

— Oh, non !

Comment lui dire qu'elle l'avait cherché toute la matinée ?

— Je...

L'apparition de Beth Campbell la sauva du ridicule.

— Docteur, pourriez-vous venir ?

— J'arrive.

Harry laissa retomber ses mains.

— Je vous verrai plus tard et vous éclairerez ma lanterne.

« Pas si je peux l'éviter », songea Emily en se félicitant du répit qui lui était accordé.

212

Mais quelle excuse invoquer s'il revenait à la charge ? Elle avait l'affreux pressentiment qu'il ne s'en tiendrait pas à des banalités, quelles que soient ses manœuvres de diversion.

« Je me demandais où vous étiez. Je ne vous ai pas entendu ni aperçu par la fenêtre... »

Très drôle. Il allait croire qu'elle l'espionnait.

« Et comment ! » railla une petite voix moqueuse.

Non, juste un brin de curiosité...

« Allons donc ! » riposta la voix moqueuse qui ne désarmait pas.

Des pas résonnèrent derrière elle, et elle fit volte-face.

— Ah, Jane !

— Entrez, nous allons faire le point.

Dans le bureau, la surveillante lui présenta en termes concis les traitements en cours.

— Rien de dramatique, hormis David Walters, un jeune garçon de treize ans qui a reçu un ballon de foot en pleine poitrine. Harry craint, à juste titre, des lésions internes, bien qu'on n'ait décelé aucun bruit intestinal suspect au stéthoscope ni aucun signe d'hémorragie. Toutefois, la prudence étant la mère de toutes les vertus, il a prescrit des radios du thorax — de face et de profil.

— Un bilan sanguin ?

— C'est fait. Tension, pouls, et auscultation tous les quarts d'heure. La zone touchée est distendue, aussi, passez lentement le stéthoscope.

Jane s'interrompit avec une grimace d'excuse.

— Désolée... Inutile de vous rappeler le B.A.BA.

— Merci. Il souffre beaucoup ?

— Plutôt, mais il est stoïque. Harry a expliqué au jeune Dave qu'il lui donnerait un antalgique quand les examens seraient finis, de préférence après l'arrivée de ses parents. Il prend donc son mal en patience, mais je suis allée le rassurer à plusieurs reprises.

— Je continuerai. Autre chose ?

— Ray Miller, dix-sept ans, attend dans la petite salle d'intervention que l'anesthésie locale agisse pour qu'on incise son furoncle. Il est sous antibiotiques pour juguler l'infection. Autant vous prévenir : il est crasseux, sous-alimenté et fumeur. Mais aucune trace d'aiguille, confirmée par l'examen toxicologique. Surveillez-le quand même au cas où il lui prendrait l'envie de s'offrir un voyage dans les paradis artificiels.

— Promis.

Emily ravala un mouvement de colère. Elle n'était pas là pour juger les patients, mais pour leur prodiguer les meilleurs soins. Le pauvre garçon était sans doute au chômage, sans domicile fixe...

— Hé ! s'exclama Jane en riant. Si vous êtes dans la lune, je ne vais pas oser partir.

Emily leva les deux mains.

— Désolée, je suis tout ouïe.

— Juste quelques mots sur la dernière de la liste : Sheila Cornell, cinquante ans, qui s'est évanouie devant le portail de l'hôpital. Elle souffre d'une hyperménorrhée due à la ménopause. Sa pression artérielle se situe dans la normale, mais le pouls est rapide. Harry veut qu'elle se repose avant de rentrer chez elle. Il a rédigé une lettre à l'intention de son généraliste. La procédure habituelle : encouragez-la à boire le plus possible.

— Entendu. A présent, filez et amusez-vous bien.

— Ne m'en parlez pas ! Lessive, repassage et supermarché ! Les réjouissances ordinaires... Heureusement, mon cher époux m'invite au restaurant. Au moins, je n'aurais pas à cuisiner... A propos, j'ai appris qu'hier soir vous aviez pris en pitié votre nouveau voisin et que vous l'avez régalé d'une poule au pot.

Emily tenta de masquer sa confusion sous un rire léger.

— Vous avez des espions partout !

Non, Jane n'en avait pas besoin. Harry avait dû lui raconter sa soirée car ils étaient d'excellents amis.

214

— Mieux que ça : une source digne de foi. Harry n'avait, ce matin, que votre nom à la bouche. Le fait de devenir votre voisin l'enchante. Et vous ? Cela fait quel effet d'habiter à côté du patron ?

Elle éluda la question.

— Je suis tombée des nues. Pourquoi ne pas m'avoir prévenue ?

— Je savais qu'il avait acheté une maison, mais j'ignorais où. Quand il l'évoquait, il employait des expressions lyriques du genre « ma retraite bucolique », « mon paradis champêtre », « mon refuge pastoral, loin de la foule déchaînée et des vapeurs d'essence ».

— On ne peut guère parler de campagne à propos de Shalford. Le village se trouve à quinze kilomètres de la ville.

Jane pouffa.

— Pour notre cher patron, c'est la nature sauvage. Il a fait ses études de médecine à Londres, son internat en traumatologie à Glasgow et a vécu toute son enfance à Bristol, où ses parents exerçaient dans un cabinet privé. Tous deux sont médecins généralistes, bien qu'ils soient aujourd'hui plus ou moins à la retraite. Harry est l'archétype du citadin qui aspire au retour à la terre.

Emily sourit.

— Alors, il doit être aux anges. Il possède maintenant un grand jardin où exercer ses talents.

« A condition que je lui donne un coup de main », ajouta-elle pour elle-même, en consultant sa montre épinglée à la poche de son uniforme.

— Bon, je ferais mieux de vous libérer avant qu'une urgence vous condamne à rester parmi nous.

Après le départ de la surveillante, elle entama la tournée de ses patients et commença par David Walters. Elle vérifia les signes vitaux — température, pouls, respiration, pression artérielle — et ausculta l'abdomen. Peu de changement était intervenu depuis le dernier examen de

Jane, hormis une accélération du pouls et une petite hausse de température. A cause de la douleur ? Sans doute, quoiqu'elle n'exclût pas quelque chose de plus grave.

— Comment vous sentez-vous ?

— Moulu, déliquescent... J'ai l'impression que des marteaux tambourinent mon ventre.

— Cela empire ?

— Plutôt. Une piqûre serait une bénédiction.

— Je vais en toucher un mot au Dr Paradine. Patientez encore quelques minutes.

L'estomac noué, elle partit à la recherche de Harry. Elle qui s'était promis de l'éviter... Mais tant pis, les malades primaient sur tout autre considération.

Elle le trouva dans son bureau, au téléphone. Elle attendit un instant, puis profitant d'un long silence, elle s'enhardit :

— Désolée de vous déranger, puis-je vous parler une seconde ?

Harry mit son correspondant en attente et couvrit le micro de sa main.

— Un problème ?

— David Walters, le patient « abdominal » de la salle trois. Pouls et température en légère hausse. Teint pâle, transpiration. Probablement due à la douleur. Pourriez-vous l'examiner ?

Avec un hochement de tête, il se leva et prit congé de son correspondant en lui promettant de le rappeler plus tard.

— Ce n'est pas vraiment une urgence, dit Emily. Je souhaite juste que vous jetiez un coup d'œil sur ce jeune homme avant qu'il parte à la radio.

Gentiment, il la poussa dans le corridor.

— En ce qui me concerne, je me fie à votre jugement.

Au contact de sa main, Harry la sentit se raidir. Un signe facile à traduire : « Ne touchez pas ! »

216

Déçu, il laissa retomber son bras. Il aurait pourtant juré qu'elle ne détestait pas son contact, lorsqu'elle avait buté sur lui, une heure auparavant. Après la nuit dernière, il avait cru... espéré...

« Ne te berce pas d'illusions, Paradine, se tança-t-il fermement. Une soirée agréable n'efface pas des mois, des années peut-être, de vicissitudes. Ne fonce pas, tel un bulldozer. »

— Merci. Si vous avez besoin de moi, je suis avec Ray Miller ou Sheila Cornell.

— Parfait. Je peux me débrouiller seul avec le jeune Dave. J'inciserai ensuite le furoncle.

Mme Cornell somnolait. Emily se pencha sur elle, avant de s'éclipser sur la pointe des pieds. Dans le cas présent, le repos s'avérait la meilleure médecine. Compte tenu de son hyperménorrhée, sa coloration capillaire et sa respiration dénotaient une nette amélioration.

Ray Miller, en revanche, était assis sur le bord du lit d'examen, le torse dénudé. Sa tête hirsute et ses épaules osseuses penchées en avant étaient soutenues par un oreiller calé contre la table de chevet, découvrant un furoncle écarlate au sommet de sa colonne vertébrale.

— Je n'ai pas bougé, dit-il, à la fois agressif et sur la défensive, quand elle pénétra dans la pièce. Mais je suis tout engourdi et mon cou semble paralysé.

— C'est l'effet de l'anesthésie locale, expliqua-t-elle d'une voix douce. Ainsi, vous ne sentirez rien pendant l'intervention. Patience, le médecin va bientôt vous opérer.

A la vision du corps maigre et des traits émaciés du jeune homme, elle avait senti sa colère s'évanouir. Celui-là aurait bien eu besoin de solides repas, ainsi que d'un bon bain chaud, bien que Jane eût déjà savonné la zone dorsale comprise entre la racine des cheveux et le creux des reins.

La comparaison avec le corps souple et musclé de Tim

lui donna une brusque envie de pleurer. Ray n'était pas beaucoup plus âgé que son frère...

Avait-il quitté son domicile de sa propre volonté ou à l'instigation de ses parents ? Où vivait-il à présent ? Dans un lieu à l'abandon ? Il n'existait pas de squats à Chellminster, quand elle était partie faire ses études à Londres. Ou, du moins, elle n'était pas au courant, protégée par son milieu social des dures réalités de la crise économique.

Tout en réfléchissant, elle disposa les instruments stériles sur le chariot : ciseaux, bistouri, pinces, bols, tampons de gaze, lingettes antiseptiques, pansements. Tout le nécessaire pour procéder à une opération mineure, et stopper l'infection.

Elle remplit ensuite un bol d'eau tiède et de gel moussant antibactérien. Ray avait besoin d'un second nettoyage avant que Harry n'applique du Mercurochrome autour du furoncle.

— Je vais laver votre dos, dit-elle.

— Encore ? Sapristi, votre collègue l'a déjà fait. Bientôt, je n'aurai plus de peau !

— Mais si, allons, détendez-vous. Je vous certifie que ce sera très agréable.

Harry arriva au moment où elle achevait sa besogne. Immédiatement, elle eut une conscience aiguë de sa présence.

— Terminé ?

— Oui, mais il faut que j'aille ausculter le jeune Dave avant que nous commencions.

— Inutile, il vient de partir à la radio. A propos, vous aviez raison. La douleur s'était accrue et il était si tendu qu'il n'aurait pas supporté l'examen radiographique sans analgésique.

Il reporta son regard sur Ray.

— Bien, jeune homme, mettons-nous au travail. Après, vous vous sentirez mieux. Cela piquera un peu quand l'anesthésie locale aura disparu et je vous donnerai des médicaments pour la nuit. Pour vous, pas pour vos camarades... Compris ?

— Oui, docteur.

Harry mit quinze minutes pour inciser, irriguer et débarrasser la plaie de la majeure partie du pus.

— Laissez le drain en place, Emily, et enveloppez-le de poudre antibiotique et d'un ruban de gaze avant de le couvrir d'un pansement protecteur, dit-il.

Il déposa ses gants de latex et son tablier de plastique dans la poubelle et gratifia Ray d'un sourire encourageant.

— Cela prend une bonne tournure. Quand vous partirez, arrêtez-vous à la réception et prenez un rendez-vous pour demain. Une infirmière vous changera votre bandage. Et rappelez-vous ce que je vous ai dit à propos des médicaments.

— D'accord, docteur et... euh... merci.

Harry hocha la tête.

— Prenez soin de vous.

Il regarda sa montre puis Emily avec une grimace lugubre.

— Réunion administrative, maintenant ! Je devrais être là-haut depuis dix minutes. Mais ils patienteront jusqu'à ce que j'ai vu le mari de Sheila Cornell. Guy n'est plus de service, mais Jonathan est quelque part dans nos murs. Beepez-moi si c'est nécessaire.

— Bien sûr.

Le reste de l'après-midi passa vite, grâce au flot continu de patients. Vers 18 heures, Emily s'accorda une pause à la cafétéria, le temps d'avaler un sandwich et une tasse de thé.

A son retour, elle apprit que Harry avait fait une brève incursion pendant son absence pour s'assurer que tout allait bien. Sa déception se mua en soulagement : après tout, elle avait évité un interrogatoire sur sa remarque ambiguë. Lorsqu'ils se reverraient, l'incident serait oublié.

— Il est parti donner un cours à la faculté de médecine de Porthampton, l'informa Beth. Guy est rentré chez lui. Il ne se sentait plus bon à rien après vingt-quatre heures d'astreinte. Si un cas difficile se présente, on appellera Andrew Carstairs, le chef de clinique de garde. Jonathan se débrouille de mieux en mieux. A mon sens, il est très fier d'assumer les fonctions de médecin chef.

Emily sourit.

— Une sacrée promotion ! Raison de plus pour garder un œil sur lui au cas où il ne connaîtrait plus ses limites.

Beth lui adressa un clin d'œil complice.

— Message reçu...

En fait, leurs craintes se révélèrent inutiles. La soirée se déroula sans incident et le jeune interne assisté d'une infirmière se montra à la hauteur de la tâche.

Quand Emily quitta l'hôpital, une lune resplendissante luisait dans le ciel, éclipsant de son éclat les étoiles voisines et nimbant d'un halo d'argent les tours crénelées du monastère médiéval.

La nuit était tiède en cette fin d'avril. Laissant la ville derrière elle, elle traversa la campagne endormie, humant par la vitre baissée les senteurs printanières qui montaient des talus émaillés de fleurs sauvages.

Les parfums nocturnes lui arrachèrent un soupir de contentement. La vie prenait des couleurs rutilantes depuis qu'elle travaillait à St. Luke, et force lui était d'admettre que l'omniprésent Dr Paradine tenait le rôle du magicien. Grâce à sa sollicitude envers Tim...

« Bien sûr... », répéta en écho une petite voix ironique, tandis qu'elle bifurquait dans Lavender Street.

Des lumières brillaient aux fenêtres de son cottage ; en revanche, le numéro 2 était plongé dans les ténèbres.

Son séduisant voisin n'était pas encore rentré chez lui à 22 h 30..., songea-t-elle, à la fois surprise et déçue. Après tout, quelle importance ! Elle n'était pas chargée de veiller sur lui.

Deux phares puissants balayèrent l'allée voisine, au moment où elle fermait la porte du garage.

Harry ! Prise de panique, elle arracha la clé de la serrure.

Que faire ? Se précipiter à l'intérieur ? Non, elle aurait l'air de fuir comme un malfaiteur. Il suffisait juste de lui souhaiter une bonne nuit et le tour serait joué.

La voiture s'arrêta dans un crissement de pneus. Harry descendit et avança à pas lents vers son garage. A croire que le temps lui appartenait. Jamais elle ne l'avait vu perdre son calme, même devant un arrêt cardiaque. En toute circonstance, il affichait une assurance à toute épreuve.

Puis il la vit.

En quelques enjambées, il bifurqua en direction de la haie et s'approcha de l'endroit où les buissons de lavande prolongeaient le mur de brique qui séparait les deux terrasses, surmonté d'une treille ornée d'une cascade de rosiers grimpants.

— Bonsoir, murmura Emily, habitée par une curieuse sensation de déjà-vu.

L'histoire se répétait. La veille, il s'était aussi avancé vers elle pour la saluer. Mais, cette fois, elle n'avait pas esquissé un pas pour se porter à sa rencontre.

Le visage de Harry, éclairé d'un sourire, se détachait de la masse sombre des arbustes.

— Quelle nuit délicieuse... Trop douce pour aller dormir... Allons nous promener, Emily. Grimpons jusqu'au sommet de la colline et admirons le panorama.

Il plaisantait ? Non, il semblait très sérieux.

— Je ne peux pas. Tim m'attend.

— Eh bien, allez lui dire que votre voisin vous propose une petite excursion champêtre.

— Il va croire...

— Rien du tout. Je parie qu'il est planté devant la télévision qui retransmet en direct la coupe de l'UEFA. Allez, nous avons été enfermés toute la journée ; nos poumons réclament un bol d'air pur.

Il prit une forte inspiration.

— Quelles senteurs divines !

— Du chèvrefeuille...

— J'aime leur parfum. Nous en mettrons le long du mur quand vous commencerez mes plantations.

— A *vous* de manier la bêche. Je ne dispense que les conseils.

— Mon ignorance est abyssale, Emily. Vous devez me guider pas à pas, du début à la fin.

— Vous n'avez jamais eu de jardin ? demanda-t-elle, troublée par la voix douce, mélodieuse, câline.

— Jamais. A Bristol où j'ai grandi, nous avions une cour où végétaient quelques arbustes poussiéreux, tout juste bons à attirer les chats du quartier. Le cabinet de généralistes créé par mes parents comptait une grosse clientèle désargentée et ils étaient trop occupés à les soigner pour se soucier des plantes vertes. Même maintenant, à l'âge de la retraite, ils habitent la même maison et continuent à recevoir des patients six jours sur sept.

— Ainsi, vous avez toujours baigné dans le monde médical ?

— Oui. Dès ma plus tendre enfance, j'ai voulu être médecin. Mais à la différence de mes parents, j'ai choisi une carrière hospitalière et une spécialisation en traumatologie.

Il marqua un temps d'arrêt avant de conclure d'un ton enjoué :

— Assez parlé de ma petite personne ! Et notre promenade ?

Emily se mit à rire. Bavarder avec lui dans l'obscurité la détendait merveilleusement, mais elle n'était pas prête

222

à vagabonder au clair de lune avec un homme. Pas même avec Harry Paradine au charme irrésistible...

Le charme !

Le mot déclencha en elle un frisson d'appréhension. Son père et Mark déployaient tout le leur dans le seul but de parvenir à leurs fins... Malgré la séduction qu'il exerçait sur elle, elle demeura circonspecte.

— Je regrette, pas ce soir. Il est l'heure d'aller dormir. Vous n'êtes pas fourbu après cette journée interminable ? J'aurais cru que vous auriez pris un jour de congé pour vous remettre des fatigues du déménagement.

— C'était prévu, mais la nuit dernière, l'équipe de nuit a été confrontée à un hémothorax bilatéral et Andrew Carstairs voulait un second avis. Une fois sur place... Bref, vous savez comment ça se passe. Au fond, vous avez raison, une promenade ne serait pas raisonnable. Je vous souhaite une bonne nuit. Faites de beaux rêves.

— Vous aussi, dit Emily en sortant la clé de son sac. Une autre fois peut-être. La vue est spectaculaire du haut de la colline.

— Avec plaisir.

L'espoir allégea la déception de Harry. Au lieu de l'éconduire, elle laissait une porte ouverte. Et elle l'aiderait à créer un jardin de rêve. Avec un peu de chance, ils jardineraient ensemble. Cette pensée l'emplit d'allégresse. Bientôt, ils ne se quitteraient plus.

Il s'attarda quelques minutes dans l'allée, grisé par le parfum des cerisiers en fleur, bénissant le hasard qui l'avait conduit à Shalford. Au moment même où il s'imaginait qu'il ne rencontrerait jamais la femme de sa vie, il était tombé follement, passionnément, irrémédiablement amoureux d'Emily Prince.

A présent, il n'avait qu'une seule idée en tête : attendre qu'elle découvre qu'elle lui portait les mêmes sentiments.

Tôt ou tard, elle en prendrait conscience, aucun doute là-dessus. A lui de ne pas brûler les étapes.

5.

Aux giboulées d'avril succéda le ciel d'azur de mai, entrecoupé de quelques orages sporadiques. Emily bénissait ces averses qui abreuvaient ses plates-bandes en pleine floraison.

Toute la semaine, elle n'avait pas arrêté. Le départ d'une infirmière pour un stage de formation avait accru sa charge de travail et elle n'avait eu guère le temps d'arroser ses plantes.

Et elle avait très peu vu Harry.

A l'hôpital, les hasards du planning les réunissaient souvent dans la même salle de soins, mais, en ces occasions, ils étaient trop absorbés par l'état du patient pour parler d'autre chose que de médecine.

Entre le service, les conférences de direction et les cours à la faculté, Harry n'avait pas un instant à lui. Quand il rentrait tard dans la soirée, elle se demandait chaque fois s'il sortait d'une réunion ou d'un dîner en ville, tout en se reprochant sa curiosité.

Bien qu'elle se répétât que la vie privée de son patron ne la concernait pas, elle n'arrivait pas à effacer de sa tête l'idée qu'il avait relégué le problème de Tim au second plan.

Mais peut-être attendait-il que ce dernier fasse le premier pas, qu'il saisisse la balle au bond.

Pourquoi se sentait-elle, alors, si démoralisée? Que

pouvait-elle raisonnablement espérer de plus ? Après tout, il n'était qu'un étranger. Le hasard avait voulu qu'ils soient voisins, mais ça ne signifiait pas qu'il voulait nouer avec son frère et elle des relations étroites.

Il avait tendu la main à Tim par générosité pure. Elle ne devait pas voir autre chose dans sa proposition.

Mais, par ailleurs, il semblait même se désintéresser de son jardin. Bizarre, le projet avait paru lui plaire...

Mais elle se trompait, comme elle le découvrit quelques jours plus tard.

Cet après-midi-là, elle le trouva en train de déboucher une bouteille sur sa terrasse. Pour une fois, il avait quitté l'hôpital avant elle.

— Ah, enfin ! Venez donc boire un verre.

Elle tâcha d'ignorer la bouffée de plaisir qui la submergeait.

— Mais il n'est que 17 heures et j'ai le dîner à préparer.

— Plus tard. Nous avons un événement à célébrer. Venez, Em. Ne laissez pas les bulles s'éventer.

Em !

Seuls sa mère et Tim employaient ce diminutif. Elle ne l'aurait jamais toléré de quelqu'un d'autre. Pourtant, dans la bouche de Harry, cela paraissait si naturel, si logique...

Tout à coup, il lui vint à l'esprit qu'elle ne s'était jamais amusée avec Mark. Les récréations impromptues ne figuraient pas dans sa panoplie de séducteur. Pas plus que le sens de l'humour.

Ma foi, ce serait drôle de trinquer à l'heure du thé.

« Surtout avec Harry Paradine », murmura une petite voix perfide qu'elle fit taire aussitôt.

— Volontiers ! Quelle femme sensée refuserait du champagne après une dure journée de travail ?

— Aucune !

226

Emily franchit la trouée entre la haie de lavande et le mur de brique. Harry lui avança un fauteuil en osier.

— Eh bien, qu'en pensez-vous ? dit-il en lui désignant le jardin d'un grand geste du bras.

Elle pivota dans son siège, abasourdie.

— Formidable ! Tout a été nettoyé. J'en suis ravie. Je croyais que vos projets étaient tombés à l'eau.

Harry versa du champagne dans deux flûtes et lui en tendit une. Il y eut un tintement de cristal lorsqu'ils trinquèrent, les yeux dans les yeux.

— Jamais de la vie !

— Aux fleurs et aux arbres qui embelliront ce jardin, murmura-t-elle d'une voix rauque.

Harry sourit puis son visage redevint grave.

— Sans vouloir précipiter les choses, il y a quelque chose que j'espère fêter bientôt... Cela concerne Tim.

— Tim ?

— J'ai discuté de son cas avec Bob Keefe, mon ami kinésithérapeute.

Emily tressaillit.

— Vous lui avez parlé de mon frère ?

— Pas précisément. J'ai juste décrit les fractures et les séquelles de l'accident. Bob a soigné un cas similaire, dans un contexte identique, et a obtenu des progrès spectaculaires par des massages et une rééducation progressive. Mais, pour confirmer son pronostic, il doit examiner Tim et faire une série de radios. Pourrez-vous convaincre votre frère de convenir d'un rendez-vous avec lui ?

La jeune femme prit une forte inspiration, touchée qu'il n'ait pas oublié, et qu'il ait tenu si vite sa promesse. Mais comment Tim allait-il réagir ? Saisirait-il la seule opportunité qui s'offrait à lui de marcher un jour normalement ?

— Je l'ignore. Vous avez constaté comme moi qu'il se bute dès qu'on mentionne la physiothérapie. Toutefois, s'il y a un espoir...

— A mon avis, il existe, mais je ne peux pas vous

garantir le succès. Tout ce que je peux dire, c'est que Bob s'est montré optimiste et que Tim doit le savoir... Comment est-il ces jours-ci ?

— Calme, pensif, moins grognon. Voilà pourquoi je ne veux pas le harceler avec ça. En dépit de sa réponse laconique à votre proposition, je crois que votre discours a fait une grande impression sur lui. A une ou deux reprises, j'ai cru qu'il allait aborder le sujet... Oh, si seulement il pouvait s'accrocher à un espoir...

Voyant des larmes poindre dans ses yeux, Harry eut l'envie folle de la prendre dans ses bras et de la consoler, mais il s'abstint, bien évidemment.

— Quand tout s'écroule autour de vous, il n'est pas facile de garder espoir... Et Tim a eu plus que sa part de malheur. Sans doute a-t-il envie de parler, pas à vous à cause de vos attaches affectives, mais à quelqu'un de l'extérieur... Moi, par exemple.

Il marqua une pause pour la laisser réfléchir, comprenant qu'il ne serait pas aisé pour elle de renoncer, même temporairement, à son rôle de grande sœur protectrice. Elle pouvait même éprouver du ressentiment à son égard. Tant pis, il devait courir ce risque.

De fait, l'idée qu'un étranger à la famille influence Tim contrariait Emily. Puis ses griefs se dissipèrent, balayés par l'amour qu'elle portait à son frère. Tim avait peut-être besoin d'un adulte attentif auprès de qui s'épancher.

Le regard de tendresse dont Harry l'enveloppait la fit capituler. Si quelqu'un pouvait conquérir l'estime de Tim, c'était bien lui.

— Vous avez raison. Il a besoin d'une oreille impartiale, pas d'une grande sœur mère poule. Parlez-lui. Persuadez-le de rencontrer votre ami Bob. Je... Je vous fais confiance...

« Jamais vous ne devinerez comme il m'en coûte de prononcer ces paroles », songea-t-elle en se levant. S'en

228

remettre aux hommes ne faisait pas partie de ses résolutions de l'année.

Harry abandonna son fauteuil. Intuitivement, il avait deviné que, dans la bouche de la jeune femme, le mot confiance avait une valeur inestimable.

— Je ferai de mon mieux.

« Pourvu que je ne la déçoive pas », pensa-t-il, après qu'elle eut disparu derrière la haie.

Distraitement, il termina son verre. D'abord, ferrer le poisson... Il devait trouver un prétexte qui n'ait pas l'air cousu de fil blanc pour rencontrer Tim.

Tout en échafaudant des plans, il rangea la bouteille de champagne à moitié pleine dans le réfrigérateur, après l'avoir fermée d'un bouchon hermétique, et prépara son dîner. Rien de ce qu'il imaginait ne lui convenait vraiment. Quand il eut terminé, il se rendit dans le salon et appuya sur le bouton de la télévision. Il y eut un scintillement fugace, puis un écran désespérément noir.

Il vérifia la prise, les branchements, les fusibles. Rien. Pas de son. Pas d'image. Il pesta à voix basse. Sans être un fanatique du ballon rond, il aimait le foot et le match de ce soir lui tenait à cœur : Bristol contre Manchester United...

Tim ! Voilà son sauveur ! De surcroît, il disposerait d'une occasion unique pour jeter ses filets.

Cinq minutes plus tard, il frappait à la porte d'Emily. La jeune femme ouvrit presque immédiatement. Ses yeux brillaient et il se demanda si c'était la joie de le voir. Elle semblait... L'adjectif « radieuse » s'imposa à lui.

— Je vous ai aperçu par la fenêtre, dit-elle, le souffle court. Vous êtes venu parler à Tim ? Il ne perd pas une miette du match, mais je peux...

— Non, ne le dérangez pas. En fait, j'aimerais le regarder avec lui. Mon poste est tombé en panne.

— Vraiment ?

Il hocha la tête.

— Oui ! Le hasard fait bien les choses.

Emily baissa la voix, bien que le bourdonnement qui provenait de la télévision derrière la porte close rendît cette précaution superflue.

— Voulez-vous que je m'éclipse ?

C'était la dernière chose qu'il souhaitait, mais la suggestion ne manquait pas de bon sens.

Il sourit.

— Ce serait mieux. Une soirée entre hommes, la communion dans le sport... un bon prélude à une discussion sérieuse. Cela ne vous ennuie pas ?

— Bien sûr que non, je vous laisse le champ libre. Je vais aller rendre visite à ma grand-tante Meg qui habite les environs.

Il était presque 23 heures quand Emily revint à la maison, après plusieurs parties de Scrabble, au cours desquelles la vieille dame érudite l'avait battue à plate couture.

En introduisant la clé dans la serrure, elle pensa tout à coup que Harry apprécierait son aïeule. Et vice versa.

Chassant cette idée incongrue, elle s'immobilisa dans le vestibule et écouta, l'estomac noué, le murmure des voix qui filtraient à travers la cloison.

Harry avait-il réussi ? Il n'y avait qu'une manière de le savoir. Prenant son courage à deux mains, elle tourna la clenche de fabrication ancienne et pénétra dans le salon.

Deux visages se tournèrent vers elle : celui de Harry, placide comme à l'ordinaire, mais satisfait. Celui de Tim... contre toute attente, rouge d'excitation.

L'adolescent se leva d'un bond, comme s'il avait deux ressorts sous les pieds.

— Em ! Harry a discuté avec le kinésithérapeute dont il a parlé l'autre soir, tu te rappelles ?

Elle acquiesça, une boule dans la gorge.

— Il croit que Bob Keefe peut me guérir. Ainsi, je ne traînerais plus...

230

— Rien n'est encore certain, coupa Harry, et ça ne se fera pas d'un coup de baguette magique. Ce ne serait pas ni plus facile ni plus rapide que la physiothérapie que tu détestes.

Tim balaya la mise en garde d'un revers de main.

— Oui, vous me l'avez expliqué. Mais votre ami a bon espoir de me sortir de là. Or, jusqu'ici, tout le monde — de l'orthopédiste au psychiatre — m'a prêché la résignation, comme si j'étais un... handicapé à vie. A présent, Em, j'ai un espoir... Je veux vaincre la fatalité.

Emily lâcha son sac et le serra dans ses bras.

— Oh, mon chéri, c'est la nouvelle la plus sensationnelle que j'aie jamais entendue.

Par-dessus l'épaule de son frère, elle croisa le regard de Harry. Ses lèvres formèrent le mot « merci » et il lui adressa un sourire complice.

Ils bavardèrent ensuite tous les trois pendant quelques minutes et décidèrent que Harry prendrait un rendez-vous le plus vite possible.

— Maintenant..., plaisanta Tim.

Puis, redevenu sérieux, il ajouta timidement :

— Je ne sais pas comment vous remercier d'avoir écouté mes jérémiades...

— En mettant les bouchées doubles, mon grand. En prouvant à tous les saints Thomas du monde médical qu'ils ont eu tort de douter de ta ténacité. Rappelle-toi, tu as deux fidèles supporters : ta sœur, qui te soutiendra contre vents et marée, et moi, à partir d'aujourd'hui.

— Merci. A toi aussi, Em. Je ne t'ai jamais dit combien tu as été formidable depuis la mort de maman.

Des larmes de bonheur picotèrent les paupières de la jeune femme. Pour maîtriser son émotion, elle se mit à rire.

— Arrête ce panégyrique et file au lit avant que je me transforme en grand méchant loup.

— Oh-oh ! Bien, je monte.

— Je retrouve le Tim d'autrefois, dit Emily, après le départ de son frère. Maman répétait qu'elle était comblée, qu'il n'était pas comme ces garçons qui deviennent des poisons pendant l'adolescence. Naguère, il jouait au tennis le dimanche ou il s'entraînait au foot ou au cricket avec ses camarades de lycée. Depuis qu'il a déserté le club de sports, je tremble un peu à l'idée qu'il puisse chercher un refuge dans la drogue.

Harry traversa la pièce et posa ses mains sur les frêles épaules. Il la sentit trembler, toutefois elle n'esquissa pas un mouvement pour se dégager.

— Mais il n'a pas choisi cette voie sans issue. Grâce à vous.

Elle secoua la tête.

— Non, tout le mérite lui revient. Il a trop de caractère, trop de ressources intellectuelles pour s'enfermer dans une spirale destructrice. J'étais si épouvantée par son mal de vivre que je lui ai posé la question de but en blanc. Il m'a répondu sans hésitation que ça ne le tentait pas, que son corps était un gâchis suffisant sans qu'il en rajoute. La pratique du sport lui a donné un sens aigu de la discipline. L'accident a brisé ses repères. Son équilibre a été détruit.

Harry lui massa gentiment les épaules.

— Son tempérament fort va l'aider à franchir le cap difficile des mois à venir. Il a simplement besoin d'un coup de pouce. Mais attendez-vous à des hauts et des bas.

Elle secoua la tête.

— Non, plus maintenant. Vous lui avez rendu son dynamisme et je vous en suis si reconnaissante que j'ai envie de vous embrasser.

Les mains cessèrent leur mouvement circulaire. La surprise surgit des profondeurs du regard sombre.

— Je vous en prie...

Etait-elle le jouet de son imagination? Harry lui parut soudain manquer de souffle. Sans s'appesantir sur cette impression fugace, elle se hissa sur la pointe des pieds et lui effleura les lèvres.

— Merci.

Il la lâcha brutalement.

— C'est moi qui vous remercie. Bonne nuit.

Avant qu'elle ait eu le temps de réagir, il avait tourné les talons et quitté la maison en refermant la porte derrière lui.

Que se passait-il ? se demanda-t-elle en éteignant les lumières d'un geste machinal. Jamais elle ne l'avait vu si... désorienté. Mais elle devait fantasmer. Un petit baiser ne pouvait pas perturber un homme aussi solide que lui.

Elle ne regrettait pas son baiser, de toute façon. Elle espérait simplement qu'il ne la classerait pas parmi les femmes prêtes à se jeter au cou du premier venu.

La panique monta en elle, puis reflua. Non. Pas lui. Il était trop intelligent, trop perspicace. Il attribuerait à son geste le sens qu'elle lui donnait : l'expression de sa gratitude pour l'inestimable service qu'il rendait à Tim.

Puis elle se rappela l'instant où leurs regards s'étaient croisés par-dessus l'épaule de Tim. A qui mentait-elle ?

Décidée à museler sa conscience, elle s'approcha de la fenêtre et contempla le ciel indigo clouté d'étoiles scintillantes. A Londres, les lumières de la ville ternissaient leur éclat. Elles se devinaient à peine, le soir où elle avait rompu avec Mark.

Bizarre... Pour la première fois, elle pensait à son ancien fiancé sans chagrin ni amertume.

Tout à coup, il ne représentait plus rien qu'un épisode anodin et Londres semblait à présent à des années-lumière. Shalford lui offrait un nouveau départ.

Elle poussa un soupir de contentement. Aujourd'hui, elle se sentait en paix avec le monde entier.

**

Harry s'attarda sur la terrasse d'Emily, grisé par les fragrances délicates des rosiers, du jasmin et du chèvrefeuille.

Qu'avait-elle pensé de son brusque départ? Que son baiser de remerciement l'avait profondément ému? En se trahissant ainsi, il avait dû accroître ses craintes, ou pire encore, ses défenses.

A l'avenir, il devrait redoubler de prudence, faire en sorte qu'elle voie en lui un ami digne de confiance. Rien de plus.

Mais la soirée s'était révélée un succès. A la faveur du match de foot, Tim était sorti de sa coquille, avait ouvert son cœur.

Une soudaine vague de colère le traversa. Pourquoi les médecins avaient-ils coupé les ailes d'un garçon courageux par leurs discours pessimistes?

D'accord, ils avaient eu raison de ne pas nourrir de faux espoirs, mais, dans le cas présent, un traitement adéquat ne revêtait aucun caractère chimérique. Ne s'étaient-ils pas aperçus qu'ils avaient affaire à un adolescent tenace? Sans parler de l'atout que représentait une grande sœur infirmière diplômée...

Un programme de rééducation lui aurait fourni un but à atteindre et, de ce fait, aurait rendu la crise qu'il traversait moins traumatisante. Avec un peu de chance, le miracle était en train de s'accomplir.

Harry exhala un soupir lourd d'émotions.

Une flaque de lumière rosée se répandit soudain sur le gazon. Dissimulé dans l'ombre épaisse des arbustes, il vit une fine silhouette se découper en ombre chinoise derrière une fenêtre du premier étage.

Osant à peine respirer, il regarda Emily contempler le firmament. Ne disait-on pas que, si on faisait un vœu par une nuit étoilée, il se réalisait?

Et s'il essayait?

Seigneur, l'amour avait-il donc le pouvoir de trans-

234

former un homme raisonnable en Roméo superstitieux ?
Que penserait-elle si elle le découvrait en amoureux
transi, tapi sous son balcon, en train d'implorer sa bonne
étoile ?

Il leva les yeux. Elle avait disparu. Un halo de lumière
rose traversait les doubles rideaux à fleurs qu'elle venait
de tirer.

— Bonne nuit, mon amour...

— L'affaire se présente bien.

Bob Keefe, un homme mince, d'allure très professionnelle dans sa blouse blanche impeccable, désigna les
radios fixées sur le négatoscope.

— Le chirurgien a effectué un travail magnifique en
reconstituant la structure osseuse du métatarse réduit en
miettes par l'accident. D'après son rapport, les muscles et
les nerfs présentaient de sérieuses lésions, et le neuro-
chirurgien s'est montré à la hauteur de la tâche. Vous
avez donc échappé au pire.

Emily et Harry se tenaient en retrait pour permettre à
Tim de suivre les explications de Bob. Ils l'avaient
accompagné à sa demande dans le cabinet du consultation
du kinésithérapeute, situé dans le quartier résidentiel de
Chellminster.

Au cas où la visite se solderait par un échec...

Sans qu'il eût besoin de les exprimer, Emily avait
deviné les craintes de son frère. Tim n'avait pas perdu
espoir, même si son euphorie première s'était un peu
émoussée, et, dans l'attente du rendez-vous, il avait été
pendant quatre jours sur des charbons ardents. A présent,
l'instant de vérité approchait.

— L'examen de la jambe et du pied va prendre un
moment, dit Bob en se tournant vers Emily et Harry.
Pourquoi n'iriez-vous pas faire un tour en attendant ? Tim
et moi, nous aurons une longue discussion en tête à tête,
quand j'en aurai fini.

— Il m'a paru plutôt optimiste, observa Emily, tandis que Harry et elle remontaient l'élégante avenue bordée de marronniers.

— Les radios ont conforté son opinion. Comptez sur lui, il sera honnête envers Tim. Il lui brossera un tableau précis de la situation.

En riant, elle lui donna une petite tape sur le bras.

— Quelle précaution oratoire ! Je reconnais là le langage du médecin.

Harry pouffa à son tour.

— Une déformation professionnelle... Cela dit, vous avez raison : les signes sont encourageants. Bob nous aurait priés de rester si les nouvelles étaient mauvaises.

Ils entrèrent dans un salon de thé, situé dans une rue pittoresque derrière le monastère. Après s'être assis à une table près de la fenêtre, ils commandèrent du thé et des pâtisseries. Non qu'Emily se sentît capable d'avaler une bouchée.

— Un endroit charmant ! s'exclama Harry en s'appuyant au dossier incurvé d'un antique fauteuil Windsor. On se croirait dans un film des années trente.

Un film très romantique, songea Emily en l'observant à la dérobée. Dans la veste de tweed qu'il portait avec une aisance nonchalante, il semblait venir d'une autre époque. Il aurait fait un magnifique héros...

Le sourire s'épanouit.

— Ai-je un bouton sur le nez ou une tache sur la joue ?

Elle se troubla.

— Oh non, bien sûr que non. J'étais en train de penser que vous ressemblez un peu... à l'un de ces personnages, effectivement !

— A cause de ma vieille veste d'Oxfam ?

Oxfam ! Un consultant ne fréquente pas, en principe, les magasins de fripes ! A moins qu'il ait une famille à charge ? Quelle idée ridicule...

236

Se sentant rougir, elle mit une bride à son imagination.

— Oui, en partie. Je ne critique pas... Elle vous va bien... Désolée, je dois vous paraître futile.

Harry secoua la tête, une lueur chaleureuse dans les yeux, comme s'il avait lu ses pensées secrètes.

— Pas du tout... Je ne m'habille pas dans les dépôts-ventes. Mes moyens me permettent de m'offrir des costumes neufs, vous savez.

Il se pencha au-dessus de la table et lui caressa la joue de son index.

— Ne soyez pas embarrassée, Em. Pardonnez-moi, je n'aurais pas dû vous taquiner avec cette veste.

— Elle ne vient pas d'Oxfam ?

— Si, mais...

La serveuse arriva avec leur commande — une grande théière pour deux, un pot de lait, du sucre et une assiette de gâteaux.

Emily versa le thé d'une main hésitante.

— Vous disiez...

— Effectivement, la veste vient de là. L'an dernier, l'hôpital a organisé une vente de charité pour financer l'achat d'un scanner. Parmi les lots, nous avons reçu un stock de vêtements de chez Oxfam. J'ai jeté mon dévolu sur cette veste et, depuis, je l'apprécie beaucoup. Je la porte peut-être un peu trop ?

— Oh, non ! Elle vous va comme un gant.

— Je suis heureux qu'elle vous plaise.

Brusquement, Emily sentit de nouveau le lien magique qui les unissait. Puis cette impression disparut aussi vite qu'elle était venue.

Elle lui tendit l'assiette de gâteaux. Les yeux rivés sur elle, il prit une tranche de cake parsemée de fruits confits et mordit dedans.

— Délicieux.

Elle choisit un éclair — ce qu'elle regretta aussitôt. A la seconde bouchée, la crème pâtissière déborda de la pâte à chou, lui barbouillant les commissures des lèvres.

Harry tendit la main au-dessus de la table et l'essuya avec sa serviette.

— Voilà qui est mieux.

Ils éclatèrent de rire.

— Merci. J'adore les éclairs, mais on ne devrait les manger qu'en privé.

— Absolument ! J'en raffole, moi aussi, mais la prudence l'a emporté sur la gourmandise.

— Eh bien, tant pis si j'ai l'air d'un clown. Je n'ai pas l'intention d'en perdre une miette.

— Parfait ! Je vais vous tenir compagnie en dévorant ce doughnut fourré à la fraise. Ainsi, nous aurons des moustaches de couleurs différentes.

Elle comprit qu'il la distrayait pour lui faire oublier l'anxiété de l'attente. Elle glissa la dernière bouchée d'éclair au chocolat dans sa bouche et consulta sa montre.

Harry surprit son geste.

— Oui, il est temps de retourner là-bas.

Tim les attendait quand ils pénétrèrent dans le cabinet de consultation. Son visage exprimait une joie délirante. Un poids s'envola des épaules d'Emily.

— Alors, l'examen est positif ?

Son frère agita gaiement quelques papiers.

— Oui ! Bob est fantastique : voici la liste d'exercices à faire entre les séances de rééducation et des massages quotidiens. Il a été appelé au téléphone, mais il veut vous dire un mot avant que nous partions.

Les recommandations du kinésithérapeute ne constituèrent pas une surprise : il conseilla à Emily et à Harry de ne pas espérer trop tôt des résultats tangibles et d'encourager Tim à suivre ses indications à la lettre. Ni plus ni moins.

— En multipliant les mouvements, il ne progressera pas plus vite. Ceux-ci correspondent à deux massages par semaine, que je lui ferai après la sortie des classes. Je les modifierai au fur et à mesure pour qu'ils évoluent au même rythme que la kinésithérapie.

— Y a-t-il quelque chose que... nous puissions faire ? demanda Emily.

— Masser son pied et sa jambe avant et après les exercices avec la lotion aux huiles essentielles que j'ai remise à Tim. Elle favorise la circulation et aide à garder la peau souple. Prévenez-moi quand il vous faudra un nouveau flacon.

Bob sourit.

— Ah, dernier détail : ne lui en mettez pas juste avant qu'il sorte avec ses copains. Elle contient, entre autres, un concentré de lavande, et j'entends d'ici les plaisanteries de ses camarades !

Un inconvénient mineur, jugea Emily, certaine que Tim n'en ferait pas une montagne.

— De la lavande..., répéta Harry sur le chemin du retour. C'est très approprié, eu égard au nom de notre rue. J'ignorais que cette plante possédait des vertus curatives.

— Cela explique pourquoi nous en avons une rangée entre les deux cottages, répondit Emily. Sans doute a-t-elle été plantée à dessein, en raison de ses qualités médicinales. On n'en met pas uniquement dans de petits sachets pour parfumer le linge. Elle sert aussi à confectionner des tisanes contre l'insomnie.

Elle jeta un coup d'œil par-dessus son épaule. Assis sur la banquette arrière, Tim lisait la documentation donnée par Bob.

— Cela ne t'ennuiera pas d'être enduit d'huile de lavande ?

Son frère leva des yeux, l'air abasourdi.

— Non, je ferai n'importe quoi pour trotter comme avant.

Ses joues se colorèrent et il reprit d'un ton farouche :

— Crois-moi, Em, l'année prochaine, je jouerai de nouveau dans l'équipe de foot du lycée, même sur le banc de touche. Rien ne m'arrêtera.

Un frisson parcourut la jeune femme. La détermination de Tim l'effrayait un peu. Les mains serrées sur ses genoux, elle pria avec ferveur pour qu'il ne commette pas d'imprudence.

Soudain, Harry lâcha le volant pour poser sa main sur la sienne.

— Ayez confiance, tout passera bien, murmura-t-il. C'est un garçon d'un courage extraordinaire.

6.

Quelques jours après le début du traitement de Tim, une épidémie de grippe intestinale se propagea parmi les touristes rassemblés pour la fête de la musique qui avait lieu tous les ans, au mois de mai, dans les jardins du monastère. Une consultation chez un généraliste aurait suffi dans la majorité des cas, mais la plupart des festivaliers, n'habitant pas Chellminster, furent conduits à l'hôpital St. Luke.

Comme toujours quand sévissait un virus pernicieux, les enfants et les personnes âgées se révélèrent les plus atteints et les plus sujets aux déshydratations, nausées et entérites.

Cet après-midi-là, une ambulance déposa une petite fille de dix-huit mois brûlante de fièvre. Sans perdre une minute, Emily mit Poppy Liddell sous perfusion. Elle éleva ensuite les petites jambes dodues à l'aide d'un oreiller et les couvrit d'une couverture.

Son cœur se serra quand elle vit ce pathétique petit bout de chou sur la grande table d'examen. Puis elle se ressaisit. Pas de sentimentalisme. Elle avait un travail urgent à accomplir.

La peau du bébé lui parut froide et sèche quand elle plaça les doigts sur le minuscule poignet. Elle prit le pouls radial, rapide et faible, le compara avec le pouls temporal. Puis elle nota la respiration saccadée et le teint cendreux.

241

— Depuis combien de temps est-elle dans cet état, madame Liddell ? interrogea Harry en ajoutant du glucose dans la perfusion et en augmentant le débit.

La détresse apparut sur le visage défait de la maman.

— Hier, elle s'est mise à ronchonner et bouder la nourriture. Elle a juste absorbé un peu de lait. J'ai cru qu'elle avait mal au ventre ; mais, soudain, vers midi, elle est devenue silencieuse et de plus en plus apathique, refusant de boire son biberon. Oh, docteur, elle va s'en sortir ?

« Combien de fois ai-je entendu cette question dans la bouche de parents angoissés ? » pensa Emily en inscrivant une série de chiffres sur la fiche d'observation clinique. Chaque praticien se trouvait confronté en permanence au même dilemme : distiller quelques bonnes paroles ou dire la vérité au risque d'affoler la famille.

Harry choisit la seconde solution.

— Poppy présente une commotion due à une forte déshydratation. En la conduisant ici immédiatement, vous avez minimisé les risques de syncope. Nous avons commencé à remplacer les liquides perdus par une solution saline et nous poursuivrons la perfusion tant qu'elle ne pourra pas absorber de fluides par voie orale. Dans l'immédiat, il faut poursuivre les investigations ; aussi nous allons l'hospitaliser en pédiatrie...

Sonia Liddell poussa un cri d'alarme. Harry lui pressa gentiment l'épaule.

— Ici, votre petite fille est en sécurité. En outre, ce service dispose de lits d'appoint pour permettre aux parents de rester près de leur enfant, de sorte que vous ne quitterez pas sa chambre. A propos, votre mari a été prévenu ?

La maman secoua la tête.

— Non... nous sommes séparés... Nous ne vivons plus ensemble depuis la naissance de Poppy. Il ne voulait pas assumer la responsabilité d'un enfant. Je me débrouille donc toute seule. Elle ne manque de rien.

— J'en suis certain, répondit Harry. A l'évidence, vous prenez bien soin d'elle. Cette grippe qui se traduit par une inflammation des muqueuses de l'estomac et de l'intestin se manifeste de façon aiguë et vous avez bien fait de nous l'amener tout de suite. Maintenant que son état se stabilise, je vais avertir mon confrère pour qu'il autorise le transfert.

Il se tourna vers Emily.

— Pouvez-vous demander au Dr Scullion ou à son premier interne de venir ausculter Poppy ? Je souhaite qu'on l'admette sans délai en pédiatrie.

Emily comprit à demi-mot l'urgence de la situation.

— Oui, docteur.

Elle sourit à Sonia Liddell et ajouta en passant devant elle :

— Le Dr Scullion est un homme charmant et un magicien avec les enfants.

Vingt minutes plus tard, deux brancardiers installèrent la petite Poppy sur un chariot.

A la grande joie de sa maman et au soulagement de l'équipe soignante, le bébé présentait de légers signes d'amélioration. Ses cils frémissaient et elle émettait quelques sons.

Après son départ, le calme retomba dans la salle de traumatologie. Emily poussa un soupir.

— Il n'y aura pas de complications ? J'ai noté la remontée de la tension et du pouls.

Harry jeta ses gants usagés dans la poubelle.

— Je ne le pense pas. Les bébés se déshydratent très vite. J'en ai soigné des centaines et, chaque fois, leurs forces de récupération me sidèrent. J'ai remarqué votre émotion, Em. Les enfants vous touchent beaucoup, n'est-ce pas ?

Encore ce diminutif ! Pourquoi acceptait-elle cette entorse à ses principes ? Parce que, venant de lui, cette privauté ne la gênait pas et qu'elle en tirait même un plaisir singulier.

Le regard qui s'attardait sur elle la troubla. La tendresse qu'elle lut au fond des prunelles sombres lui ôta momentanément l'usage de la parole.

— Trouvez-vous difficile de traiter des tout-petits ? reprit Harry sans la quitter des yeux.

Elle ressaisit.

— Oui, je l'avoue. Surtout ceux qui ne maîtrisent pas encore le langage. Ils semblent si démunis, si désarmés. J'ai détesté mon stage aux soins intensifs du centre néonatal. Le spectacle de ces petits êtres sans défense bardés de tubes et environnés d'appareils barbares me révolte. J'avais perpétuellement envie de les bercer dans mes bras — une chose impossible, bien entendu. On les soigne à distance, sans les sortir du cocon stérile de la couveuse... Je plains les malheureux parents qui restent à leur chevet du matin au soir.

Avec un sourire confus, elle ajouta :

— Néanmoins, je vous promets de ne pas défaillir.

— Cette idée ne m'a pas traversé l'esprit. Vous êtes trop professionnelle pour perdre le contrôle de vos émotions. Des émotions qui vous honorent... J'aime que mes infirmières s'investissent dans leur travail, tant que ça n'altère pas leurs facultés de jugement.

Harry s'étira et reprit d'une voix lasse :

— J'ai des courbatures partout après cette journée trépidante. Puisque nous avons fini notre service, pourquoi ne pas rentrer ensemble à la maison, s'asseoir sur la terrasse à l'abri du vent, et dessiner un plan du jardin en sirotant un verre de vin d'orange ?

Interdite, Emily ne réagit pas. Une sonnette d'alarme se déclencha dans sa tête. Leur intimité prenait des proportions dangereuses. A croire qu'ils formaient un couple. Dût-elle paraître ingrate après sa gentillesse envers Tim, elle devait dissiper toute ambiguïté : ils étaient seulement amis. Des amis, du fait de leurs rapports de travail et de voisinage.

Non, elle travestissait la vérité. Le destin les avait réunis et le handicap de Tim avait créé entre eux un lien invisible. Il n'était donc pas étonnant qu'il lui ait parlé sur ce ton complice.

En réalité, elle s'alarmait inutilement. Dessiner le plan du jardin lui offrirait une agréable récréation. Ne lui avait-elle pas promis de l'initier aux mystères du jardinage ?

Mais n'allait-il pas alors s'imaginer qu'elle le remerciait de son aide à propos de Tim ? Bien sûr que non. Il ne réclamait rien en échange.

Seigneur, pourquoi tout était si confus, si embrouillé ? Pourquoi la vision de son père, de son ex-fiancé et du maniaque qui conduisait la voiture qui avait tué sa mère se bousculait-elle subitement dans sa tête ? Harry n'appartenait pas à la race des hommes égoïstes et irresponsables. Pourquoi, dans ce cas, n'acceptait-elle pas son invitation ?

Elle savait pourquoi. Elle avait peur, une peur affreuse de baisser la garde, de laisser cet homme fascinant briser la carapace qu'elle s'était forgée depuis sa rupture avec Mark — ce qu'il avait presque réussi à faire en plusieurs occasions.

Elle ne devait pas lui permettre de s'approcher trop près... de franchir les limites d'une relation amicale. Ni lui, de donner matière à d'autres espérances.

— Je regrette. J'avais prévu de remplir le réfrigérateur.

— Ah... Une façon polie de décliner ma proposition.

Son hésitation l'avait-elle trahie ? Soucieuse de ne pas le blesser, elle tâcha d'effacer sa maladresse.

— Non, pas du tout. Les courses risquent de me prendre un certain temps. Ecoutez, pourquoi ne pas dîner chez moi ? Disons 19 h 30. Tim s'absente ce soir.

Un sourire chassa toute trace de tristesse du visage de Harry. A l'image du soleil après la pluie, songea Emily sans s'attarder sur cette réflexion troublante.

— Non, j'ai une meilleure idée. Puisque vous rentrerez tard, je m'occupe du repas. Ensuite, nous ferons le tour du jardin. Vous me direz ce que je dois planter pour le rendre aussi paradisiaque que le vôtre et nous porterons un toast aux dieux de l'horticulture.

Emily éclata de rire.

— Je ne sais pas s'ils existent. Il y a Déméter, déesse des Labours, de la Végétation et de la Fertilité, souvent associée à la corne d'abondance. Une ancienne mélodie me trotte toujours dans la tête quand je manie l'arrosoir ou le sécateur. Elle englobe tout ce qui pousse sur cette terre.

— « Nous labourons les champs... », chantonna Harry d'un ton guilleret. Très appropriée pour mon terrain en friche.

— Un état transitoire... Bientôt, il y aura une forêt d'arbustes et des massifs de fleurs.

— « Semons à tous vents... »

En riant, la jeune femme se dirigea vers la porte.

— Sur cette vocalise, je file avant que les magasins ferment. A ce soir.

Tout à coup, elle se sentit légère, allègre et impatiente de dîner en tête à tête avec Harry.

Munie d'une bouteille de brouilly, elle arriva à l'heure dite.

— A mon tour d'apporter le vin. Un blanc sec et fruité...

Harry examina l'étiquette d'un air réjoui.

— Hum... Il accompagnera à merveille les truites grillées aux amandes.

Il l'introduisit dans un salon vert et bordeaux dont les murs de part et d'autre de la cheminée étaient tapissés de livres. Un cadre chaleureux, accueillant, en harmonie avec la personnalité de son propriétaire, pensa la jeune femme en promenant autour d'elle un regard admiratif.

— Asseyons-nous et je vous exposerai le fruit de mes recherches sur le vin...

Il lui désigna un fauteuil moelleux.

— Dans la mythologie grecque, Priape, le fils d'Aphrodite et de Bacchus, symbolise, à l'instar de Pan, la fécondité de la nature. A Rome, on le vénérait comme le dieu des Jardins, qu'il garde contre les oiseaux pilleurs et les voleurs, et qu'il fait fructifier. On ne doit pas le confondre avec Vertumne, ancien roi étrusque qui, grâce au soin qu'il avait pris des fruits et de la culture des jardins, obtint après sa mort l'immortalité. Ses attributions dans le panthéon romain diffèrent de celles de Priape : il veille surtout à la germination des plantes, à leur floraison et à la maturation des fruits.

Emily se mit à rire, toutes craintes envolées.

— Votre culture m'impressionne Si vous mettez autant de zèle à biner vos plates-bandes, votre jardin éclipsera le mien, l'an prochain.

— Préparez-vous à une compétition féroce ! Je brûle de me mettre à l'ouvrage.

— Au départ, vous allez vous ruiner. Outre les instruments indispensables, il faut acheter à prix d'or des plants et les bulbes, car cela prend du temps de réaliser des semis. Par la suite, il vous faudra une serre, très utile aussi pour les boutures. Même une petite comme la mienne coûte une fortune.

— Tranquillisez-vous, l'argent ne présente pas un problème. Malgré ma veste d'Oxfam, je ne tire pas le diable par la queue. N'oubliez pas que je suis un célibataire, sans vices ni attaches. Etablissez une liste d'articles nécessaires et j'irai écumer les magasins de la ville. Bien, si nous passions à table ?

Ils dînèrent dans une vaste pièce carrelée de tomettes rouges. Le souper fut délicieux : les truites aux amandes, servies sur un lit de champignons, d'oignons et de carottes nouvelles, fondaient sous la dent.

— Merci, je me suis régalée ! s'écria Emily en terminant une généreuse portion de fraises ornées d'un nuage de crème Chantilly. Vous m'avez menti en prétendant ne pas être un gourmet.

Harry esquissa un sourire modeste.

— J'ai appris sur le tas. D'ailleurs, je n'avais pas le choix : soit j'ouvrais un livre de cuisine, soit je dînais dehors tous les soirs, une perspective qui ne m'emballait pas. Par nature, je suis un homme d'intérieur. J'apprécie une soirée entre amis ou une escapade au théâtre, mais le reste du temps, je préfère ma maison.

L'envie d'ajouter « à côté de la vôtre » lui brûla la langue, mais il censura cette précision. Sagement, il changea de sujet.

— Voulez-vous visiter mon domaine et prendre le café ensuite ?

— Bonne idée. Une fois la nuit tombée, nous ne verrons plus rien.

Le crépuscule nimbait la végétation d'une riche lumière dorée. Dans la douce fraîcheur du soir, les buissons de lavande diffusaient des senteurs exquises.

— Divin, n'est-ce pas ?

— Féerique, dit-elle, les yeux fermés, en offrant son visage aux rayons pourpres qui rasaient la cime des arbres.

Elle était si jolie, si féline, pensa Harry en la dévorant des yeux. Il ne se rassasiait pas de contempler le gracieux port de tête, la chevelure d'onyx, le délicat modelé du visage, les pommettes hautes et le petit menton déterminé. Les longs cils recourbés dessinaient deux croissants sombres sur la peau crémeuse, d'une ravissante carnation sous le soleil couchant.

Au lieu de plonger les doigts dans la chevelure luxuriante comme il en rêvait, il lui prit la main, d'un geste naturel mais empreint d'autorité. Il la sentit trembler dans la sienne, mais elle ne fit aucune tentative pour se dégager.

248

— Venez, Em. Faisons le tour du propriétaire.

Emily l'observa et, sans réfléchir, traduisit l'image qui s'imposa à elle.

— Je vous imagine très bien fumant la pipe en train d'inspecter vos terres.

Harry partit d'un grand rire sonore.

— Je me contente d'un humble cottage et d'un acre de verdure. Quant à la pipe, mieux vaut m'abstenir : je respecte trop mes poumons.

Elle rit à son tour.

— Ainsi parle le médecin. Les temps changent, n'est-ce pas ? A l'époque de l'âge d'or d'Hollywood, le héros et l'héroïne allumaient des cigarettes au clair de lune et s'embrassaient passionnément dans un nuage de fumée bleue. Vu du côté du spectateur, le tableau semblait très romantique, mais sur le plateau, ils devaient sûrement sucer des pastilles contre la toux, entre les séquences.

— L'ignorance est parfois une bénédiction. Je me demande combien d'entre eux sont morts d'un cancer du poumon.

— Beaucoup ont atteint un âge respectable...

— Et beaucoup ont disparu prématurément.

— N'abordons pas un sujet aussi triste par une si belle soirée. Parlons plutôt jardin.

Harry sourit, euphorique. Elle n'avait toujours pas retiré sa main.

— Marchons.

Tandis qu'ils déambulaient dans les allées, Emily brossa un portrait du futur jardin.

— Ici, on apportera une touche de mystère en créant à l'arrière-plan un rideau d'arbustes à feuillage persistant — des cistes, genêts et daphnés qui aiment les sols alcalins. Là, on égayera la toile de fond par un dégradé de plantes dites « couvre-sol » : delphiniums bleus, lupins roses, *Helleborus orientalis* aux grandes fleurs crème frangées de pourpre, avec, en bordure, un feston de pensées, de cyclamens et pervenches rampantes. Et partout, le long de ce vieux mur de brique, parallèle à l'allée carrossable, des cascades de jasmin blanc, d'aubépines, de volubilis et de clématites.

Elle pivota en gesticulant, emportée par la passion.

— De ce côté, nous planterons des buddleias qui attirent les papillons, du romarin, des lauriers-roses, des eucalyptus qui exhalent un parfum extraordinaire, et des bégonias sur le pourtour.

Harry ne quittait pas des yeux le visage animé. Jamais il n'avait été aussi amoureux. Envolée, l'inaccessible Emily qui maintenait les hommes à distance. Devant lui, se tenait la ravissante jeune femme, pleine de vie et d'enthousiasme, qu'il voulait épouser.

En parvenant près de la grille qui ouvrait sur la rue, il s'immobilisa.

— Même ainsi, le paysage m'enchante. L'herbe paraît si verte après l'averse de la nuit dernière. La société de terrassement a fait du bon travail en passant la tondeuse.

Emily marqua sa réserve par une petite moue espiègle.

— Oui, mais reste à arracher les pissenlits et répandre un peu d'engrais.

— Je ne veux pas d'un gazon de terrain de golf. Juste une jolie pelouse pour taper dans un ballon ou sur une boule de croquet.

— Tant mieux, car il faut dépenser une énergie folle pour ça... Votre pelouse, à l'instar de la mienne, est de l'herbe des prés, émaillée de pâquerettes et de boutons-d'or.

Ils éclatèrent de rire en chœur. Le même lien invisible les emprisonnait de nouveau dans sa trame impalpable, les coupant du monde extérieur.

Soudain, leurs rires moururent et, dans un silence vibrant d'intensité, le cœur d'Emily entama un *staccato*. Son instinct lui ordonna de fuir, mais ses jambes de plomb refusèrent d'obéir.

Seigneur, il allait l'embrasser...

Pendant une folle seconde, Harry songea à forcer le destin. Il venait d'ouvrir une première brèche dans le mur qu'elle avait érigé autour d'elle. Devait-il pousser son avantage, et l'embrasser?

Dans les yeux saphir, il ne lisait aucun rejet, pas même la mise en garde habituelle, mais de l'incertitude, de la surprise, mêlée d'une crainte sourde.

« Si tu précipites les événements, tu vas l'effaroucher... Conduis-toi comme le médecin civilisé qu'elle respecte. »

— Ce fut une soirée délicieuse, Em. Puis-je vous en remercier par un baiser?

Un baiser de remerciement!

Elle avait cru, presque espéré... Mais non, il ne désirait pas davantage qu'une gentille marque d'affection!

Pendant une seconde, elle se sentit... trompée, trahie, comme si elle lui avait offert un cadeau qu'il avait dédaigné.

L'effet qu'il produisait sur elle l'emplit d'effroi. Puis le soulagement balaya sa frayeur. Elle n'avait rien à redouter de Harry. Leur amitié lui suffisait.

A cause des débordements de son imagination, elle allait gâcher cette soirée. A elle maintenant de restaurer l'atmosphère joyeuse du dîner.

Délibérément, elle renversa la tête et avança les lèvres en une moue théâtrale.

— A vos ordres!

Avec un large sourire, Harry se pencha vers elle et appuya sa bouche contre la sienne. Ce n'était pas le baiser enivrant et sensuel qu'il avait prévu. Tant pis, il s'en contenterait. Sa seule consolation résidait dans le fait qu'elle ne s'était pas enfuie. Une petite victoire en soi.

De retour au cottage, ils dressèrent une première liste d'achats en buvant du café.

— D'abord, la panoplie d'instruments de base : bêche, binette, râteau, sarcloir, cisailles, sécateur, fourche, scie, élagueur à longs bras, arrosoir, débita la jeune femme en inscrivant les articles au fur et à mesure sur une feuille de bloc. Les vagues outils qui rouillent dans la cabane de jardin ne valent rien...

Harry marqua son approbation.

— D'accord, je les jetterai. Où trouverons-nous du matériel ?

— A La Planète Verte, à la sortie de Chellminster. Cette grande surface dispose de milliers de références. Pour diminuer la facture, on peut acheter une partie dans une brocante.

Il écarta la suggestion d'un revers de main.

— Honnêtement, Em, je peux m'offrir du neuf.

— Comptez en milliers de livres plutôt qu'en centaines si vous ajoutez une serre.

Une lueur dansa dans les yeux sombres.

— Une serre me séduit beaucoup. En outre, je réaliserai des économies en produisant mes plants. Dernière question : quand irons-nous faire nos achats ? Que diriez-vous de ce week-end ? Nous sommes libres tous les deux.

— Quoi, vous me réquisitionnez ? Qui vous dit que je n'ai pas d'autres plans ?

Il sourit, pas offusqué le moins du monde de cet accès de rébellion.

— Mon intuition ! D'ailleurs, vous m'avez promis de m'aider. Vous n'allez revenir là-dessus ?

Elle crut déceler dans sa voix un soupçon d'arrogance. Il semblait si sûr de lui... et d'elle. Avec raison. Elle n'avait échafaudé aucun projet sérieux.

— J'ai souscrit au programme de plantations. Pas à l'acquisition d'un équipement complet.

— Mais vous viendrez avec moi ?

Naturellement ! Elle résistait pour la forme, ils le savaient tous les deux. Elle se réjouissait de courir les magasins avec lui pour l'empêcher de se ruiner en gadgets inutiles.

« Vraiment ? Ce n'est pas pour passer une journée avec lui ? » souffla la petite voix de la conscience qu'elle avait pris le parti d'ignorer.

Prise de remords, elle tenta une autre objection.

— Tim...

— Il va voir un film à Porthampton avec des copains.

Elle le savait. Son frère le lui avait annoncé le matin même.

— Exact, j'avais oublié.

— Alors, nous prenons rendez-vous ?

Impossible de refuser. D'ailleurs, elle n'en avait pas envie.

— Oui, murmura-t-elle, les joues roses.

La veille du week-end fut marquée par deux accidents de voiture et, en milieu de matinée, l'effervescence régnait aux urgences. Par miracle, on ne déplorait aucun mort, mais trois patients admis dans un état critique avaient dû être stabilisés, avant d'être conduits au bloc opératoire.

Les cloches du monastère sonnaient midi quand Jane et Emily purent enfin s'octroyer une pause.

— Hou, j'en avais besoin ! s'exclama la première en avalant une gorgée de café.

— Et moi donc ! renchérit la seconde en l'imitant.

Jane l'étudia, admirative.

— Malgré ce tumulte, vous rayonnez d'allégresse. Est-ce dû à la perspective d'un week-end de congés ? Des projets intéressants ?

— Oui. Harry m'a donné carte blanche pour choisir son matériel de jardinage. Cette équipée promet d'être très amusante. Son ignorance dans ce domaine est monumentale.

— Le retour à la terre le fascine toujours ?

— Il lui tarde de se lancer dans l'aventure.

La surveillante lui adressa un sourire en coin.

— Vous et lui...

— Sommes juste de bons amis, acheva la jeune femme d'un ton catégorique. Vous ai-je dit combien il est prodigieux avec Tim ? L'autre soir, pendant ma garde, il a massé son pied après ses exercices tout en parlant football, cricket et voiture, trois sujets qui passionnent les hommes. J'ai pour lui une immense reconnaissance.

— Mmm, je comprends ça... Cher vieux Harry, archétype de l'homme idéal. J'espère que vous passerez tous les deux un bon week-end.

Le visage d'Emily s'illumina.

— J'en suis certaine.

L'après-midi fut presque aussi chargé que la matinée, avec son cortège interminable d'affections bénignes. Puis, vers 17 heures, au moment où Emily s'apprêtait à quitter son service, deux brancardiers se présentèrent avec un garçon de treize ans, le corps couvert de lacérations, d'ecchymoses et de contusions.

A l'évidence, on l'avait roué de coups. Le piéton anonyme qui l'avait découvert, gisant dans une ruelle de la vieille ville, avait appelé aussitôt une ambulance.

A son arrivée aux urgences, Keith Thompson reprit conscience, mais il était toujours très désorienté.

— Il est revenu à lui, grâce au masque à oxygène, dit le chef ambulancier, une fois l'adolescent allongé sur la table d'examen. Pression artérielle dans la fourchette normale, pouls erratique autour de soixante-dix. Il a vomi une fois. En outre, il s'est plaint de douleurs stomacales et cérébrales — ce qui n'est guère surprenant compte tenu des coups qu'il a reçus.

Pendant qu'on soignait ses blessures, Keith leur communiqua le numéro de téléphone de ses parents, mais refusa de lâcher la moindre information sur ses agresseurs.

— Ecoute, mon garçon, dit Harry en rangeant son stéthoscope, on ne peut pas tolérer ce genre de violence. Tu les connais? Des élèves du lycée?

Keith serra les lèvres, terrorisé.

— Je dois avertir la police. Ils vont t'interroger.

L'adolescent détourna la tête, barricadé dans son mutisme. Harry changea de tactique.

— Bon, je vais t'administrer un analgésique et t'admettre en pédiatrie pour qu'on vérifie qu'aucun organe n'a été atteint. Nous avons prévenu ta mère de ta présence ici. Elle sera là bientôt. Keith, n'aie pas peur de lui dire la vérité. Ceux qui t'ont attaqué sont des imbéciles et des lâches.

Une demi-heure plus tard, Emily rentra chez elle en emportant l'image d'un homme sensible, intelligent, humain. Quel bonheur de le revoir demain...

Contre toute attente, le week-end débuta par un copieux petit déjeuner sur la terrasse du cottage voisin.

— Venez partager mes croissants! cria Harry par-dessus la haie. Ils sortent juste du four.

Des odeurs appétissantes s'échappaient des fenêtres ouvertes. Malgré l'heure matinale, le soleil répandait déjà une nappe d'or sur la pelouse et les branches des cerisiers.

Emily posa son arrosoir. Pourquoi pas? Tim ne se lèverait pas avant plusieurs heures.

— Volontiers. Vous aimez la confiture maison?

— La vôtre?

— Celle de ma mère. Elle en confectionnait des montagnes tous les ans. Je vais chercher un pot.

Elle choisit la fraise. L'écriture élégante sur l'étiquette

lui fit monter des larmes aux yeux. Elle les refoula avant de se glisser dans la brèche entre le mur et les buissons de lavande.

— J'ai choisi celle-là parce qu'elle est faite avec nos propres fraises. Maman avait aménagé quelques carrés de légumes et de fruits derrière notre ancienne maison et elle en récoltait des kilos.

— Elle avait la fameuse main verte.

— Et beaucoup d'autres talents, ajouta Emily, un tremblement dans la voix.

— J'aurais aimé la connaître.

— Vous auriez sympathisé tous les deux.

Ce n'était pas une formule polie. D'emblée, elle était certaine que Harry et sa mère se seraient appréciés mutuellement. Bizarrement, ce point revêtait à ses yeux une importance cruciale.

Une fois à l'intérieur de La Planète Verte, Harry se comporta comme un enfant dans un magasin de jouets. A chaque rayon, il s'emparait des outils démontables qu'il examinait sous tous les angles, avec le même soin qu'un instrument chirurgical.

Emily était enchantée de le voir épanoui, délivré du souci de prendre des décisions capitales. Jusqu'ici, elle n'avait pas réellement pris conscience du poids des responsabilités qui pesaient sur lui, à cause de son flegme. Mais sous cette façade paisible, se dissimulaient des nerfs d'acier qu'elle n'avait jamais soupçonnés.

Etrangement, cette découverte l'ébranla tout en la rassurant. Elle pourrait compter sur lui en toute circonstance, sans pour autant qu'il influence ses choix.

Avec un geste indulgent, elle lui ôta des mains un ramasse-fruits rétractable.

— Vous n'en aurez pas besoin avant plusieurs années. Commençons d'abord par planter des arbres fruitiers !

Il se mit à rire.

— Ma foi, oui ! Mais n'est-ce pas un bel objet ?

A midi, ils avaient rempli un Caddie et une brouette d'outils de toutes sortes qu'ils empilèrent dans le coffre de la Range Rover.

Ils déjeunèrent ensuite dans un pub du quartier.

Jamais Emily ne s'était sentie aussi à l'aise avec Mark, obnubilé par son ascension sociale. Harry, en revanche, était arrivé là où il voulait, tant sur le plan professionnel — la direction des urgences — que personnel — en plantant ses racines à Shalford. Soudain, elle se demanda pourquoi il était toujours célibataire. Les femmes devaient sûrement lui tourner autour...

A cet instant, il tourna la tête et son regard plein d'humour croisa le sien.

— Ai-je réussi l'examen d'inspection ?

Emily se sentit devenir rouge pivoine.

— Oh... je suis désolée. J'étais en train de penser... à notre fructueuse matinée, improvisa-t-elle en toute hâte.

— Oui, n'est-ce pas ? Que diriez-vous maintenant de partir en quête d'une jolie serre ? Prête, madame la conseillère ?

— Je vous suis...

7.

Penchée sur l'appui de la fenêtre, Emily inspira avec délice l'air frais du matin. Deux semaines ensoleillées s'étaient écoulées depuis son escapade dans les magasins en compagnie de Harry et leur amitié s'était approfondie.

Elle contempla le jardin voisin. Certes, il ne pouvait pas rivaliser avec le sien, mais un tapis de lupins, de cyclamens, de pivoines, de narcisses, d'iris et pervenches festonnaient le bord des allées, tandis que de jeunes rameaux vigoureux partaient à l'assaut d'un ciel méditerranéen.

Leurs efforts conjoints avaient porté leurs fruits. Au prix d'une entorse à son emploi du temps, elle avait visité avec Harry les pépiniéristes de la région et planté les graines, les bulbes et les plants sélectionnés. A maintes reprises, elle avait été traversée par des frissons de plaisir en travaillant à ses côtés. Vêtu d'un short et d'un polo de coton qui flattaient ses larges épaules et ses jambes musclées, il était l'image de la vitalité. Et l'espace d'un instant, elle s'était demandé quel effet cela ferait de se retrouver dans le cercle de ses bras vigoureux.

Elle avait écarté cette vision, non sans quelque difficulté. Leurs rapports devaient rester chaleureux, mais dépourvus d'attirance sexuelle.

Puis elle avait ri intérieurement. Toutes les infirmières célibataires de St. Luke auraient donné la lune pour obtenir un rendez-vous avec Harry Paradine. A leurs yeux, il sym-

259

bolisait le mari idéal et personne ne voudrait la croire si elle racontait qu'ils avaient jardiné de concert pendant tout un week-end.

Emily sourit. La vie était belle. Elle n'avait pas été aussi heureuse depuis bien longtemps.

Tim enregistrait des progrès réguliers, grâce aux massages combinés aux exercices quotidiens. Son enthousiasme ne connaissait pas de limites, bien qu'il eût comme tout un chacun ses moments d'abattement. Il n'avait plus rien de commun avec l'adolescent introverti et apathique de ces derniers mois.

— Avant et après Harry Paradine, murmura-t-elle, avant de s'arracher de la fenêtre pour gagner la salle de bains.

Harry savait si bien le motiver. Il assistait fréquemment aux fastidieuses séances de rééducation, à présent plus longues, plus intenses, plus douloureuses.

Une fois lavée et habillée, elle se maquilla légèrement et commença à descendre l'escalier au moment où Tim émergea de sa chambre.

— Tu as des projets pour ce soir, Tim ?

Une grimace se peignit sur le visage ensommeillé.

— Des devoirs et encore des devoirs !

— Pauvre chéri... Je serai là en fin d'après-midi et je te concocterai un menu spécial en me faisant aussi discrète qu'une souris pour ne pas gêner ta concentration. Et ta gymnastique ?

— Harry m'a dit qu'il viendrait vers 20 heures. Nous la ferons ensemble ; ensuite, il me massera.

Emily se rembrunit.

— Quand je suis à la maison, il n'a pas besoin de venir. Je suis parfaitement capable de t'aider et d'effectuer les massages.

Tim la dévisagea, médusé.

— Personne ne le conteste. Mais tu as tant de choses sur les bras : lavage, repassage et autres corvées ménagères. Harry a une gouvernante qui se charge de l'entretien. Il n'a que son dîner à préparer quand il rentre chez lui. Honnêtement, Em, je ne comprends pas pourquoi tu prends la mouche.

La jeune femme regrettait déjà son emportement. Pourquoi cet accès de colère ? L'aide de Harry ne la contrariait pas. Non, ce n'était pas ça.

— Pardonne-moi, je ne suis pas fâchée. Je crains juste que Harry croie qu'on profite de lui.

— Ne sois pas ridicule. Cette idée ne lui a pas effleuré l'esprit. En fait, il aime notre compagnie. Il me l'a dit plus ou moins l'autre jour.

— Vraiment ?

— Oui. Il estime que la meilleure chose qu'il lui soit arrivé, c'est l'acquisition du 2, Lavender Street. « Le signe du destin », selon ses propres termes.

Emily se remémora son visage radieux quand il avait découvert qu'elle habitait la maison voisine.

— Tu crois ?

— Oui, il se félicite de sa chance. Nous aussi. Nous aurions pu hériter d'une famille infernale. Harry, lui, est merveilleux.

— D'accord... Mais il ne va pas régir ma cuisine. J'ai toujours la ferme intention de te préparer un bon petit dîner. A ce soir.

Le hasard en décida autrement. A 16 heures, un appel du Samu sonna le branle-bas de combat. Harry rassembla le personnel et exposa la situation avec son calme coutumier.

— Il y a eu un incendie dans le quartier commerçant. J'ignore encore le nombre de victimes. Les pompiers nous informeront depuis les lieux du sinistre. Les ambulances sont déjà sur place. Dans l'immédiat, préparez des chariots de pansements et de réanimation et évacuez la salle d'attente. Avec tact, s'il vous plaît... Nous y mettrons les cas prioritaires. Vous connaissez tous la procédure en cas de catastrophe. Aussi, soyez diligents et préparez-vous au pire. A propos, les autres services nous envoient des médecins et des infirmières en renfort, tous pleins de bonne volonté, mais sans grande expérience des urgences. Aussi, formez avec eux des équipes mixtes.

— Jolie formule..., commenta Jane en se précipitant avec Emily dans la salle d'attente pour débarrasser la pièce des meubles inutiles.

Au fur et à mesure que les heures s'égrenaient, les cas critiques furent pris aussitôt en charge : on intuba les patients atteints d'une défaillance respiratoire consécutive à l'inhalation de fumée toxique et on transfusa ceux qui souffraient d'hémorragies internes ou externes.

Puis la surveillante demanda à Emily de rejoindre Harry. Une jeune infirmière de chirurgie, Karen Corbett, les assistait, un peu dépassée par le rythme rapide des interventions.

— J'ignore comment vous parvenez à tenir la cadence, dit-elle quand elles jetèrent dans la corbeille à linge leurs masques et leurs tabliers sales.

— Une question de pratique, répondit Emily. Ce n'est pas toujours la panique.

— Dépêchez-vous, mesdames, coupa Harry en se brossant les mains. Nous avons encore du pain sur la planche.

— C'est merveilleux de travailler avec lui, murmura Karen à l'oreille de sa collègue. En plus, il est *canon*.

Emily hocha vaguement la tête.

La patiente suivante était une vieille dame tombée dans un escalier en tentant de quitter le bâtiment en flammes, au milieu de la bousculade. Elle présentait une fracture ouverte du bras que les ambulanciers avaient immobilisé avec une étrivière. Malgré la perfusion, elle souffrait le martyre et haletait sous le masque à oxygène.

— Bien, dit Harry, en lisant le nom inscrit sur le bracelet médical. Madame Holland, je suis Harry Paradine, le médecin chef des urgences. A l'évidence, vous vous êtes fracturé le bras gauche, mais avez-vous mal ailleurs ?

— Là, sous les côtes. Je peux à peine respirer, murmura la blessée, les lèvres exsangues.

— Avant de vous examiner, je vais vous faire une injection pour supprimer la douleur. Cinq milligrammes morphine, je vous prie, Emily.

La jeune femme prit l'ampoule, aspira le contenu dans une seringue et la lui tendit avec un tampon antiseptique.

— Cela va agir très vite, madame Holland, dit Harry. Voilà... A présent, ôtons-lui ses vêtements.

La patiente somnolait quand les deux infirmières achevèrent de la déshabiller. En prenant soin de ne pas bouger le membre fracturé, elles retirèrent l'étrivière et les pansements posés par les infirmiers du Samu. L'avant-bras jusqu'au coude n'était plus qu'un amas d'os brisés, de sang et de chair violacée. Le poignet avait été écrasé et le pouls radial, inexistant.

Harry pressa le bout des doigts inertes et secoua la tête.

— Zut, le sang ne circule plus. Si l'orthopédiste n'intervient pas séance tenante, elle va perdre l'usage de sa main. Emily, dites au bloc opératoire que j'ai une priorité de classe 1 et que je leur envoie la patiente dans quelques minutes. Qu'ils surveillent la respiration, à cause d'une suspicion de fracture des côtes, sans perforation du poumon pour l'instant, Dieu merci. Son bras passe en premier, insistez là-dessus. Ensuite, appelez deux brancardiers.

Quand Emily revint dans la salle de traumatologie, la fracture avait été sommairement réduite, les tissus irrigués, le bras pansé et l'étrivière remise en place. Mme Holland respirait toujours avec peine sous le masque à oxygène, mais semblait plus détendue.

— Tout est arrangé ? interrogea Harry.

— Oui, les brancardiers arrivent dans une seconde et on prépare le bloc. Julian Knight qui termine une intervention opérera avec l'équipe de neurologie.

— Bien, ils doivent être sous pression, là-haut.

— Ils ne savent plus où donner de la tête.

263

A cet instant précis, un brancardier aux traits tirés entra avec un chariot.

— Je suis seul. Mon collègue a été réquisitionné ailleurs. Quelqu'un va devoir m'accompagner.

Le médecin hocha la tête.

— Naturellement. Karen, vous accompagnerez Dave et vous surveillerez le pouls et la tension de Mme Holland jusqu'à son admission au bloc. Ensuite, faites un saut dans la salle de repos et buvez un café avant de venir au rapport.

Tous les quatre soulevèrent la vieille dame. Puis le chariot fut conduit vers l'ascenseur, Karen portant la poche de perfusion.

Après leur départ, Emily jeta les pansements et les seringues usagés, changea le drap de la table d'examen et disposa sur le chariot un nouveau plateau d'instruments.

— Je vais prendre des nouvelles du front et je reviens, annonça Harry.

Dix minutes plus tard, il était de retour.

— La situation s'améliore. Tous les cas prioritaires ont été traités. Il ne reste plus que des contusions, des brûlures au premier degré et des coupures causées par l'explosion des vitres. J'ai prévenu la réception que nous nous offrons une pause. Vous êtes à pied d'œuvre depuis 7 h 30 du matin et il est maintenant...

Il leva les yeux vers la pendule murale.

— ... 21 h 30. Si nous ne buvons pas un café sucré, nous ne serons plus d'aucune utilité pour quiconque. Allons, venez.

— Mais...

— Pas de mais, madame. La nuit n'est pas terminée. Vous profiterez de ce répit pour appeler Tim.

— J'ai laissé un message sur le répondeur avant l'arrivée des ambulances. Je vais lui passer un coup de fil pour l'informer de la situation.

— Bonne idée.

— Il a regardé le journal télévisé, dit-elle un instant plus tard, en rejoignant Harry dans la salle de repos déserte.

Elle s'effondra dans un fauteuil, prit la tasse de café qu'il lui tendait et reprit :

— En fait il en sait davantage que nous. Les journalistes campent devant l'hôpital depuis l'annonce de l'incendie. Ils ont interviewé sans relâche les membres de la direction et quelques blessés légers. Tim ne s'attend pas que je rentre avant minuit et il nous prépare une collation. Il a déclaré que vous seriez trop exténué pour vous servir d'une casserole.

Harry sourit, manifestement ému.

— Il n'a pas tort. Quelle gentillesse de sa part d'y avoir pensé.

— Il vous estime beaucoup et éprouve une immense gratitude à votre égard pour ce que vous avez fait pour lui. Moi aussi, d'ailleurs. Il y a quelques mois, il n'aurait jamais pris l'initiative d'une rééducation. Il était en guerre contre lui-même et contre la terre entière.

Harry plongea son regard dans les yeux d'un bleu intense noyés de larmes. Il mourait d'envie de lui dire à quel point elle était belle et combien il était amoureux d'elle.

Seigneur, il devenait sentimental ! Sans doute un effet du stress et de la fatigue.

— Tous les garçons de cet âge partent en croisade contre les adultes. Mais Tim a plus de motifs de rébellion que les autres. Un jour, il surmontera ses contradictions.

— Pas sans votre aide, persista Emily, toujours bouleversée.

Il posa sa tasse sur la table et, du bout de son index, il effaça les larmes qui roulaient sur la joue de la jeune femme.

— Je vous en prie, Em, ne pleurez pas. Je ne peux pas supporter de vous voir malheureuse.

L'ombre d'un sourire se dessina sur ses lèvres humides.

— Je ne suis pas malheureuse. C'est même le contraire. Je suis si contente que vous soyez là.

— Vraiment ? Oh, Em...

Il déposa un baiser fugitif sur la bouche tremblante car des pas et des voix résonnaient dans le corridor.

— Nous poursuivrons cette conversation plus tard.

Sur cette promesse, il se rassit, au moment même où la porte s'ouvrait.

A 23 h 30, ils quittèrent l'hôpital avec les derniers membres de l'équipe de jour.

— Retour à la normale, commenta Harry tandis qu'une ambulance, toutes sirènes hurlantes, s'immobilisait sous le portique des urgences.

Ils allaient se diriger vers leurs voitures respectives — l'une garée sur l'aire de stationnement tout proche des consultants, l'autre, à l'extrémité du parking — quand Harry posa la main sur le bras d'Emily.

— Montez. Inutile de vous imposer cette marche.

— Que Dieu vous bénisse, monsieur, je ne sens plus mes pieds.

— Vous voilà bien cérémonieuse. Vous devriez être à court de formules de politesse après cette journée d'enfer.

— Je marche à l'adrénaline. A plusieurs reprises, nous avons frisé le désastre. Grâce au ciel, nous n'avons perdu aucun patient et ce sentiment du travail bien fait me réconforte.

« Votre baiser aussi », faillit-elle ajouter.

Qu'aurait-elle fait s'il avait tenté d'aller plus loin ? Elle l'ignorait. Pourtant, elle se sentait euphorique alors qu'elle aurait dû tomber de fatigue.

Harry contempla le joli visage rayonnant sous les lumières fantomatiques des réverbères du parking. Il rêvait de l'attirer contre lui, de l'embrasser farouchement, mais il ne voulait pas tirer avantage de l'étrange griserie qui s'était emparée d'elle. Ses yeux étaient brillants. Trop brillants ?

— Je vous raccompagne chez vous. Nous laisserons votre Mini ici. Puisque nous commençons tard demain, vous ferez le trajet avec moi.

Elle le fixa un moment, comme si elle n'avait pas entendu ses paroles. Puis deux fossettes creusèrent ses joues.

— Entendu. La conduite sous excès d'adrénaline pourrait me valoir une contravention.

Harry lui lança un sourire amusé, teinté d'une pointe d'étonnement, en lui ouvrant la portière de la Range Rover.

— En route !

Perdus dans leurs pensées, ils firent le trajet en silence sous le clair de lune.

« Une lune de nuit d'été », se dit Emily en admirant le disque d'argent qui luisait au-dessus de leurs têtes.

Elle glissa un coup d'œil à la dérobée vers le profil viril du conducteur. Et lui que pensait-il ? Elle ouvrit la bouche pour poser la question et la referma. Il n'avait sans doute rien remarqué. Il devait plutôt s'interroger sur le passager de l'ambulance et sur la rapidité d'intervention de l'équipe de nuit.

Elle ferma les yeux, laissant ses pensées dériver au rythme du ronronnement du moteur.

Non, Harry ne pensait ni à l'hôpital ni à la lune. Son esprit était entièrement absorbé par sa compagne.

Pourquoi cette soudaine joie, ce brusque désir de rentrer avec lui ? Ce comportement ne lui ressemblait pas. S'il avait appris quelque chose sur elle ces dernières semaines, c'était bien son détachement et son indépendance.

Cependant, sous ces dehors de femme autonome, se cachait un être fragile. Il avait percé ce bouclier, grâce surtout à ses relations privilégiées avec Tim et un peu à leur intérêt commun pour le jardinage. Des progrès très relatifs, car il ne connaissait toujours pas la véritable Emily. Même lors du week-end qu'ils avaient passé ensemble, elle lui avait raconté très peu de chose sur son enfance.

A l'évidence, sa mère avait eu une grande influence sur elle. Contrairement à son père dont elle ne parlait pas. Etait-il responsable de son repli sur elle-même ? Tim, plus loquace, avait déclaré amèrement qu'il ne s'entendait pas avec lui, évoquant à mots couverts son caractère explosif.

Au prix d'un immense effort, Harry avait ravalé les questions qui lui brûlaient les lèvres. A Emily de lui faire des confidences.

Mais dans le feu de la conversation, Tim avait lâché une confirmation : Emily avait été fiancée à un homme qu'il avait décrit sous les traits d'un individu arrogant et dépourvu d'humour.

— Un nul, avait-il résumé d'un ton lapidaire. Maman ne l'aimait pas non plus. J'ai été heureux quand Em a rompu avec lui. Je regrette qu'elle ne l'ait pas fait du vivant de maman.

Une fois encore, Harry avait résisté à la tentation de l'interroger. Mais ces quelques éléments lui donnaient déjà matière à réflexion sur les motifs de défiance d'Emily à l'égard de la gent masculine.

Il posa les yeux sur elle. C'était si bon de l'avoir près de lui. Dommage que les toits pentus de Shalford apparaissent déjà dans le faisceau des phares.

Au moment où la Range Rover bifurquait dans l'allée du 2, Lavender Street, Emily se redressa en sursaut.

— Pardonnez-moi, je me suis endormie.

Il sourit.

— Ne vous excusez pas, vous étiez vannée. Comment vous sentez-vous maintenant ?

— Bien. Juste un léger mal de tête sans doute parce que j'ai à peine déjeuner à midi, dit-elle en se battant pour détacher sa ceinture de sécurité.

— Laissez-moi vous aider.

Il se pencha sur le côté et plongea la main entre les deux sièges. Tandis qu'il pressait le bouton de l'attache, son bras frôla les seins de la jeune femme.

Celle-ci se raidit, le cœur battant à tout rompre. Le visage de Harry était à quelques centimètres du sien.

Pendant un moment qui parut s'éterniser, ils demeurèrent

immobiles, pareils à deux statues. A la fin, n'y tenant plus, Harry l'embrassa. Un baiser tendre, prolongé, ardent.

Emily sentit sur sa joue le picotement de sa barbe naissante et ses inhibitions s'évanouirent. Elle noua les bras autour de son cou. Quand elle s'écarta de lui, elle parut gênée.

— Je n'aurais pas dû vous laisser... Je n'ai pas un tempérament à flirter. Je veux juste que nous soyons amis.

Harry se redressa.

— Em, un baiser entre amis ne fait de mal à personne.

Emily ne put retenir un léger rire.

— Ce n'était pas un baiser amical. C'est plus un baiser de...

— D'amoureux?

Malgré la pénombre, il vit la rougir.

— Serait-ce si terrible que quelqu'un vous aime et veuille prendre soin de vous et de Tim? Diable, ce n'est ni lieu ni le moment d'entamer ce genre de conversation. Parlons-nous plutôt demain. Nous ne pouvons pas laisser les choses en suspens, n'est-ce pas?

Résolument, elle remisa dans un coin de son esprit les paroles qu'il venait de prononcer. Elle les analyserait plus tard.

— Entendu.

— A la bonne heure! A présent, allons rendre justice au festin que nous a préparé votre frère.

Elle se mit à rire.

— N'attendez pas monts et merveilles. Mais plutôt un échantillon de boîtes de conserve.

Tim avait choisi un velouté de tomate.

— Avec deux larmes de sherry et trois pincées de coriandre fraîche saupoudrées en fin de cuisson.

A côté de la soupière, il avait disposé des petits pains ronds de blé complet, un plateau de fromages, des cerises et deux petits verres de vin.

— J'ai ouvert une bouteille de beaujolais, reprit-il, hésitant. J'espère que ça vous convient. J'ai pensé qu'un brin d'alcool vous revigorerait après cette journée mouvementée.

Emily croisa brièvement le regard de Harry et vit qu'il pensait à la même chose qu'elle. Les heures éprouvantes passées à soigner des corps brisés ou brûlés avaient été effacées par un baiser fiévreux dans la voiture et une déclaration d'amour.

— Merci, mon ange. Tu es fantastique. Nous mourons tous les deux de faim, aussi je propose de passer à table.

Tim s'assit à côté d'eux et leur résuma les reportages sur l'incendie diffusés par la télévision. Incapable de remplir son rôle de maîtresse de maison, Emily le bénit d'entretenir la conversation. Vaincue par la fatigue, elle avait à peine la force de soulever sa cuillère pour la porter jusqu'à ses lèvres.

— Navrée, je vais me reposer, balbutia-t-elle en repoussant sa chaise.

Tandis qu'elle se levait, la pièce se mit à tourner autour d'elle. Ses jambes vacillèrent et elle glissa sur le sol, happée par les ténèbres.

8.

La première chose qu'Emily entendit en reprenant conscience fut la voix de Harry.

— Tout va bien, ma douce. Vous avez eu un malaise. Restez immobile. N'essayez pas de bouger.

Elle ouvrit les yeux. Les contours flous de deux visages masculins semblaient suspendus dans le vide.

— Quelle étuve...

Harry lui releva la tête et pressa un verre froid contre sa bouche sèche.

— Tenez, buvez ça. C'est de l'eau minérale.

Le liquide glacé coula entre les lèvres et le long de son menton. Elle but avec avidité. Harry lui sourit puis, voyant qu'elle voulait se redresser, il glissa son bras autour d'elle pour l'aider.

— Désolée, je ne suis jamais tombée dans les pommes.

— Tu vas mieux ? demanda Tim d'une voix anxieuse.

— Oui. Mais je suis en nage et j'ai la gorge brûlante.

Harry reposa le verre.

— Je crois que vous avez attrapé la bonne vieille grippe de printemps. Conclusion : vous voilà condamnée au lit, au bouillon de légumes et à l'aspirine.

Il la souleva comme un fétu de paille et traversa la pièce à grandes enjambées. Au pied de l'escalier, il marqua une pause.

— Tim, peux-tu m'apporter un pichet de limonade avec une grande quantité de glace?

— Tout de suite...

Cinq jours plus tard, Emily fit ses premiers pas hors de sa chambre, juste pour s'allonger sur le sofa du salon devant la fenêtre grande ouverte. Le trajet jusqu'au rez-de-chaussée l'épuisa, la laissant tremblante comme une feuille sous la brise.

Harry lui enveloppa les jambes dans une couverture.

— Voilà.

— Je me sens comme une invalide de l'époque victorienne.

— Victorienne, vous ne l'êtes pas, mais invalide, vous le resterez encore quelques jours. N'oubliez pas que vous entamez votre convalescence. Alors, pas d'excès. Bon sang de bois, vous aviez encore quarante de fièvre avant-hier. Et aujourd'hui encore, presque trente-huit deux.

Tim tira une petite table en acajou et posa dessus un pichet de jus de citron et un verre.

— Il faut que je file, Em. Neil et moi, nous avons prévu de réviser nos cours ensemble.

— Bien sûr, trésor... Tes partiels ont lieu la semaine prochaine. J'espère que ma maladie n'a pas gêné ton travail scolaire.

— Pas le moins du monde. Nous avons bénéficié de tant de mains secourables — la gouvernante de Harry, tante Meg, sans parler de Harry lui-même — que je me suis presque tourné les pouces. Ta maladie s'est révélée une bénédiction.

Elle se mit à rire.

— Charmant! Tu rentres dîner?

— Non. Neil m'a invité chez lui. Puisque Harry reste avec toi, tout s'arrange à merveille. Alors, c'est d'accord?

272

— Oui, si ça ne dérange pas Harry.

Il fronça les sourcils.

— Je ne l'aurais pas proposé, sinon.

Elle vit qu'elle l'avait blessé.

— Je vous en prie, ne vous fâchez pas, dit-elle après le départ de Tim. J'ignore pourquoi j'ai fait cette remarque stupide après le dévouement que vous avez témoigné pendant cette méchante grippe.

Il sourit, toute froideur envolée.

— Oui, vous connaissez mes sentiments à votre égard. Comme si je pouvais manquer une occasion de passer un après-midi en tête à tête avec vous.

A son grand dam, elle devint rouge de confusion. Toutefois, elle s'obligea à prononcer les paroles qui la hantaient depuis cinq jours, quand, chaque fois qu'elle émergeait de sa torpeur, elle le trouvait assis à son chevet.

— La nuit où je me suis évanouie...

Des yeux tendres se posèrent sur elle.

— Oui ?

— Tout est si brumeux. Je... je n'étais plus moi-même. Aussi vous ne devez pas prendre au pied de la lettre ce que j'ai dit... ou fait.

— Nous nous sommes embrassés, Em. Je vous ai demandée en mariage. Vous avez refusé, bien que vous ayez accepté d'en discuter.

Il avait résumé les faits d'un ton neutre, omettant à dessein la grisante sensualité de leur étreinte.

Le souvenir de cette nuit lui revint alors à la mémoire. Elle avait adoré la saveur de sa langue dans sa bouche. Elle avait plongé les doigts dans ses cheveux drus, avec le désir que son baiser ne s'arrête jamais.

Aucun homme ne l'avait embrassée ainsi auparavant — et encore moins Mark qui affectait le même détachement en amour qu'au travail. En toute franchise, ça ne la gênait pas. Elle aurait même trouvé... déplaisant qu'il montre une quelconque passion.

Elle serra les lèvres. Avait-elle été vraiment éprise de lui ? Allons donc ! Une idée absurde qu'elle s'était mise dans la tête. En réalité, elle ne l'avait jamais aimé.

Soudain, la lumière se fit. Elle avait gaspillé ses larmes, lors de la rupture de ses fiançailles. Comment avait-elle pu être aveugle à ce point ? Mark était un jeune dandy bouffi de suffisance... Cette pensée la glaça en dépit du soleil qui inondait la pièce.

Harry vit les émotions se succéder sur le visage encore pâle, sans pouvoir toutes les interpréter. Il se pencha pour arranger la couverture.

— Vous avez froid ?

Emily secoua la tête.

— On dirait que vous avez vu un fantôme ou que vous remuez des idées noires.

Les yeux saphir s'agrandirent.

— Un peu des deux. Comment le savez-vous ?

— A votre expression. Vous étiez absorbée par vos pensées quand vous avez brusquement frissonné plusieurs fois. Eu égard à notre conversation, ça m'a paru une déduction raisonnable. Alors, voulez-vous que nous parlions mariage ?

Elle rougit. Elle se souvenait maintenant de sa déclaration d'amour.

— J'ai cru que j'avais tout imaginé, dit-elle d'un ton hésitant.

— Non, mon amour.

— Que vous ai-je répondu ? Pardonnez-moi de vous poser la question, mais j'avais l'esprit si confus cette nuit-là.

— Que vous vouliez que nous soyons seulement amis.

— Oh... c'est tout ?

— Et que vous n'étiez pas prête à vous engager...

Il prit sa main dans la sienne.

— Dites-moi, Em, avez-vous vécu une mauvaise expérience ? Etes-vous effrayée par les contacts physiques ? De nos jours, les femmes sont censées être libérées sur ce plan-là, mais les inhibitions ont la vie dure.

Cela lui ressemblait bien d'être aussi direct, aussi clairvoyant, aussi intuitif.

Emily contempla leurs doigts entremêlés puis croisa le regard de Harry chargé d'amour, de sollicitude et d'espérance.

Comment lui faire confiance ? Comment faire confiance à un homme ? Si elle l'avait rencontré plus tôt, avant Mark, avant l'accident... malgré la répulsion que lui inspirait la conduite de son père...

— Pas à moi directement, mais à ma mère...

Elle frissonna. Harry resserra son étreinte.

— Elle ne m'en a jamais soufflé un mot, mais j'entendais des choses et je voyais les ecchymoses. Sans nous, elle l'aurait quitté. Un jour, il est parti et n'est jamais revenu. Peut-être à l'instigation de maman. Il avait un caractère violent.

— Tim m'a raconté.

Elle fronça les sourcils.

— Ah bon ? J'espère...

— Tranquillisez-vous, il n'est pas entré dans les détails. Il voulait juste se libérer d'un poids. Il vous adore, mon amour. Il ne veut pas vous inquiéter, mais il a besoin parfois de s'épancher. Son amertume ne découle pas uniquement de l'accident. Maintenant qu'il approche de l'âge adulte, il est confronté aux fantômes du passé. Des fantômes qui vous hantent aussi.

Les yeux d'Emily se remplirent de larmes.

— Je vous remercie de l'avoir écouté, Harry... Il n'a jamais eu un homme auprès de qui se confier. Ainsi que vous l'avez sûrement deviné, mon père ne lui prêtait aucune attention. Comme Mark Forrester, mon ancien fiancé.

— Ça n'a pas marché ?

Il connaissait la réponse, mais il avait besoin de

l'entendre de sa bouche. Elle secoua la tête, résolue à ne rien lui cacher.

— A la mort de maman, il a refusé avec mépris de m'aider à reconstruire un foyer pour Tim. Il trouvait que j'étais folle de quitter un prestigieux c.h.u. de Londres pour un hôpital de province dans le seul but de m'occuper de mon frère. J'ai donc rompu nos fiançailles, mais Tim ne doit rien savoir. Je ne veux pas qu'il se culpabilise.

Harry approuva sans l'ombre d'une hésitation. Difficile d'imaginer que sa ravissante, sa sensible et sa scrupuleuse Emily ait pu tomber amoureuse d'un égoïste comme ce Forrester. Mais les femmes les plus intelligentes s'égarent souvent avec des hommes qui ne leur arrivent pas à la cheville. L'aimait-elle encore? Apparemment non. Encore que... Il voulut en avoir le cœur net.

— Vous l'aimez toujours?

— Non! J'ai enfin tourné la page. Son souvenir s'était estompé, mais ne voulait pas disparaître complètement.

— J'en suis content pour vous. A présent, vous pouvez aller de l'avant. Penser à vous pour une fois. Suivre votre voie.

Il caressa la belle chevelure couleur d'onyx.

— Epousez-moi, mon amour. Laissez-moi prendre soin de vous et de Tim.

— Je ne peux pas. Je ne suis pas encore certaine... Enfin, je veux que nous restions amis, mais...

— Je ne vois pas pourquoi l'amitié nous empêcherait d'être mari et femme.

— Mais je ne suis pas amoureuse de vous. Du moins... Je ne crois pas que je le sois. Je ne suis pas prête. Je me sens bien, telle que je suis. En outre, comment savoir... Je vous en prie, ne me rendez pas les choses difficiles.

— C'est la dernière chose que je souhaite, mais vous réfléchirez à ma proposition?

— Oui... je vous promets.

Harry se leva et déposa un baiser sur son front.

— Je ne vous abandonnerai pas comme les autres. A présent, je vais servir le thé et les scones, cadeau de Mme Stubbs.

— Votre gouvernante est un amour. C'était si gentil à vous de l'avoir amenée ici pendant ma maladie. Elle a fait plus que briquer la maison. Elle s'est occupée de moi comme une mère, changeant mes draps, préparant des citronnades et les repas de Tim. J'aimerais que vous me...

— Non, je n'accepterai pas un centime. Le moins que je puisse faire, c'est veiller à ce que vous ne manquiez de rien. Vous ne voulez pas m'épouser, soit. Mais ne me retirez pas mes privilèges. Sinon à quoi servirait l'amitié ? Elle viendra tous les jours jusqu'à votre complet rétablissement. Maintenant, mon amour, détendez-vous pendant que j'apporte le thé.

« Naguère, songea-t-elle en écoutant Harry s'activer dans la cuisine, je l'aurais envoyé au diable. Jamais je ne lui aurais permis de prendre les choses en main. Pourquoi ce changement d'attitude ? »

Elle n'avait toujours pas trouvé la réponse quand il revint quelques minutes plus tard, un plateau dans les bras.

Une semaine passa avant que son généraliste ne l'autorise à reprendre le travail. Elle passa le plus clair de son temps sur la terrasse, parmi les roses en pleine floraison sous l'effet de la canicule. Quand la lecture la fatiguait trop, elle somnolait, bercée par le chant des oiseaux. Ses pensées vagabondes la ramenaient toujours à Harry, à sa demande en mariage, sans parvenir à démêler l'écheveau de ses propres sentiments.

Son fiançailles traumatisantes l'avaient-elles dégoûtée de l'amour ? La froideur de Mark avait peut-être déteint sur elle...

Non, décida-t-elle au souvenir du baiser de Harry. Un

élan irrépressible l'avait portée vers lui. Il l'aimait, disait-il. Mark aussi, à sa façon. Et pour quel résultat !

Certes, elle était attirée par Harry. *Attirée* ! Un mot trop banal pour décrire ses sentiments. Des sentiments engendrés par une immense gratitude concernant Tim ? Etait-ce de l'amour, ou juste une affaire d'hormones ?

Au fait, c'était quoi l'amour ? Vouloir la présence de quelqu'un en particulier. Sentir son cœur s'emballer en entendant la voix de l'autre. Vouloir le chérir et être chérie en retour. Penser sans cesse à lui. Partager tout.

Ma foi, son cœur exécutait parfois de drôles d'acrobaties et Harry monopolisait son esprit. De surcroît, leurs séances de jardinage les avaient comblés de bonheur.

Devait-elle en fin de compte l'épouser ? Qu'en dirait Tim ? A l'évidence, il admirait Harry, mais il ne souhaitait peut-être pas l'avoir comme beau-frère ?

Invariablement, ses pensées s'achevaient sur cette note spéculative. Le temps lui apporterait la réponse. Dans l'intervalle, elle continuerait à se satisfaire de l'amitié indéfectible de Harry et lui offrir la sienne en échange.

Pour la première fois de sa carrière, Harry ralentit son rythme de travail. Il commençait très tôt et rentrait à l'heure du dîner, à moins d'une urgence grave, pour masser la jambe de Tim. Il arrosait aussi les deux jardins, un long travail fastidieux — à cause de l'interdiction d'user d'un système automatique — refusant tout net qu'Emily soulève le moindre seau d'eau.

Il repoussa aussi l'aide de Tim, sous prétexte que ce dernier bûchait ses examens. Tous les jours, ils jouaient ensemble avec un ballon de football, sur les conseils de Bob Keefe. Ce nouvel exercice ne ressemblait pas, et de loin, à un véritable entraînement. Mais Tim en retirait un plaisir immense, malgré la fatigue qui s'ensuivait.

Harry s'amusait également, quoique la séance de ré-éducation lui prît quotidiennement quarante minutes de son temps.

Il ne regrettait pas ce sacrifice. Les progrès de Tim et la joie d'Emily lui apportaient une merveilleuse récompense.

D'ailleurs, le bonheur de la jeune femme était devenu son souci premier — en dehors de son service où, par un suprême effort, il parvenait à l'écarter de son esprit. Il brûlait de l'épouser, de lui faire l'amour, de caresser ses seins, de sentir son corps se fondre dans le sien, de la tenir doucement dans ses bras pour ne pas l'effaroucher.

Emily était son trésor, son joyau, l'amour de sa vie. Il voulait dissoudre les peurs nées de la violence de son père, de la mort tragique de sa mère et, par-dessus tout, jeter aux oubliettes cet affreux Forrester qui l'avait traitée d'une manière indigne.

Après avoir rêvé d'elle toute une nuit, il se réveilla un matin, rempli de frustration. Lassé de poursuivre en vain une image inaccessible, un rêve hors d'atteinte, il décida de forcer les barrières, quelles que soient les difficultés qui se dresseraient sur son chemin.

— Je dois la courtiser comme une dame du temps jadis, dit-il aux murs de sa chambre, m'afficher partout avec elle. Tant pis si ça alimente les rumeurs. Les mauvaises langues doivent déjà prétendre que nous sommes amants.

Il poussa un soupir en s'extirpant de son lit. Si seulement ça pouvait être vrai, songea-t-il sous la douche en ouvrant à fond le robinet d'eau froide.

Un après-midi, en rentrant de bonne heure, il trouva Emily endormie sur une chaise longue à l'ombre d'un cerisier, un chapeau de paille rabattu sur son visage. Le souffle court, il la contempla pendant un moment. Elle portait une robe courte de soie légère qui dévoilait ses longues jambes hâlées. Ses seins tendaient le tissu au rythme de sa respiration. Ses bras d'une belle teinte pêche entouraient sa tête. Comme elle était belle, ainsi abandonnée au sommeil, candide et vulnérable à la fois.

Il aurait tant voulu poser la tête contre les rondeurs exquises de sa poitrine, caresser ses cuisses dorées, entendre les battements de son cœur...

En marmonnant un juron, il tourna les talons, longea la haie de lavande et gagna son cottage.

Dans la cuisine, il ôta sa cravate, déboutonna sa chemise et plongea sa tête et son torse sous l'eau froide. Il sortit ensuite une cannette de bière du réfrigérateur et retourna au jardin.

Là, il s'assit dans l'herbe et sirota sa bière, en feuilletant les pages d'un magazine, lisant à peine les titres.

Son verre une fois vide, il s'allongea sur le dos. Avec un peu de chance, il rêverait d'Emily, pensa-t-il tandis que ses paupières se fermaient.

Quelques minutes plus tard, une brise fraîche courut sur son visage. Il ouvrit les yeux et aperçut Emily, les yeux brillants, penchée par-dessus la haie, en train de l'éventer avec son chapeau de paille. Sans réfléchir, il lui saisit la main au vol, retira le chapeau de ses doigts et se redressa de manière à poser un baiser son poignet. Il s'attendait à moitié qu'elle s'écarte, mais elle ne fit rien de tel.

— Bonjour, cher docteur. Vous semblez à bout de fatigue. Encore une rude journée ?

Il lâcha sa main et s'assit.

— Oui, une violente collision entre une automobile et un minibus transportant des enfants handicapés.

— Oh, non. Y a-t-il...

Il devina qu'elle n'osait pas prononcer le mot fatidique.

— Pas parmi les enfants. Le chauffeur, cependant, a été tué sur le coup et le couple âgé qui se trouvait dans l'autre véhicule ne valait guère mieux. Grâce au ciel, nous avons réussi à les ranimer. Avant de partir, j'ai appelé les soins intensifs et leur tension remontait. Les enfants s'en sont tirés avec des coupures et des hématomes, certaines très sévères. Quelques fractures aussi, mais sans complication. Nous n'avons gardé qu'une petite fille très commotionnée en observation.

Il fronça les sourcils et reprit :

— Vous savez combien on est ému par les enfants. Et c'est pire encore quand ils sont handicapés. J'ai fait quelques points de suture à un gamin souffrant d'une paralysie cérébrale, mais d'une intelligence phénoménale. Il n'a pas cillé. Il a juste déclaré d'un ton laconique qu'il souhaitait que je fasse un travail bien propre parce qu'une cicatrice risquait d'abîmer son physique, alors qu'il porte des lunettes à verres très épais. Pauvre petit bonhomme, il m'a touché au cœur. Je regrette de ne pas pouvoir remédier à sa vue déficiente.

Emily se faufila entre les buissons de lavande.

— Asseyez-vous là, dit-elle d'un ton qui ne souffrait aucune réplique. Je vais vous masser le cou et les épaules jusqu'à ce que vous vous détendiez. Je n'ai pas le talent de Bob Keefe, mais je possède une certaine pratique.

Docilement, Harry s'assit en tailleur et ôta sa chemise.

— Parfait, reprit-elle. Relaxez-vous.

Avec ses cuisses fuselées pressées contre sa peau nue ! « Allons, ferme les yeux et pense à l'Angleterre », se dit-il avec humour.

Contre toute attente, il se détendit. Elle enduisit son torse et ses biceps d'une lotion aux huiles essentielles et il sentit ses muscles rouler sous ses doigts agiles, tandis que ses mains montaient et descendaient le long de son dos.

Après vingt minutes de massage, il murmura :

— Arrêtez-vous, Em, vous allez vous épuiser.

Elle hocha la tête et s'écarta. Il se tourna vers elle en enfilant sa chemise. Les beaux yeux saphir frangés de longs cils noirs brillaient d'un éclat incomparable. Il lui offrirait un saphir comme bague de fiançailles. Un cercle de petites pierres enchâssées dans un anneau d'or.

Elle sourit, exhibant ses deux fossettes, et posa les main sur son torse.

— Harry ?

Le cœur de Harry s'emballa. Ses battements devinrent chaotiques. Avait-elle une idée de son pouvoir sur lui ? La réciproque existait-elle ? Il l'avait sentie trembler, tout à l'heure. Aucun doute là-dessus. Le temps était-il venu de percer une nouvelle brèche dans son mur de défense ?

Seigneur, il perdait patience. Il rêvait qu'elle devienne sa femme et tous ses instincts lui soufflaient qu'elle le désirait.

Malheureusement, il subsistait un obstacle de taille : comment la convaincre qu'il ne l'abandonnerait jamais, à l'instar de ce cuistre de Forrester ? Qu'il ne porterait jamais la main sur elle, comme son père vis-à-vis de sa mère ?

Un regard interdit, anxieux, sonda le sien.

— Harry, tout va bien ?

Il préféra mentir.

— Très bien...

Il serra les petites mains dans les siennes.

— Non, en vérité. Je me tracasse à votre sujet.

— Mais je suis presque guérie. Je retournerai à l'hôpital dans quelques jours.

Il secoua la tête.

— Oh, oui, physiquement.

— Je ne vous suis pas. Qu'est-ce qui vous chiffonne ?

— Votre vie affective.

Elle voulut se libérer, mais il ne relâcha pas de son étreinte.

— Je vous en prie, laissez-moi, Harry.

282

— Pas avant que vous ayez répondu à une question.

Elle s'humecta les lèvres.

— Laquelle ? dit-elle dans un souffle.

— M'aimez-vous ?

L'aimait-elle ? Les heures heureuses à jardiner ou à soigner ensemble les patients, les déjeuners en tête à tête, le baiser passionné au clair de lune, autant de moments de bonheur. Mais l'aimait-elle assez pour lui accorder une confiance absolue ? Elle ne le connaissait que depuis deux mois à peine et toute méfiance n'avait pas encore disparu.

— Honnêtement, je ne sais pas...

Harry laissa tomber ses mains.

— Croyez-vous que je vous aime, que je veux prendre soin de vous et de Tim ?

— Oui.

Elle aurait voulu le remercier encore une fois pour tout ce qu'il avait fait pour son frère et elle, toutefois elle savait qu'il n'en avait cure. C'était son amour, pas sa gratitude, qu'il désirait.

— Alors, pourquoi ne pas nous accorder une chance ? Nous avons tant de choses en commun. En outre, je pense que vous m'aimez, mais que vous n'en avez pas conscience.

Il l'embrassa sur le front et sur le bout du nez avant d'ajouter :

— Allons préparer le thé. Tim rentrera bientôt avec une faim de loup.

Elle lui emboîta le pas, comme si tout était revenu à la normale.

— Parfait. J'ai fait un gâteau au chocolat ce matin, ma première incursion dans la cuisine depuis...

— Depuis qu'une mauvaise grippe s'est abattue sur vous.

« Et que vous avez enfourché votre destrier pour voler à mon secours, acheva-t-elle en son for intérieur. Si seulement j'osais vous aimer comme vous le méritez. »

Les larmes aux yeux, elle poussa un soupir. Un jour peut-être...

Le lundi suivant, Emily reprit son service au milieu d'une agitation frénétique. Jane la chargea d'opérer un tri parmi une douzaine de retraités victimes d'un accident de la route, pour les diriger vers la salle de trauma ou une de celles réservées aux soins. Après une rapide inspection, la jeune femme informa la surveillance que la plupart des blessés ne souffraient que de contusions ou de coupures superficielles qui ne présentaient aucun caractère d'extrême urgence.

En revanche, deux réclamaient des soins immédiats : Alfred Gibson saignait abondamment d'une blessure à la tête, en dépit du pansement compressif appliqué par les infirmiers du Samu. A cette plaie, s'ajoutait une rétraction de l'humérus droit.

Irène Watts, âgée de soixante-cinq ans, avait de sévères coupures provoquées par l'éclatement des vitres du minibus. Le choc avait, en outre, déclenché une violente crise d'asthme. Elle présentait déjà des signes de cyanose. Un cercle bleu autour de sa bouche s'intensifiait à mesure que sa détresse respiratoire augmentait et il fallut la mettre sous perfusion de Ventoline.

Emily les avait donc transférés tous les deux en traumatologie où officiaient Harry et Guy, tandis que Jonathan, aidé d'un interne de médecine générale appelé à la rescousse, s'occupaient des blessés légers.

En étendant une vieille dame frêle sur la table d'examen, elle se souvint du commentaire de Harry sur la fragilité des enfants. Cette remarque s'appliquait aussi aux gens du troisième âge.

De la même façon qu'il avait été ému par le brillant petit garçon atteint d'une paralysie cérébrale, elle fut touchée par Grace Sanderson. Cette dernière, malgré ses bas déchirés et le sang qui avait éclaboussé le devant de son chemisier bleu pâle, parvint à ébaucher un sourire. Par son maintien, elle lui rappelait un peu sa mère ou sa grand-tante Meg. Toutes les trois montraient, face à l'adversité, une dignité sans faille.

Avec l'aide de Beth, elle déshabilla la vieille dame et la vêtit d'une chemise de nuit d'hôpital. Bien qu'elle souffrît visiblement, elle souleva sa jambe intacte de quelques centimètres et déclara avec flegme :

— Et moi qui étais si fière de mes chevilles. Naguère, j'ai dansé sur toutes les scènes d'Europe, mais, aujourd'hui, je crains de ne jamais récupérer complètement ma jambe gauche. Fini les arabesques !

— Vous avez des jambes magnifiques ! se récria Beth, admirative. J'espère que les miennes seront comme les vôtres quand j'aurais votre âge.

Emily, qui espérait ne pas se montrer trop optimiste, gratifia l'ancienne ballerine d'un sourire encourageant.

— Nous avons les meilleurs chirurgiens orthopédiques de la région. Dans quelques mois, vous trotterez comme un lapin.

Mme Sanderson se renversa sur ses oreillers.

— Je n'en demande pas tant. Je serai satisfaite si je peux continuer à faire mes courses.

La rencontre avec la vieille dame insuffla à Emily un regain d'énergie. Mais quand elle acheva son service, elle se sentait vannée moralement et physiquement.

Toute la journée, Harry avait été retenu en salle de traumatologie par une série de patients dans un état grave : une citose diabétique et, coup sur coup, deux infarctus du myocarde, impliquant la pose d'un stimulateur cardiaque externe, l'injection de doses successives d'atropine et d'héparine et une angioplastie.

Grâce au ciel, tous ces cas connurent d'heureux dénouements.

A 15 heures, il retrouva par hasard Emily devant son bureau. Dès qu'il la vit, son regard s'éclaira.

— Oh, Em, vous semblez épuisée... Vous avez trop forcé. Ce n'est pas raisonnable, un jour de reprise du travail.

— Vous aussi, vous êtes mort de fatigue.

Harry eut ce sourire malicieux qui conférait tant de charme à son visage.

— Moi Tarzan et toi Jane ! dit-il en tapotant son torse avec son index. Vous avez été malade, mon ange, alors que je suis en excellente forme. Puisque vous avez terminé votre service, promettez-moi de vous reposer en rentrant chez vous. Je passerai plus tard faire le massage de Tim.

Emily acquiesça. Brusquement, elle se sentait à bout de forces et incapable de prendre une décision par elle-même.

— Juré.

Le regard de Harry se fit plus tendre.

— Soyez prudente sur la route.

— Oui, je ferai très attention.

9.

La vague de chaleur se prolongea en juillet. Chaque jour, le soleil se levait dans un ciel d'azur et la température enregistrait des records. En conséquence, les coupures d'alimentation en eau avaient été étendues aux régions sud et tout le monde avait été prié d'économiser les nappes phréatiques.

En bons citoyens, Emily et Harry utilisaient l'eau de la rivière pour arroser leurs précieuses plantes. Ce qui donnait lieu à de multiples allers et retours, s'ils voulaient conserver leurs massifs en pleine floraison.

A la grande satisfaction de Harry, cette entraide accrut leur intimité. Emily, après une brève période de défiance, avait peu à peu abandonné sa réserve. Qu'elle le veuille ou non, le climat avait changé entre eux de manière imperceptible depuis sa demande en mariage et tous deux en étaient conscients.

Conformément à sa décision, Harry ne déguisait plus les sentiments qu'il lui portait. Pour commencer, il lui demanda son aide pour organiser la pendaison de la crémaillère qui réunirait ses amis et les membres de l'équipe soignante.

— Nous pourrions créer un trait d'union entre nos deux jardins, dit-il un matin en prenant un café avec elle dans la salle de repos. Voilà des mois que nous parlons d'ouvrir un passage près de nos deux terrasses respectives.

287

Prise au dépourvu, Emily hésita.

— Oh, je ne sais pas si c'est une bonne idée. Je ne connais aucune de vos relations, à l'exception du personnel des urgences. Les gens vont déduire des choses fausses.

— Lesquelles ? interrogea Harry, malicieux.

Elle s'efforça de ne pas rougir.

— Vous le savez bien. Ils s'imagineront...

— Que nous sortons ensemble ?

Elle fixa obstinément sa tasse de café.

— Quelque chose dans ce goût-là.

— Est-ce donc si terrible ?

La colère étincela dans les yeux saphir.

— Nous ne vivons pas ensemble.

Harry soutint son regard sans ciller.

— Nous sommes bons amis, collègues et voisins. Il est donc normal que nous conjuguions nos talents pour réussir cette garden-party. Si les invités interprètent la chose autrement, laissons-les faire. D'ailleurs, l'usine à rumeurs de l'hôpital doit déjà fonctionner à plein régime.

Un silence s'installa. Puis, à son grand soulagement, elle fit un signe d'assentiment.

— Oui, je vous l'accorde. Je suis désolée d'être montée sur mes grands chevaux à propos de ce problème secondaire. Après tout, nous savons où en est la partie, ajouta-t-elle d'un ton suave.

Ce petit trait perfide fit sourire Harry.

— Touché ! Mais je n'ai pas honte de mes sentiments. J'aimerais tant que nous formions un couple dans tous les sens du terme.

Le ululement d'une sirène la dispensa de répondre.

Harry n'avait à vrai dire aucune envie de prolonger la conversation et il se dirigea vers le hall d'entrée.

— Au travail ! s'écria-t-il.

— Forte insolation, annonça un des ambulanciers en poussant un chariot sur lequel un jeune homme était

288

étendu vers une salle d'examen. Il s'est évanoui en faisant son jogging. Une fois sur les lieux, nous l'avons mis sous oxygène. A un moment donné, il a repris conscience et il s'est plaint de nausées, de migraine et de crampes stomacales. Température rectale autour de quarante. Une sonde en intraveineuse de solution saline, à débit lent pour éviter un œdème pulmonaire. Fluide par voie orale.

— Comment s'appelle-t-il ?

— John Summers.

— Entendu, je m'occupe de lui. John, vous m'entendez ?

Le patient émit un vague gémissement.

Harry se pencha vers lui.

— Vous avez perdu conscience. Vous êtes à présent à l'hôpital St. Luke. Je vais vous poser une sonde de Foley pour que nous puissions vérifier le fonctionnement de vos reins.

John tira sur son masque à oxygène. Emily le remit dans la position adéquate en lui disant gentiment qu'il avait besoin d'une assistance respiratoire.

Une demi-heure plus tard, sa température était redescendue à trente-neuf grâce à l'adjonction d'un antipyrétique dans la perfusion.

Quelques minutes plus tard, Harry fut appelé pour soigner un enfant mordu par un chien et Emily continua à passer une éponge froide sur le corps moite de John Summers pour faire tomber la fièvre. Quand ce dernier émergea de sa torpeur, elle lui résuma les événements et conclut par un petit sermon sur la folie de courir à pied sous un soleil de plomb sans se munir d'une réserve d'eau minérale.

— Maggie, ma petite amie, m'a mis en garde à maintes reprises contre les risques d'insolation. Je le ferai la prochaine fois. J'ai cru que j'allais mourir. Et maintenant, quelles sont les réjouissances ? Combien de temps vais-je rester cloué sur ce lit ?

— Une heure ou deux. Le Dr Paradine ne signera pas votre bulletin de sortie avant que votre température se soit stabilisée et que votre hydratation soit redevenue normale. En outre, il faudra continuer à boire beaucoup quand vous rentrerez chez vous et cesser tout exercice violent pendant plusieurs jours. Si les crampes reviennent, revenez nous voir ou consultez votre généraliste.

John fit une légère grimace.

— Vous assurez le service après-vente ?

La jeune femme se mit à rire.

— Oui, c'est inclus dans le forfait !

Le reste de la journée s'écoula dans un flot ininterrompu de patients. Quand vint le tour d'un vieux monsieur qui marchait péniblement avec ses cannes, Emily oublia sa fatigue et l'aida à s'étendre sur la table de soins.

— Vous auriez dû accepter mon fauteuil roulant.

— Il faut bien que je remue ces maudites hanches jusqu'à ce qu'on me pose des prothèses.

Le cœur d'Emily se serra.

— Vous attendez depuis longtemps ?

— Dix-huit mois.

Bonté divine, il sera mort avant que son nom arrive en tête de liste, se dit-elle en consultant sa fiche.

— Vous êtes là à cause de votre genou ?

— Exact. J'ai fait une chute ce matin à la maison. Mon médecin ne peut pas me recevoir avant demain soir. Je souffre le martyre, mais mes analgésiques habituels n'ont aucun effet.

— Comment êtes-vous venu ici ?

— En taxi.

— Pourquoi ne pas avoir appelé une ambulance ? On vous aurait examiné plus vite.

— Je ne voulais pas les déranger.

Emily soupira. Certaines personnes abusaient du système de santé, tandis que d'autres, à l'instar de M. Carter, ne l'utilisaient qu'en dernier recours.

— Bon, je vais chercher un médecin.

Harry fut le premier disponible. Il la suivit dans la salle d'examen. Après s'être présenté, il ausculta le genou gonflé.

— Nous allons faire une radio de cette inflammation avec l'appareil portable. Je soupçonne quelque chose de plus grave qu'une simple contusion.

Tandis qu'il attendait les résultats, il administra à Edward Carter une injection de péthidine pour soulager la douleur.

Le cliché confirma ses observations.

— Vous avez une fracture de la grosseur d'un cheveu à la base du fémur, juste au niveau de l'articulation. Je vais vous transférer en orthopédie pour que vous receviez un traitement adéquat.

Le vieux monsieur fit une grimace lugubre.

— Vous ne pouvez pas me faire un bandage et me renvoyer chez moi ?

— Je crains que non. A quelque chose malheur est bon. Il y a de fortes chances que l'orthopédiste décide, à la lumière des événements, de profiter de l'opération pour vous mettre une prothèse de la hanche. Je le verrai à ce propos.

En d'autres termes, il allait plaider en faveur de son patient. Emily lui aurait volontiers sauté au cou.

Edward Carter saisit la main de Harry, éperdu de reconnaissance.

— Si on opère ma hanche, docteur, cette chute se transformera en bénédiction.

— Je ne vous promets rien. La décision revient à M. Swayley, le chef de clinique.

— Je vous remercie quand même.

— De rien. A présent, il faut que je vous quitte car le devoir m'appelle. A bientôt, j'espère.

Harry quitta peu après St. Luke pour se rendre au C.H.U. de Porthampton où il donnait un cours hebdomadaire.

291

De retour chez elle, Emily arrosa les deux jardins, secondée par Tim. Plus tard, en lui massant la jambe, elle lui exposa l'idée de garden-party de Harry.

— Splendide ! Tu ne reçois jamais d'amis, excepté tante Meg.

La jeune femme ne précisa pas qu'elle n'invitait personne, pas même ses anciennes camarades de classe avec lesquelles elle était restée en relation, parce qu'il ne voulait pas voir d'étrangers depuis la mort de leur mère. Mais à présent, c'était de l'histoire ancienne. Le garçon renfermé, aux humeurs imprévisibles, avait été supplanté par un nouveau Tim, gai, ouvert et sociable.

Etendue sur son lit, Emily écoutait les bruits de la nuit, guettant le retour de Harry. Elle ne parvenait pas à chasser son image de sa tête. Ni sa demande en mariage...

— Mon amour...

Les mots flottèrent puis s'effacèrent dans les ténèbres. Non, pas son amour. C'était impossible. Elle devait d'abord penser à Tim. Déchirée par des sentiments contraires, elle roula sur le côté en chien de fusil, et tâcha d'ignorer les douloureux battements de son cœur.

Harry revint juste avant minuit. Elle entendit sa voiture remonter l'allée. Maintenant, elle allait peut-être enfin trouver le sommeil.

Le soir suivant, après avoir arrosé les fleurs, ils discutèrent de la pendaison de crémaillère en savourant un verre de vin blanc glacé.

— Alors, quand auront lieu les festivités ? demanda Emily.

— Samedi en huit. Nous avons congé tous les deux.

— Ah, vous vous êtes renseigné !

— Bien sûr, dit Harry sans se troubler. Je regarde toujours le planning pour connaître vos rotations. J'aime savoir où vous êtes. L'arrosage du jardin, la physio de Tim...

Cet aveu équivalait à un « je t'aime », pensa Emily. Non qu'il eût besoin de recourir à un code quelconque. Ces dernières semaines, il n'avait pas fait mystère de sa passion pour elle.

Ses yeux bruns rencontrèrent les siens. Le lien invisible était là, les attirant irrésistiblement l'un vers l'autre. Emily retint son souffle. La terre parut s'arrêter de tourner. Rien n'existait plus que ce regard profond, enivrant.

Harry se leva, contourna la table. Sa voix lui parvint, basse et pressante à travers un brouillard.

— Em, vous allez bien?

Il se pencha sur elle et lui ôta son verre.

— Vous êtes toute pâle. Vous n'allez pas vous évanouir?

Elle ébaucha un sourire tremblant.

— Non, une fois suffit. Le souffle m'a manqué pendant quelques secondes. Il fait si chaud, si lourd.

— Moi aussi...

Il savait.

Emily, les yeux rivés sur le verre qu'elle venait de reprendre, ne vit pas la flamme d'amour et d'espoir dans le regard de son vis-à-vis.

— Revenons à nos moutons. Il faut établir un programme d'action, si nous voulons être prêts pour samedi, Harry.

En dépit de ses réticences, Emily fut emportée dans le tourbillon des préparatifs. Ensemble, ils écumèrent les marchés, les épiceries fines et les rayons gourmet des supermarchés. Au cours de leurs pérégrinations, Harry la prenait ouvertement par la main ou par la taille, pour lui éviter d'être bousculée par la foule, et ces marques de possessivité lui révélèrent combien il était doux d'être chérie et protégée.

De délicieux arômes s'échappèrent bientôt des deux cuisines. Au numéro 2, Mme Stubbs cuisina des montagnes de tartelettes aux oignons, de pizzas, de quiches lorraines miniatures, tandis qu'au numéro 1, Emily confectionnait des zakouskis et une débauche de pâtisseries.

— Mmm... on se croirait à Noël ! s'exclama Tim, la veille de la garden-party, en mordant dans un des vol-au-vent croustillants qui sortaient du four. Tu veux que je t'aide ?

La jeune femme éclata de rire.

— Pas ainsi ! En revanche, tu peux laver la vaisselle.

Avec un grognement, Tim entreprit de récurer les plats.

— Je suis content que tu aies invité les parents de Neil. Ils sont impatients de te connaître.

— Moi de même. Ils t'ont si gentiment invité chez eux, pendant ma maladie. Toi et Neil, vous êtes les bienvenus si vous voulez vous joindre à nous.

— Rassure-toi, on ne s'ennuiera pas tous les deux. Neil a reçu pour son anniversaire de nouveaux jeux informatiques qui vont nous occuper toute la soirée. Mais ce serait merveilleux si je pouvais lui apporter quelques échantillons du festin. Mme Makepiece est charmante, mais sa cuisine, plutôt primitive. Tout le contraire de toi. Harry ne tarit pas d'éloges sur tes talents culinaires.

Les joues en feu, Emily sortit du four une nouvelle fournée de feuilletés au fromage.

— Vraiment ? Entendu, tu pourras emporter un assortiment d'amuse-gueules et de mignardises.

Tim lui décocha un regard oblique.

— Tu n'as jamais été aussi épanouie, Em. Est-ce à cause de Harry ? Est-ce qu'il t'attire ?

La question déclencha une sonnette d'alarme. Elle observa son frère en coulisse. Comment savoir si cette idée le gênait? Espérait-il un démenti? Craignait-il que Harry et elle...

Prudemment, elle évita une réponse directe.

— Tous ces jours-ci, je me suis amusée à organiser cette pendaison de crémaillère. Tu as raison, je devrais recevoir davantage et je compte bien le faire à l'avenir.

Son frère hocha la tête, impénétrable.

— A la bonne heure!

La conversation s'acheva là-dessus, laissant Emily sur sa faim.

La réception remporta un succès considérable. Harry et Tim avaient accroché des lampions sur les branches des arbustes et des cerisiers et, par le truchement d'un câble, deux haut-parleurs déversaient de la musique de jazz.

Les invités circulaient entre les deux jardins, un verre à la main, et toutes les tables dressées dans les allées étaient prises d'assaut.

Harry et Emily naviguèrent chacun de leur côté entre les différents groupes, offrant des rafraîchissements et effectuant les présentations. Quand tout le monde fut rassasié, Harry abandonna son plateau et saisit la jeune femme par la taille.

— Dansez avec moi. Je n'ai pas été un seul instant seul avec vous de toute la soirée. Je n'ai pas eu l'occasion de vous dire que vous étiez éblouissante dans cette petite chose rouge.

Il la scruta. L'avait-elle achetée pour lui? Ou était-ce un moyen d'affirmer à la terre entière qu'elle n'avait pas peur de se montrer sexy, si elle en avait envie?

Prise au piège, Emily plissa le nez, feignant l'écœurement. Cette *petite chose rouge* lui avait coûté les yeux de la tête. Pour dire la vérité, elle avait délibérément jeté son dévolu sur ce tailleur de soie sauvage, à cause de lui. Il y avait si longtemps qu'elle ne s'était pas offert une folie pour éblouir un homme.

Pas depuis...

Quelle importance. Mark ne comptait plus. D'ailleurs, il n'aurait pas approuvé la jupe trop courte et la veste trop ajustée. Trop « osée », d'après ses critères conservateurs.

— Vous êtes magnifique, vous aussi, dit-elle en admirant le costume en alpaga.

— Je l'ai choisi spécialement pour vous plaire.

— Eh bien, c'est réussi.

La main de Harry se posa sur sa taille. Des ondes électriques parcoururent son dos tandis qu'il l'entraînait vers la terrasse où évoluaient plusieurs couples.

— Je n'ai pas dansé depuis des années, murmura-t-elle, inquiète de le décevoir.

— Laissez-moi deviner. Encore un interdit de Mark.

— Quelque chose comme ça.

— Au diable, les préjugés stupides ! Détendez-vous et laissez-vous guider.

Elle obéit et, bientôt, elle virevolta sans effort au même rythme que lui.

— Vous reconnaissez cet air ?

Elle sourit.

— *Casablanca*...

— Oui, le fameux *As Time Goes by*. Vous m'avez pris dans vos sortilèges. Le jour où je vous ai rencontrée, je suis entré dans un monde enchanté dont j'ignorais tout et rien ne m'en délivrera jamais...

Il la fit tournoyer jusqu'à l'extrémité du patio, éclairé par les lampions, loin des lumières brillantes du salon.

— Combien de coupes de champagne avez-vous bues, Harry ? demanda-t-elle en riant.

— Ce n'est pas une question de verre, mon amour, mais une vérité incontournable.

Le tailleur cerise était une erreur. Seigneur, à quoi jouait-elle ? Ce n'était pas loyal. Pour elle comme pour lui. Et ce regard caressant qui l'enveloppait. Une douleur absurde lui noua l'estomac.

296

— Je suis désolée de vous avoir induit en erreur, Harry. Je... vous connaissez mon état d'esprit actuel. Rien n'a changé. Je voulais juste être différente, ce soir, voilà pourquoi j'ai acheté ce tailleur. Je ne cherchais pas...

— A me rendre fou de désir, à m'ensorceler? acheva Harry avec un petit rire rauque.

Elle fut soulagée de l'entendre plaisanter.

— En effet.

— Ma chère Em, la tenue importe peu... C'est vous, pas les vêtements que vous portez. Vous ne vous êtes pas soudain transformée en femme fatale et je n'ai pas l'intention de vous ravir avant que vous soyez prête... à m'appartenir.

Touchée par la noblesse de ses intentions, elle se haussa sur la pointe des pieds et l'embrassa sur la bouche.

— Je ne mérite pas un ami tel que vous.

— Merci. A présent, retournons garnir le buffet. Nous ne devons pas négliger nos hôtes.

Les invités commencèrent à partir peu après minuit. Jane Porter et son mari furent les premiers à prendre congé.

— Merci de cette merveilleuse soirée. Je regrette de vous quitter si tôt, mais je commence aux aurores demain matin.

Elle attira Emily à l'écart et murmura :

— Ne me dites pas qu'il n'y a rien entre vous et Harry, après votre danse romantique sur la terrasse. Passez-lui vite la corde au cou. Vous formez tous les deux un magnifique couple.

La jeune femme se mit à rire.

— Tant pis si vous ne me croyez pas, mais nous sommes simplement de bons amis.

— En effet, je n'en crois pas un mot. Il saute aux yeux que vous êtes fous amoureux l'un de l'autre.

« Fous amoureux l'un de l'autre... »

Une évidence pour tout le monde ou seulement pour

Jane qui les connaissait bien tous les deux ? songea Emily quand elle se glissa deux heures plus tard dans son lit. Non que cela ait une importance quelconque. La situation restait la même. Du moins tant que Tim... Peut-être, une fois qu'il serait à l'université...

Elle tâcha de conserver les yeux ouverts pour peser le pour et le contre, mais la lutte était inégale et le sommeil l'emporta au milieu de sa méditation.

10.

Les premiers jours d'août, de violents orages mirent un terme à la canicule. En contemplant le jardin noyé sous une pluie diluvienne, Emily songea que le temps reflétait ses propres émotions.

Depuis la pendaison de crémaillère, elle vivait dans une tension permanente, dans l'attente d'un événement, bien qu'elle ignorât lequel. Et pour couronner le tout, elle n'avait pas revu Harry.

Sans crier gare, il avait prolongé son week-end et ne reprenait le travail que ce matin.

Le dimanche précédent, une note manuscrite posée sur la table de la cuisine lui avait appris son départ impromptu.

« Em, je n'ai pas voulu vous déranger en téléphonant. Je dois me rendre à Bristol. Guy me remplace aux urgences. Pouvez-vous arroser le jardin ? Harry. »

Emily l'avait relue plusieurs fois. Il avait écrit ce message à la hâte, allant droit au but sans pour autant lui fournir la raison de ce voyage soudain. Elle en était donc réduite aux conjectures : il avait peut-être reçu un appel de ses parents.

Après la soirée, Emily avait regagné son cottage, si lasse qu'elle avait à peine remarqué que Harry ne l'avait pas embrassée en lui souhaitant une bonne nuit. Mais, en lisant sa brève missive, la chose lui était revenue à l'esprit.

Cela n'avait sûrement aucun rapport avec son déplacement imprévu. Quel qu'en fût le motif, il valait mieux qu'ils reprennent leurs distances, conclut-elle en bravant les trombes d'eau qui se déversaient du ciel.

Son frère avait aussi déserté la maison. Quand il ne programmait pas en compagnie de Neil sur l'ordinateur sophistiqué des Makepiece, il canotait sur la rivière avec le club de jeunes.

Ragaillardie par cette pensée, elle batailla contre la porte du garage qui refusait obstinément de s'ouvrir. Elle avait au moins une satisfaction. Tim posait désormais le pied bien à plat sur le sol. Bob Keefe avait même déclaré que ses muscles étaient assez forts pour permettre une reprise progressive de l'entraînement. La nouvelle l'avait plongé dans le ravissement et il redoublait d'efforts pour atteindre son but — une place de suppléant dans l'équipe de football.

Pourquoi, alors, se sentait-elle si morose, si abattue ? A cause du message énigmatique de Harry ? Parce qu'il ne lui avait pas téléphoné depuis son départ ? Une absence qui durait depuis trois jours. Autant dire un siècle !

La porte du garage céda sous ses assauts répétés. Elle l'ouvrit en grand, ôta son imperméable trempé, se glissa à l'intérieur de sa Mini jaune canari et tourna la clé de contact. Rien. Un silence de mort. Pas même un hoquet.

Elle fit une nouvelle tentative aussi infructueuse que la première. La batterie semblait à plat ou le moteur avait rendu l'âme.

Excédée, elle tambourina sur le volant. Que faire ? Appeler un taxi ?

Non. Le temps qu'il arrive, elle serait en retard. Mieux valait tenter sa chance auprès de Harry. La veille, elle ne l'avait pas entendu rentrer à cause de l'orage, mais elle était certaine qu'il n'était pas encore parti.

Sans tergiverser davantage, elle enfila son coupe-vent et se rua sous la pluie battante au moment où la Range Rover sortait du garage voisin.

— Harry !

300

Son cri fut emporté par la tempête. Elle courut le long de la pelouse, contourna le muret de brique et traversa la terrasse du cottage voisin en agitant un bras pour attirer l'attention du conducteur.

Il actionnait le boîtier électronique quand il l'aperçut. Il se pencha pour ouvrir la portière du côté passager.

— Merci, dit-elle hors d'haleine en grimpant à l'intérieur.

Mon Dieu, c'était si bon de le voir !

Il ferma la vitre et se tourna vers elle, un léger sourire aux lèvres.

— Laissez-moi deviner : votre voiture est en panne.

— Dans le mille.

Elle avait espéré un accueil plus démonstratif, mais rien de tel n'arriva. Il mit le moteur en route et descendit l'allée, les yeux fixés sur le pare-brise, la bouche serrée, les mains crispées sur le volant.

Quelque chose le tracassait... Ses parents ?

Elle ouvrait la bouche pour l'interroger sur son voyage à Bistrol quand il la devança.

— Vous devriez offrir à cette antiquité un enterrement décent. Elle n'est plus dans la course.

Il la taquinait souvent sur sa Mini, mais pas de ce ton impersonnel qu'on emploie avec une étrangère. Elle frémit et une boule se forma dans sa gorge. Que s'était-il passé pour le rendre aussi lointain ? Puis elle s'obligea à se ressaisir. Ressasser la question ne diminuerait pas son anxiété. Elle devait plutôt lui poser carrément la question.

— Qu'est-ce qui ne va pas ? Vos parents sont malades ?

— Non, toujours bon pied bon œil.

Il esquissa un sourire affectueux, mais sa voix était presque froide quand il ajouta :

— J'ai suis allé leur parler d'une tournée de conférences que les Etats-Unis me proposent. Une escapade de six semaines ou plus.

Six semaines ou plus ! Il allait partir et il ne lui en avait pas soufflé mot. A cette pensée, elle se sentit défaillir.

— Pourquoi ne m'avoir rien dit?

— Parce que j'ignorais quelle serait votre réaction.

— Depuis combien de temps le savez-vous?

— Depuis samedi matin. En fait... Je voulais en discuter avec vous, mais après la soirée, j'ai pensé que cela vous était égal que je sois ici ou en Amérique.

Elle le dévisagea, ébahie.

— Bien sûr que non!

— Vraiment? Alors je ne comprends plus : samedi dernier, je me suis jeté à vos pieds, je vous ai demandée de nouveau en mariage. Em, je suis un être de chair et de sang, et je suis las d'attendre, d'espérer sans le moindre encouragement. Voilà pourquoi j'ai discuté de cette invitation avec mes parents plutôt qu'avec vous.

La tristesse et la colère submergea Emily. En fin de compte, on en venait toujours là : le sexe. Elle aussi, elle avait des désirs. Elle ne pouvait plus prétendre le contraire. Elle l'aimait. Elle brûlait d'envie de l'épouser, de faire l'amour avec lui, mais... elle devait penser d'abord à Tim. Elle ne voulait pas compromettre son équilibre.

Que faire? Harry, jusqu'ici si patient, lui lançait un ultimatum. Soit elle se mariait avec lui, soit elle se condamnait à un avenir solitaire, sans même la chaleur de son amitié. Elle pouvait même ne jamais le revoir. On pouvait lui proposer un poste permanent, au cours de sa tournée américaine. N'est-ce pas ce qui arrivait à la plupart des as de la médecine anglaise?

La Range Rover franchit le portail du complexe hospitalier et Harry se gara sur le parking des consultants. Il défit sa ceinture, puis la sienne. Emily se ratatina dans son siège, un geste qui lui valut un sourire amer.

— Rassurez-vous, je ne vais pas vous toucher. Nous terminerons cette conversation ce soir. J'ai une réunion de direction en fin de journée, je ne serai donc pas à la maison avant 20 h 30. Si vous voyez Tim, dites-lui de ne pas nous déranger.

— Mais...

— Il n'y a pas de mais. Si vous ne le faites pas, je lui parlerai. Il comprendra. Pour une fois, traitez-le en adulte. A présent, il n'a plus les deux pieds dans le même sabot.

— Comment... comment osez-vous?

— Parce que je vous aime tous les deux. A propos, comment allez-vous rentrer chez vous?

Sa première pensée fut de lui rétorquer que ça ne le concernait pas, mais cette réaction puérile aurait été grossière. S'il la prenait au mot, s'il rompait toute relation avec elle...

Cette menace la glaça.

Les lèvres serrées pour les empêcher de trembler, elle prononça un seul mot :

— L'autobus.

— Prenez un taxi... Je vous l'offre, dit-il en sortant un billet de son portefeuille.

Toute la journée, elle effectua son travail comme une automate. Quand son service prit fin, elle monta, les jambes en coton, dans le taxi qui l'attendait devant l'entrée.

Harry la regarda partir de la fenêtre de son bureau. Il voyait, peiné, combien elle était exténuée, mais il ne se sentait pas beaucoup plus vaillant. Leur entrevue dans la voiture les avait épuisés émotionnellement et il se mit à réfléchir à leur prochain rendez-vous.

Avait-il été trop dur avec elle? Elle avait vécu un enfer depuis neuf mois. Mais pourrait-il endurer encore longtemps la torture de simples relations amicales? La passion le consumait. Il voulait qu'elle partage sa vie, qu'elle porte son nom.

Entre la mort de sa mère, les blessures de Tim et la désertion de Mark, il ne savait ce qui l'avait le plus traumatisée. Ou s'il devait chercher du côté des brutalités que son père avait infligées à sa mère, avec la peur inconsciente qui en découlait.

303

Il fallait vraiment qu'il discute. A lui maintenant de gagner sa confiance, de la convaincre de son amour, de lui donner confiance en l'avenir — le fondement d'un mariage heureux. C'était aussi vital que de conquérir son cœur.

La réunion de direction se termina plus tôt et Harry arriva chez lui à 20 heures. En traversant le patio, il se rembrunit en apercevant une grosse berline garée devant le cottage d'Emily. Ce visiteur tombait mal.

Alors qu'il s'apprêtait à glisser la clé dans la serrure, des éclats de voix s'échappèrent des fenêtres ouvertes de la maison voisine. Non, pas plusieurs voix, une seule, masculine, agressive et furibonde !

Sans la moindre honte, il tendit l'oreille. Qui était ce rustre qui essayait d'intimider Tim et Emily ? Un parent ? Un étranger ? Devait-il intervenir ?

Au même instant, la voix grimpa d'une octave :

— Sinon, je...

Le reste se perdit dans un flot de paroles indistinctes et Harry n'y tint plus. Il rebroussa chemin et pénétra dans le jardin d'à côté. En marchant à pas de loup sur le gravier, il se plia instinctivement en passant devant la fenêtre. Puis il se glissa dans l'entrebâillement de la porte d'entrée, pénétra dans le petit vestibule et s'approcha de celle du salon restée grande ouverte.

Le tableau qui s'offrit à lui le laissa pantois. Un homme grand, aux épaules larges, se tenait au milieu de la pièce, brandissant une main tremblante. Tim et Emily lui faisaient face, à la fois indignés et effrayés. A l'évidence, ils connaissaient cet homme... Aucune erreur, son dos athlétique évoquait celui de Tim — dans une version plus développée. La forme de sa tête et son épaisse chevelure accentuaient encore la ressemblance.

Leur père ! L'homme qui avait assombri leur enfance, l'homme qui avait battu leur mère...

304

Harry entra sur la pointe des pieds et s'immobilisa derrière lui.

— Bonsoir, dit-il d'une voix grave empreinte d'une note de défi.

Tim et Emily détournèrent les yeux de la silhouette paternelle et le fixèrent, ébahis. Leur persécuteur fit volte-face en lâchant un juron.

— Je suis désolé de vous déranger, reprit Harry en ignorant ce dernier, mais j'ai surpris des éclats de voix et j'ai voulu m'assurer que tout allait bien.

Tim et Emily hochèrent la tête en silence. Leurs expressions exprimaient un indicible soulagement.

— Sapristi, qui êtes-vous ? aboya le visiteur.

— Un ami et voisin, et vous ?

L'imminence d'un pugilat tira Emily de sa torpeur. D'un petit geste de la main, elle fit les présentations, ses yeux implorant les deux protagonistes de garder leur sang-froid.

— Je vous présente mon père, Geoffrey Prince. Papa, voici Harry Paradine, le chef du département des urgences où je travaille ainsi que notre ami et notre plus proche voisin.

Harry se détendit. Il détestait les affrontements physiques et il avait réagi de la sorte uniquement pour défendre Tim et Emily. Celle-ci avait raison : mieux valait se comporter en êtres civilisés.

— Enchanté, monsieur.

Geoffrey Prince ignora la main qui se tendait vers lui. Il redressa les épaules, étirant le tissu luxueux de son costume gris, dans une tentative évidente pour rassembler ses esprits. Sobre, il eût paru distingué.

— Eh bien, mon... sieur... Paradine, vous avez interrompu une conversation privée. Aussi, je vous prie de sortir. Vous n'êtes pas le bienvenu ici.

— Si ! protestèrent ses enfants à l'unisson.

— Je vous en prie, renchérit Tim, se plaçant à côté de Harry.

Il glissa un bras autour des épaules de l'adolescent.

— Bien sûr, si vous le souhaitez tous les deux.

Emily acquiesça.

— Nous privilégions votre avis d'observateur impartial.

— Sacré nom d'une pipe! hurla Geoffrey Prince, vert de rage. Restez en dehors de ça!

Là-dessus, il fit un pas en avant et trébucha. Il serait tombé si Harry ne l'avait pas rattrapé et assis dans un fauteuil.

— Laissons-le quelques minutes, dit-il en contemplant le corps affaissé. Ensuite, nous lui ferons boire du café noir.

— Je vais le préparer, proposa Tim, manifestement heureux de quitter la pièce.

Emily marcha jusqu'à la fenêtre, suivie par Harry. Ils contemplèrent les deux jardins baignés par le soleil couchant.

Harry mourait d'envie de la prendre dans ses bras, mais il devinait que la conduite de Geoffrey Prince avait fait renaître ses inhibitions.

— Merci, vous êtes si gentil.

— De rien. A propos, votre père n'est pas en état de conduire. A-t-il prévu de rentrer à Londres ou ailleurs?

— Il a réservé une chambre au Grand Hôtel de Chellminster. Il a dit qu'il ne repartirait pas tant que nous n'aurions pas réglé nos affaires... Mais je ne veux plus le revoir. Il n'est pas même pas venu aux funérailles de maman et, maintenant, il réclame une partie de son héritage.

— Comment ça? Votre mère était divorcée.

Une colère froide brilla dans les yeux saphir.

— Il se moque de ce détail. Il a été toujours avide d'argent. Mais, cette fois, il n'obtiendra pas un sou. La somme qu'a laissée maman est destinée aux études de Tim.

Eperdu d'amour, Harry résista de nouveau à la tentation de la prendre dans ses bras.

— Vous ne lui parlerez plus. A l'avenir, les échanges se

feront par l'intermédiaire de votre avocat qui lui opposera le testament de votre mère. Je veillerai à le lui préciser clairement quand je le raccompagnerai à son hôtel.

— Oh, je peux appeler un taxi. Vous en avez assez fait. Si vous n'étiez pas venu, il se serait cru tout permis. C'est bizarre, il a tellement l'allure d'un homme du monde que personne ne devine qu'il s'agit d'une façade.

Harry lui prit la main et embrassa le bout de ses doigts.

— L'habit ne fait pas le moine. Voilà pourquoi je ne vais lui donner aucune excuse pour revenir nous menacer, mon amour adoré.

Quelques heures plus tard, Emily se retourna dans son lit, tapa sur son oreiller et posa sa joue brûlante sur la partie fraîche.

« Mon amour adoré. »

Les mots qu'il avait murmurés avec une tendresse bouleversante continuaient de tourner dans sa tête, tandis que s'égrenaient les images de cette soirée tumultueuse.

Au moment où elle s'apprêtait à se jeter dans les bras de Harry et à lui avouer son amour, Tim était revenu avec le café, mettant un terme à cet instant d'intimité. Ensuite, ils avaient contraint Geoffrey Prince à avaler plusieurs tasses d'arabica. Après moult polémiques, celui-ci avait tendu à contrecœur les clés de sa voiture.

— Je reviendrai, avait-il rugi en montant à l'intérieur.

Mais Harry ne l'entendait pas de cette oreille.

— Il faudra d'abord me tuer !

— Ouah ! Tu crois qu'ils vont en venir aux mains ? avait demandé Tim, quand le véhicule avait descendu l'allée.

Emily, décelant dans sa voix une pointe d'excitation, avait esquissé un sourire mélancolique. Son frère était assez jeune pour croire que des coups de poing peuvent résoudre un problème.

— Non, Harry n'utilisera pas la violence physique. Il est

trop intelligent pour user de ce genre d'expédients. Il expliquera juste à papa qu'il ne gagnera rien à venir nous tourmenter.

— Si quelqu'un peut l'impressionner, c'est bien Harry. Avec lui, on se sent en sécurité.

Une douce chaleur avait alors envahi Emily.

Elle avait toujours chaud au cœur, quand le téléphone l'avait réveillée le lendemain matin et qu'elle avait reconnu la voix de Harry.

— Comme je présume que la Mini ne donne toujours pas signe de vie, je vais vous conduire à l'hôpital dans mon propre carrosse.

— Mon chevalier dans sa belle armure vole de nouveau à mon secours !

— Toujours à votre service.

En raccrochant le cœur battant, elle avait tout à coup songé qu'elle ne l'avait pas remercié de son intervention de la veille.

Elle essaya de le faire, quand ils atteignirent l'hôpital.

— A propos d'hier soir, je...

— Ne dites rien, c'est inutile, ma chérie. Cela n'arrivera plus, vous avez ma parole.

Des larmes embuèrent les yeux d'Emily.

— Oh, j'ai été si sotte...

Harry l'embrassa sur la bouche.

— Nous parlerons ce soir. Je serai là vers 19 heures.

A 17 heures, le cœur léger, Emily quitta l'hôpital sous un soleil éclatant et décida de rentrer chez elle en bus. Elle terminait de se sécher les cheveux quand Tim remonta l'allée du jardin d'un pas allègre.

— Tu ressembles à un ourson tombé dans un pot de miel.

— J'ai été voir M. Coomes, le directeur sportif.

— Chez lui, alors qu'il est en vacances ? Pauvre homme !

— Il m'a très bien reçu. Je lui ai parlé de Bob, de son diagnostic. Nous avons fait quelques passes dans son jardin et devine ! Il me prend à l'essai à la rentrée scolaire.

— Magnifique ! Je suis folle de joie. Harry le sera aussi.

Le visage de Tim devint brusquement sérieux.

— Sans Harry, je n'aurais jamais réussi. C'est un homme très spécial.

— Oh, oui.

— Tu l'aimes beaucoup, Em ?

Sous le regard pénétrant de son frère, Emily s'empourpra. A la hâte, elle chercha une réponse évasive, sans y parvenir.

— Je savais que vous étiez amoureux l'un de l'autre..., reprit alors Tim. Pourquoi vous ne vous mariez pas ? Nous formerons une vraie famille, comme avant la mort de maman.

Les mots agirent sur Emily comme une révélation. Brusquement, tout devint clair. Elle s'était servie de Tim comme bouclier parce qu'elle avait peur de ses sentiments envers Harry. Peur qu'il la blesse à mort, comme Mark... Impossible ! Aucun doute ne subsistait dans sa tête.

Elle poussa un soupir de pur bonheur. Le jeu de la valse-hésitation était terminé.

11.

Sous un ciel bleu et or, elle traversa le jardin et gravit les marches de la terrasse. Harry l'attendait sur le seuil.

Emily s'arrêta. Un frisson d'appréhension la parcourut tout entière. Elle ne savait pas encore comment lui annoncer sa reddition. Puis il sourit et ses craintes s'envolèrent. Sans un mot, il lui tendit les bras et elle vint s'y blottir.

— Oh, je t'ai donné tant de soucis. Tout à coup, j'ai compris que je m'abritais derrière Tim pour ne pas souffrir encore.

— Et tu n'as plus peur, mon cœur? Tu as assez confiance en moi pour m'épouser?

Sans ciller, ses yeux rencontrèrent les siens. Nouant les bras autour de son cou, elle attira son visage vers elle.

— Oui, je t'aime.

Harry embrassa ses paupières, son nez et sa bouche.

— T'ai-je dit récemment que je t'aimais?

— Pas aujourd'hui!

— Alors, il faut que je remédie à ça. Je t'aime, Emily Prince, parce que tu es la femme la plus douce, la plus chaleureuse, la plus passionnée de la terre.

— Non, c'est toi qui m'as rendue ainsi... Merci, tu as été si patient avec moi.

Il posa un doigt sur ses lèvres.

— Chut! Pas de remords. Tu m'as forcé à jouer le preux chevalier volant au secours de sa dame.

— Tu n'as jamais songé à renoncer?

— Pas vraiment, bien que j'aie frôlé le découragement la nuit de la pendaison de la crémaillère. Voilà pourquoi je suis parti à Bristol : pour parler à mes parents, aussi bien de toi que de la proposition des Américains.

— Ils ont dû penser que tu avais perdu la tête pour vouloir épouser une femme qui dédaignait ton amour.

— Non, ils n'ont pas cette image de toi. Ils t'imaginent comme une femme sensible qui a traversé de dures épreuves et qui a renoncé à une belle carrière pour s'occuper de son jeune frère. Ils te voient aussi comme la seule femme que j'aie jamais aimée. Ils m'ont dit que je serais fou d'abandonner, mais qu'une séparation de courte durée pourrait précipiter les choses.

Un léger sourire flotta sur les lèvres d'Emily.

— Et toi, qu'en penses-tu?

— L'idée n'est plus d'actualité. Je ne pourrais pas supporter de me séparer de toi, même pendant six semaines. Mais je crois que nous pourrions mélanger le travail et le plaisir en partant en voyage de noces aux Etats-Unis, avec un petit détour par les Caraïbes avant de rentrer à la maison. Qu'en dis-tu, mon amour?

— Je trouve que c'est la solution parfaite, répondit Emily, les yeux brillant d'amour. Mais la lune de miel vient après le mariage. Ne tardons pas, mon chéri, nous avons attendu assez longtemps.

Harry l'interrompit par un baiser fougueux.

— Je peux arranger ça.

Trois semaines plus tard, Tim conduisit Emily jusqu'à l'autel de la chapelle de l'hôpital où l'attendait Harry. Avec un sourire, il lui prit la main et la pressa.

Le regard du chapelain survola la foule des médecins et des infirmières venus assister à la cérémonie, puis sa voix résonna sous la voûte de pierre :

— Aujourd'hui, nous sommes réunis ici...

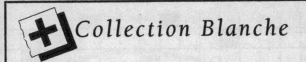 **Collection Blanche**

  prochains rendez-vous le *août*

UNE FEMME POUR LE DR BERKLEY, *de Jessica Matthews* • N°471

Afin de dénicher la femme idéale qui lui permettrait d'être totalement accepté dans la petite ville de Mercer, le Dr James Berkley demande à Katie, la loyale infirmière en qui il a toute confiance, de l'aider. Mais quelle n'est pas sa surprise lorsque Katie exige de lui en retour qu'il lui trouve un mari !

MARIAGE EN AMAZONIE, *de Leann Harris*

Une jeune sage-femme accepte de servir de guide à un agent de la CIA au cœur de la forêt amazonienne où elle a vécu enfant. Une équipée dangereuse à plus d'un titre...

L'INCERTITUDE DE L'AMOUR, *de Caroline Anderson* • N°472

Tassy, qui n'a pas oublié les dures leçons du passé, est déterminée à tenir les hommes à distance. Mais le Dr Ben Lazaar ne semble pas considérer un "non" comme une réponse. Ni un "peut-être", d'ailleurs...

LA TENTATION DU DR MONCTON, *de Sonia Deane*

Parce qu'il y a urgence, le Dr Alex Moncton propose à l'une de ses patientes un poste d'infirmière temporaire dans son cabinet. Toutefois, l'intérêt très vif qu'il éprouve pour la jeune femme qui est fiancée le trouble beaucoup...

TRAITEMENT DE FAVEUR POUR UNE INFIRMIÈRE, *de Betty Neels* • N°473

N'était le fils de sa patiente, le Pr Charles Creswell, être l'infirmière particulière de lady Creswell, une vieille dame charmante, comblerait Judith. En effet, elle a l'impression que Charles l'a détestée au premier regard. Mais elle le lui rend bien !

COUPABLE D'AIMER, *de Valerie Benson*

Econduire un jeune interne arrogant et prétentieux n'avait pas posé de problèmes à Meryl. Sinon que ce dernier avait la rancune tenace, et que son oncle se trouvait être le Dr Kyle Darracott, le nouveau chef de clinique. Et le patron de la jeune femme...

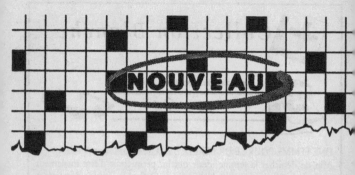

les coffrets **LES JEUX** *d'Harlequin*

Pour les amateurs de mots croisés, fléchés, codés et autres quizz, Harlequin a imaginé une toute nouvelle collection intitulée **LES JEUX** *d'Harlequin*, réunissant dans un coffret, 2 romans et un supplément jeux gratuit de 24 pages, tout en couleur avec de nombreux cadeaux à gagner !

Ce mois-ci, nous vous proposons de découvrir le coffret **LES JEUX** *d'Harlequin* **Spécial Été.**

Laissez-vous prendre au jeu, et notez d'ores et déjà votre prochain rendez-vous en 1999 :

• **le 1er novembre : LES JEUX** *d'Harlequin* **Spécial Noël**

Avec les collections Harlequin, prenez le temps de rêver.

Les vacances ne sont-elles pas le moment où enfin, il est possible de penser à soi, de s'adonner pleinement à ses passions, de se distraire, ou bien encore se détendre avec un bon roman dans une chaise longue... ?
Vous en rêvez ?

Alors découvrez vite :

Le 1ᵉʳ juillet
les Romans Coup de Cœur de l'Été

Laissez-vous tenter par les 3 mini-romans inédits Coup de Cœur de l'Été. 3 histoires d'amour brûlantes comme le soleil estival, pleines de sensualité et d'émotion. À dévorer sans modération !

Et, le 1ᵉʳ août
Coffret "Auteurs stars"

Découvrez ou retrouvez JoAnn Ross, Marilyn Baxter et Jasmine Cresswell, 3 auteurs stars au succès mondial, dans un coffret de 3 romans exceptionnels, spécialement réédités à votre intention. 3 histoires captivantes où le suspense flirte avec la passion !

DÉCOUVREZ LE PLAISIR DE RECEVOIR VOS LIVRES CHEZ VOUS !

Vous lisez régulièrement des romans Harlequin et vous les appréciez... Alors, pourquoi ne pas recevoir vos livres directement chez vous ?

Renvoyez dès aujourd'hui votre offre privilégiée et vous recevrez gratuitement **2 volumes doubles Blanche** et un **cadeau mystère**.

✳ Les 7 Avantages ✳ du Cercle des Lectrices Harlequin

★ Vous recevez vos livres directement chez vous, sans avoir à vous déplacer et sans supplément.

★ Vous recevez vos livres en avant-première, 20 jours environ avant leur sortie en librairie.

★ Vous réglez en toute liberté vos livres mensuellement, après réception.

★ Vous bénéficiez de toutes les promotions spéciales réservées aux abonnées.

★ Vous participez aux jeux et concours du Cercle des Lectrices Harlequin.

★ Vous bénéficiez de 5% de réduction par rapport au prix de vente en librairie. Nous prenons en charge les frais de port et d'emballage.

★ Vous pouvez interrompre à tout moment votre abonnement ou changer de collection en cours d'année.

OFFRE PRIVILÉGIÉE

À compléter et à retourner sous enveloppe affranchie à :

Harlequin Service Lectrices
60505 CHANTILLY CEDEX

Oui, je souhaite recevoir gratuitement 2 volumes doubles Blanche choisis parmi vos précédentes parutions ainsi que mon cadeau. Je recevrai par la suite 3 volumes doubles inédits de la collection BLANCHE à consulter chaque mois.

Je pourrai les acquérir au prix de 28,40 F le volume double de 320 pages (sans supplément de frais de port), ou vous les retourner sous 10 jours sans rien devoir.

Je suis libre d'interrompre à tout moment ma collection.

Mme ☐ Mlle ☐   `SFBL03.1603`

Nom _____

Prénom _____

Adresse _____

_____

Code postal ⌷⌷⌷⌷⌷ Ville _____

Répondez à notre offre privilégiée, ces cadeaux de bienvenue seront à vous définitivement.

Ce mois-ci,
découvrez trois nouveaux

BEST-SELLERS HARLEQUIN.

KALÉIDOSCOPE, *de Taylor Smith • N°97*

La psychose gagne Los Angeles en cette période de Noël: deux très
jeunes enfants ont été enlevés et tués, et un troisième est porté
disparu. Chef de mission au FBI, Dan Sprague cherche le mystérieux
criminel, secondé par deux femmes aussi brillantes que belles, Claire
Gillespie et Laurel Madden. Des femmes dont la coopération est
faussement amicale, l'une s'intéressant de très près au passé obscur
de l'autre: Laurel Madden n'a-t-elle pas été impliquée naguère dans
une affaire de meurtre d'enfant jamais résolue?

Un thriller captivant, mené de main de maître par Taylor Smith.

TROIS SŒURS, *de JoAnn Ross • N°98*

Molly, Lena et Tessa McBride... Du jour où leurs parents sont morts
sous leurs yeux, les trois sœurs ont été séparées par la vie, ballottées
d'une famille d'accueil à l'autre, de collèges en maisons de
redressement. Devenues adultes, alors que chacune a emprunté la
voie où l'engageaient sa nature et son destin, le hasard les réunit à
nouveau. Mais le sort s'acharne, faisant dérailler à nouveau le train
de leur existence...

Et cette fois, le pire est à craindre.

LES DÉMONS DU PASSÉ, *de Mary Lynn Baxter • N°99*

Quand un impitoyable concours de circonstances lui fait retrouver
son ex-mari Gates O'Brien après des années de séparation, Julian
Reed comprend qu'elle n'en a pas fini avec ce passé qu'elle croyait
avoir vaincu. Certes, personne ne pourra jamais guérir sa terrible
blessure de mère, lui rendre son enfant, mort accidentellement onze
ans plus tôt; mais comment aurait-elle prévu que ce mari rongé par
la culpabilité, miné par l'alcool, ce monstre de cruauté croiserait à
nouveau sa route? Et surtout, comment aurait-elle deviné que la
passion, brûlante, se réveillerait entre eux avec sa cohorte de
démons – y compris ceux qu'ils n'ont jamais voulu affronter?